Gernot Erler

Mission Weltfrieden

Gernot Erler

Mission Weltfrieden

Deutschlands neue Rolle in der Weltpolitik

Mit einem Vorwort von Frank-Walter Steinmeier

HERDER

FREIBURG · BASEL · WIEN

© Verlag Herder GmbH, Freiburg im Breisgau 2009
Alle Rechte vorbehalten
www.herder.de

Satz: Barbara Herrmann, Freiburg
Herstellung: fgb · freiburger graphische betriebe
www.fgb.de

Gedruckt auf umweltfreundlichem, chlorfrei gebleichtem Papier
Printed in Germany

ISBN 978-3-451-301110-0

Für Egon Bahr und Hans-Jochen Vogel
in Dankbarkeit für ihre prägende Begleitung

Inhalt

Ein persönliches Vorwort

Deutschland hat im 20. Jahrhundert eine verhängnisvolle Rolle in der Weltpolitik gespielt. Es trägt die Hauptverantwortung für zwei verheerende Weltkriege und hat ungezähltes Leid über zahlreiche Staaten und Millionen von Menschen gebracht.

Ich bin im zerbombten und viergeteilten Berlin aufgewachsen, ohne Vater. Er fiel in den letzten Kriegstagen an der Ostfront. Später wollte ich verstehen, warum es so gekommen ist. Dafür habe ich Geschichte, Slawische Sprachen und Politik studiert. Das Ost-West-Verhältnis hat mich über Jahrzehnte beschäftigt – als Hochschullehrer im Fach Osteuropäische Geschichte, als Verlagsleiter und bei meinen Schritten in die Politik. Die haben mich zuerst in die Friedensbewegung geführt, dann in die SPD.

Als Bundestagsabgeordneter ab 1987 konnte ich da weitermachen: im Verteidigungsausschuss, dann im Auswärtigen Ausschuss, 1994 bis 1998 als Vorsitzender des Unterausschusses für Abrüstung und Rüstungskontrolle. Während der rotgrünen Bundesregierung mit Bundeskanzler Gerhard Schröder und Außenminister Joschka Fischer war ich „nahe dran". Als Stellvertretender Vorsitzender der SPD-Bundestagsfraktion mit der Verantwortung für die Koordinierung von Außen-, Sicherheits-, Entwicklungs- und Menschenrechtspolitik habe ich bewusst an einer neuen Rolle Deutschlands in der Welt versucht mitzuwirken. Ab November 2005 durfte ich das in konkreter Regierungsverantwortung fortsetzen, als Staatsminister im Auswärtigen Amt, an der Seite von Bundesaußenminister Frank-Walter Steinmeier.

Es kommt der Zeitpunkt, da möchte man Bilanz ziehen. Der Titel Mission Weltfrieden steht nicht für eine durchgängige Erfolgsgeschichte. Er markiert ein Ziel, lässt Platz für die

Beschreibung einer Entwicklung, die allerdings zu einer neuen Rolle Deutschlands in der internationalen Politik führt. Diese Entwicklung zeichne ich nach und versuche sie an einzelnen Beispielen zu belegen. Das tue ich von meinen politischen Grundüberzeugungen her, also *cum ira et studio*, aber eben nicht als Staatsminister. Die Verantwortung für den Text dieses Buches und seine Aussagen trage ich persönlich.

Ohne die Unterstützung meiner Mitarbeiter Dirk Sawitzky, Peter Fäßler und Diana Karasch, die dabei weder auf die Uhr noch auf den Wochentag geschaut haben, hätte das Manuskript nicht entstehen können. Ihnen vor allem, aber auch allen Kolleginnen und Kollegen im Auswärtigen Amt und im Deutschen Bundestag, die meine Arbeit immer wieder kritisch und konstruktiv begleitet haben, bin ich sehr dankbar.

Gernot Erler

Vorwort
von Frank-Walter Steinmeier

60 Jahre nach Gründung der Bundesrepublik, 20 Jahre nach dem Mauerfall ist ein guter Zeitpunkt, um Konstanten und Veränderungen deutscher Außenpolitik zu betrachten.

Gernot Erler, mit dem mich eine lange und gute Zusammenarbeit verbindet, beschreibt im vorliegenden Buch die Mission Weltfrieden als eine Grundkonstante deutscher Außenpolitik. Überzeugend erläutert er, wie dieses Ziel durch einen Emanzipationsprozess hindurch verfolgt wurde, der mit der Gründung der Bundesrepublik begann.

In dessen Mitte stand zunächst der Wunsch nach Wiederaufnahme in die Staatengemeinschaft, der von Bundeskanzler Adenauer durch einen konsequenten Kurs der Westintegration verfolgt wurde. Dieser Kurs führte allerdings zu einer Verschärfung der Ost-West-Auseinandersetzung und zu einem Konflikt mit dem zweiten Ziel deutscher Nachkriegspolitik, der Wiedervereinigung.

Erst mit der Ostpolitik von Willy Brandt gelang es, einen Ausweg aus diesem Dilemma deutscher Nachkriegspolitik zu finden. „Wandel durch Annäherung" war die Formel Willy Brandts, mit der die Starrheit des Blockdenkens überwunden wurde. Kern des neuen politischen Denkens war es, politische Wahrheiten zunächst anzuerkennen, um dann ihre Veränderung in Angriff zu nehmen.

Raum für eine positive Dynamik wurde so geschaffen. Sie führte letztendlich dazu, dass die Voraussetzungen für den Fall der Mauer, die Auflösung der Blöcke und die deutsche Wiedervereinigung zwei Jahrzehnte später entstanden.

Die Wiedervereinigung selbst war ein tiefer Einschnitt – nicht nur für Deutschland, sondern auch für unsere Außenpolitik.

Das Land erlangte seine volle außenpolitische Souveränität und Handlungsfreiheit zurück.

Mit Handlungsfreiheit sind auch Pflichten, mit Souveränität auch Verantwortung verbunden. Deutschland musste jetzt unter Beweis stellen, dass es als außenpolitisch souverän handelnder Staat, der nicht mehr in starre Blockstrukturen eingebunden war, dem Kurs von Willy Brandt treu bleiben und weiterhin aktiv zu Frieden und zu einer gerechten Weltordnung beitragen würde.

20 Jahre später kann mit gutem Recht behauptet werden, dass dies gelungen ist: Deutschland ist heute eine anerkannte Friedensmacht, die sich weltweit für die Beendigung von Konflikten und für die Schaffung von gerechten Lebensverhältnissen einsetzt. Zugleich hat Deutschland es vermocht, sein Vorgehen auf dem Weg zum „Friedensziel" an sich verändernde Bedingungen jeweils anzupassen.

Deutschland ist damit zu einem Vorbild für eine „moderne" Friedenspolitik geworden. Für eine Friedenspolitik, die von einem umfassenden Sicherheitsverständnis ausgeht, das über den Schutz vor militärischen Bedrohungen weit hinausgeht. Und für eine Außenpolitik, die vorausschauend ist und nach Möglichkeiten zur Vermeidung des Entstehens von Bedrohungen sucht, statt nur auf bereits entstandene Brandherde zu reagieren.

Festmachen lässt sich der Evolutionsprozess, den deutsche Außenpolitik in den letzten zwei Jahrzehnten durchlaufen hat, vor allem an drei Ereignissen:

Das erste ist die deutsche Beteiligung am NATO-Militäreinsatz im Kosovo. Dies war keine einfache Entscheidung für die beteiligten Nationen. Insbesondere nicht für Deutschland, denn es bedeutete, dass erstmals seit dem Ende des Zweiten Weltkriegs deutsche Soldaten an einem Kampfeinsatz beteiligt waren.

Am Ende einer langen und gerade für die Sozialdemokraten schmerzhaften Debatte stimmte eine große rot-grüne Mehrheit für eine deutsche Beteiligung. Kern der Entscheidung war die Gewissheit, dass man der menschlichen Tragödie in diesem Teil Europas nicht mehr tatenlos zusehen konnte. Es ging darum, eine friedliche Lösung im Kosovo mit militärischen Mitteln durchzusetzen.

Anders ausgedrückt: Angesichts der unhaltbaren Situation auf dem Balkan, mit den vom damaligen Diktator Milošević angezettelten Kriegen und eklatanten Menschenrechtsverstößen, musste Friedenspolitik neu interpretiert werden. Rezepte aus Zeiten der Blockkonfrontation, in der eine von der atomaren Bedrohung erzeugte „gespenstische" Ruhe in Mitteleuropa herrschte, hatten ihre Gültigkeit verloren. Die Zerfallssituation im ehemaligen Jugoslawien erforderte neue, mutige Entscheidungen, damit die Erfüllung friedenspolitischer Ziele angesichts dieser Umstände gelingen konnte.

Heute gehören die Kriege auf dem Balkan der Vergangenheit an. Die Staaten der Region sind – trotz verbleibender Schwierigkeiten – auf dem Weg in eine bessere Zukunft. Dies zeigt, wie richtig und wichtig der Prozess der damaligen Neuorientierung deutscher Politik war.

Das zweite Ereignis, das deutsche Friedenspolitik nach der Wiedervereinigung prägte, war die Nicht-Teilnahme Deutschlands am Irak-Krieg. Hierfür hatten wir gute Gründe: Die diplomatischen Möglichkeiten zur Lösung des Konflikts waren nicht ausgeschöpft worden, überzeugende Belege für die Existenz von Massenvernichtungswaffen oder entsprechenden Produktionsanlagen wurden nicht vorgelegt, und es bestand das Risiko des Entstehens eines neuen unkontrollierten Brandherds im Mittleren Osten.

Auch diese Entscheidung war eine zeitgemäße Interpretation der Frage, wie Friedenspolitik unter konkreten Umständen auszusehen hat. Unter Umständen, die weit komplexer waren als zu Zeiten des Kalten Kriegs.

Das dritte Ereignis, das deutsche Außen- und Friedenspolitik nachhaltig verändert, erleben wir augenblicklich – sozusagen in „Echtzeit". Es ist die Globalisierung und die Suche nach richtigen Antworten auf ihre Herausforderungen.

Wir sind mit einer Welt im Umbruch konfrontiert, die auf der Suche nach neuer Ordnung ist. Die wirtschaftliche Globalisierung hat die Staaten weltweit über die letzten Dekaden miteinander verwoben und die Welt scheinbar kleiner werden lassen.

Millionen von Menschen wurden aus Armut befreit, ungeahnte Produktionskräfte freigesetzt und auch der kulturelle und menschliche Austausch ist heute enger als jemals zuvor.

Die immer enger werdende Verflechtung bringt jedoch nicht nur Chancen, sondern auch Risiken mit sich. Ein Beispiel ist die Finanzkrise, die Ende 2008 entstand: Wer hätte es vorher für möglich gehalten, dass die leichtfertige Vergabe von Krediten an Hausbesitzer im Mittleren Westen der USA zu einem Zusammenbruch weltweiter Märkte führen könnte, dessen Konsequenzen Industrie-, Schwellen- und Entwicklungsländer zugleich verspüren?

Krisen in Osteuropa oder im Kaukasus sind weitere Beispiele für Risiken der Globalisierung. Sie können ganz unmittelbar unsere Energieversorgung gefährden. Die ungelösten Konflikte im Nahen Osten tragen dazu bei, dass weltweit operierende Terrornetzwerke Unterstützung finden. Und Armut in Afrika hat Migrationswellen zur Folge, die leicht unsere Aufnahmefähigkeit übersteigen können.

Friedenspolitik muss deswegen heute global agieren. Wir können uns den Rückzug auf eine angebliche „Insel Europa" nicht leisten – wenn zugleich die Ozeane nicht mehr trennen, sondern zu Verbindungsstraßen zwischen den Welten geworden sind.

Friedenspolitik, zeitgemäß interpretiert, muss sich als Teil einer vorausschauenden Außenpolitik begreifen. Denn Reaktionszeiten sind kürzer und die Folgen von Fehlentscheidungen dramatischer. Wir können es uns nicht mehr leisten, auf das Aufbrechen von Konflikten zu warten, bevor wir tätig werden.

Stattdessen müssen wir aktiv deren Entstehen verhindern oder zumindest ihre Auswirkungen begrenzen.

Gelingen wird das nur, wenn wir neue Akteure einbinden, die auf die globale Bühne streben und auf der Suche nach ihrer Rolle im internationalen Machtgefüge sind. Alte Denkschablonen – Nord gegen Süd, Ost gegen West – sind nicht mehr gültig. Wir müssen zu einer Neuvermessung der Welt bereit sein.

Staaten wie China, Indien, Brasilien, Russland oder die Golfstaaten sind in den letzten Jahren nicht nur wirtschaftlich gewachsen – zunehmend erheben sie auch einen Anspruch auf Mitwirkung an der politischen Gestaltung der Globalisierung. Diesen müssen wir ihnen gewähren – zugleich aber die Wahrnehmung der dazugehörenden Verantwortung von ihnen einfordern.

Vor diesem Hintergrund setzt Deutschland sich für eine Reform internationaler Institutionen ein. Diese müssen in die Lage versetzt werden, die Welt von heute adäquat widerzuspiegeln und effiziente Entscheidungen zu treffen.

Gremien, die die neue Ordnung für die Welt des 21. Jahrhunderts erarbeiten sollen, brauchen die dafür notwendige Legitimation. Deshalb müssen wir zum Beispiel den Kreis der G8-Staaten erweitern. Hinzukommen sollten auf jeden Fall Brasilien, Indien, China, Mexiko und Südafrika. Darüber hinaus sollte eine angemessene Präsenz der Länder mit mehrheitlich muslimischer Bevölkerung sichergestellt werden.

Um die erweiterten G8 herum könnten flexible Formate zur Lösung spezifischer Probleme – z. B. zu Energie- und Klimafragen oder zur Regelung internationaler Finanzmärkte – eingerichtet werden. Dies würde es erlauben, themenbezogen jeweils die relevanten Akteure an einem Tisch zu versammeln, die für eine effektive Lösung unverzichtbar sind.

Eine solche Erweiterung der G8 würde den notwendigen Reformprozess der Vereinten Nationen ergänzen und möglicherweise sogar beschleunigen können. Denn die Welt und

Deutschland brauchen auch starke und handlungsfähige Vereinte Nationen. Insbesondere eine Reform des Sicherheitsrats ist überfällig. Seine Zusammensetzung muss an die weltpolitischen Realitäten von heute angepasst werden. Auch Deutschland ist bereit, hier größere Verantwortung zu übernehmen.

Vorausschauende Außenpolitik darf sich nicht auf institutionelle Fragen beschränken. Sie muss sich auch vermehrt Themen zuwenden, aus denen die Konflikte der Zukunft entstehen könnten.

Teil unserer Agenda und derjenigen der EU ist die Vermeidung oder zumindest Begrenzung der Sicherheitsbedrohungen durch den Klimawandel. Vieles spricht dafür, dass die Konflikte der Zukunft unmittelbar mit diesem Thema verbunden sein werden. Beispiele sind Wasserknappheit, Gefährdung der Nahrungsmittelsicherheit oder die Bedrohung von Inselstaaten durch ansteigende Meeresspiegel. Klimapolitik ist auch ein Beitrag zur Friedenssicherung.

Wir müssen aufkeimende Konflikte frühzeitig erkennen, weitsichtig anpacken und gemeinsam friedlich lösen. Und wir müssen besonderes Augenmerk auf die Regionen richten, in denen die Folgen des Klimawandels bereits spürbar sind. Dies ist eines der Kernanliegen des EU-Strategiepapiers zu Klimawandel und internationaler Sicherheit, das durch deutsche Initiative entstanden ist.

Deutschland hat auch über sein EU-Engagement hinaus beim Thema Klimawandel eine globale Führungsrolle übernommen. So haben wir maßgeblich zur Gründung der „International Carbon Action Partnership" (ICAP) beigetragen, mit der die Verknüpfung der Emissionshandelssysteme der EU und anderer Weltregionen erleichtert und die Voraussetzungen für einen globalen Karbonmarkt geschaffen werden sollen. Inzwischen ist ICAP zu einem Verbund aus EU-Kommission, EU-Mitgliedstaaten, zahlreichen US-Bundesstaaten und Ländern aus dem pazifischen Raum geworden.

Gemeinsam mit US-Bundesstaaten, Bundesländern, Städten und Kommunen, der Wissenschaft, Wirtschaft und der Zivilgesellschaft haben wir zudem das Projekt einer „Transatlantischen Klimabrücke" gestartet. Ziel ist es, die wichtigsten Akteure beider Regionen zusammenzubringen und Synergieeffekte zu erzielen. Denn gerade beim Klimaschutz darf die Welt nicht in neue Lager zerfallen. Die USA und Europa haben hier eine besondere Verantwortung – gemeinsam müssen sie die Agenda bestimmen.

Eng mit dem Klimawandel verbunden ist das Thema Energiesicherheit, das die globale Sicherheitsagenda des 21. Jahrhunderts wesentlich mitbestimmen wird.

In den westlichen Ländern und wichtigen Schwellenstaaten wird trotz aller Bemühungen um erneuerbare Energien und Energieeffizienz der Importbedarf an fossilen Energieträgern bis 2030 weiter ansteigen.

Zugleich liegt ein Großteil der weltweiten Energievorräte in Regionen, die durch politische Instabilität gekennzeichnet sind.

Vor diesem Hintergrund ist friedliche wirtschaftliche Entwicklung weltweit untrennbar mit Energiesicherheit verbunden. Diese globale Dimension bedeutet zugleich, dass nationale Ansätze zu kurz greifen und wir konfrontativen Ansätzen entgegentreten müssen. Energie darf nicht zu einer „Machtwährung" der Zukunft werden.

Weltweit kommt es daher darauf an, mögliche Spannungen aus Verteilungs- und Zugangskonflikten um Energie im Vorfeld zu erkennen und zu entschärfen. Wir brauchen eine kooperative Energiesicherheits-Strategie. Ein System, das auf den Dialog zwischen Energieproduzenten, -verbrauchern, Transitstaaten und der Privatwirtschaft setzt und die Zusammenarbeit fördert. Erreichbar ist das, weil auch die Exporteure von Energie ein Interesse an stetiger und sicherer Nachfrage und reibungslosem Transit haben.

Ein solches System müssen wir nicht neu erfinden. Wir können an bestehende Foren wie der „Energie-Charta" oder dem „International Energy Forum" anknüpfen. Die „Energie-Charta" setzt Standards im Investitionsschutz, im Handel sowie bei der Konfliktregelung und bezieht erneuerbare Energien sowie Energieeffizienz mit ein. Das „International Energy Forum" führt Produzenten- und Verbraucherländer zusammen. Diese und andere Ansätze zur Sicherung einer zuverlässigen und gerechten Energieversorgung gilt es zu einem System globaler Verantwortungspartnerschaft in Energiefragen weiterzuentwickeln und möglichst viele Staaten für eine aktive Mitarbeit zu gewinnen.

Nicht nur Öl, sondern auch Wasser ist eine für die Zukunft entscheidende Ressource. „Wasser ist Frieden" hat der Generalsekretär der Vereinten Nationen, Ban Ki-Moon, einmal bekräftigt. Als Lebensgrundlage unseres Planeten ist Wasser die wichtigste natürliche Ressource des 21. Jahrhunderts. Ohne Wasser keine wirtschaftliche Entwicklung, kein Wohlstand, keine Gesundheit und erst recht keine politische Stabilität.

Vorausschauende Außenpolitik ist daher in der Verantwortung, sich auch der Zukunftsfrage Wasser anzunehmen. Zusammenarbeit muss ermöglicht, eine gerechte und sparsame Wassernutzung gefördert und durch Prävention ein verschärfter Wettbewerb um Wasser verhindert werden.

Was das konkret heißt, zeigt eine Initiative, die Deutschland angestoßen hat: Im Rahmen der Zentralasienstrategie der Europäischen Union haben wir Vertreter aller zentralasiatischen Staaten eingeladen, um gemeinsam mit Vertretern der Europäischen Union sowie Experten aus Wissenschaft und Wirtschaft über neue Wege der regionalen Wasserkooperation zu beraten. Ergebnis ist eine Stärkung des grenzüberschreitenden Fluss- und Gewässermanagements und unserer Partnerschaft mit der Region.

Diese drei Beispiele – Klima, Energie und Wasser – zeigen, dass eine vorausschauende Außenpolitik, die sich mit Zukunftsthemen wie der gerechten Verteilung globaler öffentlicher Güter beschäftigt, immer auch eine Politik für mehr Sicherheit und Stabilität ist. Oder um es mit einem Schlagwort zu sagen: Kooperative Ressourcenpolitik ist Friedenspolitik.

Neben der Verhinderung oder zumindest Begrenzung von sich abzeichnenden Ressourcenkonflikten gibt es weitere Herausforderungen, für die eine vorausschauende Außenpolitik Antworten finden muss.

So leben wir in einer Zeit, in der immer mehr Staaten Zugang zu Nukleartechnologie erlangen oder sogar Atomwaffen herstellen können. Wir müssen diesen Trend stoppen, um eine Rüstungsspirale zu verhindern, die außer Kontrolle geraten könnte.

Deutschland tritt dafür ein, den internationalen Nichtverbreitungsvertrag wirksam zu halten und – wo nötig – anzupassen. Wir haben zudem einen Vorschlag für ein internationales Anreicherungszentrum unterbreitet, das unter Kontrolle der IAEO stehen sollte. Denn nur durch die Errichtung eines solchen Zentrums können wir verhindern, dass eine Vielzahl von dezentralen Anreicherungszentren entsteht, mit unkontrollierbaren Proliferationsrisiken, die unser aller Sicherheit gefährden.

Armutsbekämpfung ist ein weiteres Thema, bei dem es um konkrete Verbesserung der Welt geht, in der wir leben. Wir haben die Anstrengungen für Armutsbekämpfung bereits verstärkt und werden die zur Verfügung stehenden Mittel weiter erhöhen. Denn wir dürfen nicht vergessen, dass täglich mehr Menschen durch Hunger umkommen als durch Kriege! Unsere Versprechen von der Jahrtausendwende dürfen nicht allein bedrucktes Papier bleiben. Kampf gegen Hunger und Armut: auch das ist Teil einer globalen Verantwortungspartnerschaft und einer den aktuellen Herausforderungen entsprechenden Friedenspolitik.

Ohne eine gerechte Weltwirtschafts- und Finanzordnung bleiben Anstrengungen zur Armutsbekämpfung allerdings nur Tropfen auf einen heißen Stein. Denn Ereignisse wie die Weltfinanzkrise zeigen, dass es gerade die ärmsten Länder sind, deren Bevölkerung über kein Sicherungsnetz verfügt und die deswegen unter globalen Wirtschaftskrisen am meisten leidet.

Deutschland hat – vielleicht früher als andere – erkannt, dass wir eine stärkere Regulierung der globalen Finanz- und Kapitalmärkte brauchen. Diese Diskussion werden wir auch in Zukunft vorantreiben. Sie ist unverzichtbar, um zu einer besseren und gerechteren Weltordnung zu gelangen. Und sie hilft, uns besser gegen eine drohende Anti-Globalisierungsstimmung zu immunisieren.

Einen Rückfall in nationale Egoismen können wir uns nicht erlauben. Denn nicht nur die Märkte der Welt wachsen zusammen, sondern auch das soziale Schicksal der Menschheit. Und die Konsequenz kann nur sein: Auf die Globalisierung der Märkte muss die politische Globalisierung folgen.

Für den Prozess der politischen Globalisierung ist Deutschland gut aufgestellt. Unser wichtigstes Kapital für weltweites Engagement ist das Vertrauen, das wir uns über Jahrzehnte hinweg in vielen Regionen aufgebaut haben. Vertrauen ist die Schlüsselressource in der globalisierten Welt.

Besonders wichtig ist Vertrauen dort, wo es darum geht, die Eskalationslogik militärischer Denkkategorien zu durchbrechen. Um es aufzubauen und zu erhalten, müssen wir auch bereit sein, mit schwierigen Partnern zu reden. In einer Welt, die politisch und wirtschaftlich zusammenrückt, können Abwendung und Sprachlosigkeit nicht die Antwort sein.

Ich bin deswegen der festen Überzeugung, dass die Integration schwieriger Länder wie Syrien in den politischen Prozess des Nahen Ostens einer der Schlüssel zur Lösung der dortigen Konflikte ist. Und auch die Chance, Veränderungen in der Haltung der iranischen Führung zu erzielen und sie für mehr Kooperation zu gewinnen, haben wir nur, wenn der Dialog fortgesetzt und die Geschlossenheit der internationalen Gemeinschaft – vor allem der E3+3 Staaten – gewahrt bleibt.

Gerade im Dialog mit schwierigen Partnern ist es wichtig, dass Deutschland nicht allein handelt. Als Mitglied der Europäischen Union sind wir Teil eines Projekts, das weltweit Vorbild für die friedliche Integration souveräner Staaten geworden ist. Auch die Tatsache, dass uns die Ratifizierung des Lissabon-Vertrags im ersten Anlauf nicht gelungen ist, darf nicht den Blick dafür verstellen, dass die Europäische Union – von den Außengrenzen her betrachtet – das leuchtende Beispiel für Versöhnung, Stabilität, Zivilität, sozialen Ausgleich und inneren Frieden ist. Vieles in der Welt wäre nicht gelungen, gäbe es Europa nicht. Ich erinnere in diesem Zusammenhang nur an den Demokratisierungsprozess in Serbien oder die Stabilisierung der Staaten Mittel- und Osteuropas nach dem Ende des Kalten Kriegs.

Vorausschauende Außenpolitik kann nicht alle Konflikte und Spannungen auf dieser Welt beseitigen. Friedenspolitik im 21. Jahrhundert kann daher – als „Ultima Ratio" – auf den Einsatz militärischer Mittel nicht immer und überall verzichten.

Beispiel Balkan: Dort war das militärische Engagement der westlichen Allianz Voraussetzung für die Schaffung von Stabilität. Erst auf dieser Grundlage wurde die positive politische, wirtschaftliche und gesellschaftliche Entwicklung möglich, die heute erkennbar ist.

Beispiel Afghanistan: Ohne Sicherheit wird es dort keine Entwicklung geben. Und ohne wirtschaftliche Entwicklung kann es nicht gelingen, zu mehr Sicherheit, zur Abkehr von Fundamentalismus und Terrorismus zu kommen.

Erst durch die Kombination militärischer Präsenz und ziviler Aufbauleistung haben wir in Afghanistan – gemeinsam mit unseren Partnern – das erreicht, was zunehmend sichtbar wird: Millionen von Kindern – gerade auch Mädchen – gehen wieder zur Schule. Straßen, Brücken und Krankenhäuser werden gebaut. Aufbau und Ausbildung der afghanischen Polizei und des Militärs kommen voran.

Vorausschauende Außenpolitik, einschließlich aller zuvor genannten Elemente, hat dazu beigetragen, dass Deutschland –
von einer denkbar ungünstigen Ausgangsposition aus – zu einem geschätzten Partner in der Weltpolitik geworden ist. Heute ist unser Land respektierter Teil einer globalen Verantwortungsgemeinschaft.

Das Verdienst von Gernot Erler ist, dass er nicht nur den
Weg und die innenpolitischen Auseinandersetzungen beschreibt, die Deutschland hierher geführt haben. Er erläutert
detailliert auch die Strategien und Mittel, die dafür zum Einsatz kommen und die für eine global orientierte, „moderne"
Außenpolitik heute unverzichtbar sind.

„Modern" in diesem Zusammenhang ist allerdings ein rela-
tiver Begriff: Schon Willy Brandt hatte stets mehr im Blick als
den Gegensatz zwischen Ost und West, Nord und Süd. Er sah
die Welt im Wandel und erkannte bereits in aller Klarheit die
heraufziehenden „Probleme globalen Ausmaßes": die Schat-
tenseiten der Globalisierung, den Umgang mit den natürlichen
Lebensgrundlagen, die Überwindung ideologischer Gegensätze, die Einbindung aufsteigender Mächte.

Willy Brandt ging es um die Zukunft der Menschen und die
Schaffung einer gerechten Welt. Das hieß zuallererst: Den
Weltfrieden zu erhalten und ein Europa des Friedens zu orga-
nisieren.

Dabei hat er „Frieden" stets breit definiert. Heute würde
man von einem erweiterten Sicherheitsbegriff sprechen. „Frieden ist nicht alles, aber ohne Frieden ist alles nichts" – auch
dies ist ein Zitat von Willy Brandt.

Vor diesem Hintergrund ist es richtig, wenn Gernot Erler
von einer Mission Weltfrieden spricht, der sich Deutschland –
im Geist Willy Brandts – verpflichtet sieht.

Einleitung

Anfang 2008 ermittelte der BBC World Service bei einer Befragung in 22 Ländern, dass Deutschland keinen schlechten Ruf hat: 56 Prozent der Befragten finden, dass die Bundesrepublik einen positiven Einfluss in der Welt hat, nur 18 Prozent sehen eher negative Seiten. Kein anderes Land schneidet besser ab, wobei Japan und die EU auf Platz 2 und 3 kommen. Es bleibt aber nicht nur bei einem guten Ranking. Man vertraut Deutschland wie der EU, wenn es Probleme und Konflikte gibt. Man fragt nach unserer Unterstützung, materiell oder bei Vermittlungsaufgaben. Solche Anfragen kommen immer öfter. Sie sind ein Zeichen dafür, dass sich Deutschlands Rolle in der Welt verändert hat.

Die veränderte Rolle Deutschlands

Es gibt Beobachter, die erklären das so: Viel zu lange hat Deutschland sich geduckt, hat sich gescheut, Verantwortung zu übernehmen. Seine Politiker haben sich geweigert, Deutschland wieder als „normales Land" auftreten zu lassen, mit Interessen und auch der Macht, diese Interessen erfolgreich zu vertreten. Alles wird gut, wenn Deutschland nicht mehr auf dieser Sonderrolle beharrt, sondern eben normal wird.[1]

Ich teile diese These nicht. Sie erklärt auch nicht die gewachsenen Erwartungen an die EU und Deutschland, was internationale Verantwortung angeht. Es ist unvermeidlich, hier immer wieder Deutschland und die Europäische Union in einem Atemzug zu nennen. Denn zusammen mit unseren europäischen Partnern haben wir in einem längeren Lernprozess eine zukunftsfähige politische Kultur entwickelt, die auf die neuen Herausforderungen geeignete Antworten gibt. So hat sich ein auf Lernerfahrungen, Grundüberzeugungen und politische Einsichten gestütztes Politikmodell einer vorausschauenden Friedens- und Außenpolitik entwickelt, das in der praktischen Anwendung Erfolge erzielt und Zustimmung findet. Seine Inhalte und Wesenszüge machen dieses Modell attraktiv, nicht seine Unterschiedslosigkeit zu anderen, worauf ein Etikett Normalität verweist.

Dieses Modell ist, was Deutschland betrifft, in einer benennbaren Zeit entstanden, nämlich in den Jahren nach 1998, als die rot-grüne Bundesregierung die Verantwortung trug. Da kann es nicht überraschen, dass viele historische Erfahrungen und programmatische Traditionen der Sozialdemokraten das neue Konzept geprägt haben. Dramatische Ereignisse begleiteten diese erste Entstehungsphase: der Kosovo-Krieg von 1999, der 11. September 2001 und der Irak-Krieg des Jahres 2003. Die Auseinandersetzung mit diesen Herausforderungen hinterließ starke Spuren bei der Formung der neuen deutschen Außenpolitik der 90er Jahre. In der öffentlichen Wahrnehmung überlagerten die mit diesen Ereignissen verbundenen Konflikte alles, auch den Blick auf die Herausbildung neuer Instrumente und Strategien für die Umsetzung einer vorausschauenden Friedens- und Außenpolitik.

Mein Ziel ist es zum einen zu zeigen, welche Entwicklungsschritte zu den Besonderheiten dieser neuen europäischen und deutschen Regional- und Globalpolitik geführt haben. Dies beschreibe ich in dem Kapitel über das erzwungene Umdenken, das seinen Ausgangspunkt bei dem europäischen Versagen in den blutigen Balkankonflikten der 90er Jahre des 20. Jahrhunderts findet. Das Jahr 1999 markiert dabei einen Wendepunkt, von dem an die EU nach dem Balkan-Desaster ernsthaft beginnt, Fähigkeiten und Organe für eine eigene Außen- und Sicherheitspolitik aufzubauen.

Parallel dazu passierte etwas Vergleichbares in der Bundesrepublik. In dem Kapitel zu den Konzepten und Instrumenten der neuen deutschen Außenpolitik lenke ich die Aufmerksam-

26

keit auf die vielen kleinen Bausteine, die am Ende erst das Fundament für eine künftige Mission Weltfrieden schufen – vom *Zivilen Friedensdienst* über das *Zentrum für internationale Friedenseinsätze*, den *Aktionsplan Zivile Krisenprävention, Konfliktlösung und Friedenskonsolidierung* bis hin zu dem neuen Verständnis von Menschenrechten, Entwicklungspolitik und Friedensforschung. Ein detaillierter Blick auf diese Mosaiksteine für eine vorausschauende Außenpolitik hat bisher gefehlt.[2]

In dem Abschnitt zu den Partnern Deutschlands in der Weltpolitik spiegelt sich die Überzeugung, dass die neuen Herausforderungen in der internationalen Politik nur noch gemeinsam beantwortet werden können. Die Vereinigten Staaten, Russland, China – das sind ebenso wichtige wie unterschiedliche Partner. Was gemeinsame Antworten auf die globalen Probleme angeht, brauchen wir einen intensiven Dialog mit diesen *Global Players*, die ihre eigenen Interessen und Sichtweisen haben. Wo liegen die Hindernisse, wo öffnen sich Chancen auf jene Intensität von Kooperation, ohne die keine globale Verantwortungspartnerschaft bestehen kann? Beim Verstehen helfen soll genaues Hinschauen auf ganz aktuelle Ereignisse – zum Beispiel den Präsidentenwechsel in Washington, auf die neue Konfliktbereitschaft Moskaus vom Kaukasus- bis zum Gaskonflikt, auf Chinas Verhalten in der Weltfinanzkrise. Am Ende wird klar, wie sehr wir die Weiterentwicklung auch der internationalen Handlungsfähigkeit der EU brauchen.

Gute politische Absichten und Konzepte müssen sich in der Praxis bewähren. Was macht die Mission Weltfrieden für Erfahrungen, wenn sie auf die Felslandschaften des Krieges in Afghanistan prallt, wenn beim Ringen um das iranische Atomprogramm allzu lange Erfolge für die Verhandlungslösung ausbleiben und wenn sie in Zentralasien erst noch die Unterscheidbarkeit von normaler Machtpolitik plausibel machen muss? Die drei ausgewählten Beispiele stellen die neue vorausschauende Außenpolitik in einen bis zur Dramatik aktuellen Praxistest.

Neue Themen, neue Aufgaben für die Außenpolitik: Das abschließende Kapitel unternimmt den Versuch, im Weitwinkel alles auf ein Bild zu bekommen, was sich da im Wechselspiel gegenseitig hochtreibt – Energiehunger, Klimawandel, Nahrungsmittelverknappung und Wassermangel als globale Herausforderungen. Auf diesem Feld ist kein Einzelner mehr stark genug, egal über welchen Einfluss oder welche Feuerkraft er verfügt, um alleine zu bestehen. Als Schlussfolgerung wird plausibel, dass eine Mission Weltfrieden hier Orientierung im Neuland suchen muss und dabei auf die große Gemeinschaft mit den anderen angewiesen ist. Der Weg zur globalen Verantwortungspartnerschaft ist vorgezeichnet.

Zur ersten Einstimmung auf das Gesamtthema folgt jetzt ein Werkstattbericht aus der Praxis präventiver Friedenspolitik – sicher ein Sonderfall, was das Ambiente und das gegen jede Statistik bis dato gehaltene Ergebnis angeht, aber eben doch Mut machend, vielleicht auch dazu, sich hinterher weiter auf den systematischen Teil einzulassen.

Kenia 08: Ein Beispiel

Am Abend des 12. Februar 2008 sitze ich auf der Terrasse der Kilaguni-Serena Lodge mitten im Nationalpark Tsavo-West in Kenia. Etwa 30 Meter von meinem Sessel und dem Terrassengeländer entfernt zieht eine künstlich beleuchtete Wasserstelle, angelegt wie ein kleiner Teich, die Blicke auch aller übrigen Gäste auf sich. Vor dem Hintergrund einer wie gemalt wirkenden Savannenlandschaft, deren Grün die heraufziehende Dunkelheit allmählich in Grautöne verwandelt, entwickelt sich eine Szenerie von archaischer Friedlichkeit. Kleinere und größere Gruppen von Wildtieren, offenbar einem ungeschriebenen Fahrplan gehorchend, nähern sich der Wasserstelle, trinken und verschwinden wieder zwischen den nach hinten dichter werdenden Konturen der Büsche und Bäume: Wasserbüffel und Antilopen wechseln mit Zebras und Affen. Kurz nach 22

Uhr leert sich der allabendliche Sammelplatz der Savannenbewohner. Dafür sieht es so aus, als würden sich die Umrisse der Büsche und Bäume irgendwie bewegen oder ins Wanken geraten. Mir bleibt es wie ein magischer Moment in Erinnerung, auf den mein Körper mit einer leichten Gänsehaut reagiert, bis schließlich die Umrisse eines ersten Elefanten erkennbar werden, der sich mit demonstrativer Langsamkeit der Wasserstelle nähert. Es ist ein stattliches Exemplar. Hinter ihm tauchen weitere schwankende Schatten auf. Schließlich senken zehn Elefanten verschiedener Generationen ihre Rüssel ins Wasser, ohne von den neugierigen Blicken der Terrassengäste auch nur Notiz zu nehmen. Sie lassen sich Zeit und erst, als der Schatten des letzten Vertreters dieser eindrucksvollen Dickhäuter von den Baumsilhouetten nicht mehr zu unterscheiden ist, traut sich wieder anderes Getier an das Ufer.

Normalerweise sitzen hier gutbetuchte Touristen, genießen neben der abendlichen Wasserstellenvorführung auch Ausflüge in den typischen Safari-Wagen, in denen man stehend unter dem Wagendach einen Rundausblick auf die wunderbare Flora und Fauna des Nationalparks hat, oder bestaunen die Höhenlinien des erhabenen Kilimandscharo, wenn er einmal nicht von den ihn häufig verhängenden Wolken verborgen wird. Liegt dann auch einmal eine Löwengruppe im Savannengras, könnte den Gast ein gewisser Schauer erfassen: Ist diese Gegend doch für „man eating lions" bekannt geworden, von denen besonders zwei riesige Exemplare Ende des 19. Jahrhunderts beim nahen Eisenbahnbau mehr als 100 Arbeiter, vor allem Sikhs aus Indien, die sich auf der Baustelle verdingt hatten, gerissen haben sollen. Dass dies keine bloße Legende ist, beweisen alte Fotos einer kleinen Ausstellung in der Empfangshalle der Kilaguni-Lodge.

Aber an diesem Abend des 12. Februar 2008 sitzt kein einziger Tourist auf der Kilaguni-Terrasse. Es steht auch sehr schlecht um den Tourismus im Lande, denn Kenia erlebt gerade eine sehr ernsthafte innenpolitische Krise. Bei den letzten

Wahlen am 27. Dezember 2007 hatte es in diesem ostafrikanischen Musterland Unregelmäßigkeiten bei der Wahlauszählung gegeben. Der Oppositionsführer Raila Odinga hatte sich geweigert, die Wiederwahl des bisherigen Präsidenten Mwai Kibaki anzuerkennen, der sich trotzdem drei Tage später eilig als Präsident vereidigen ließ. Danach begannen Unruhen, die einen ethnischen Charakter annahmen und in einer Explosion von Gewalt mündeten: Die Volksgruppen der Luos und Lujas, Anhänger Odingas, attackierten die Kikuyus als Ethnie, aus der Präsident Kibaki kommt. Dahinter steckt auch angestauter Unmut über liegengebliebene Projekte wie die Landreform sowie Änderungen der Verfassung und des Wahlrechts. Bei den Unruhen verloren bis zu 1500 Menschen ihr Leben, mehr als 300 000 flüchteten aus Angst vor der Gewalt. Kenia war ohne jede Vorwarnung Anfang 2008 von einem Vorzeigemodell und Stabilitätsanker in Ostafrika zu einem Land geworden, das offensichtlich seine eigenen Probleme ohne Hilfe von außen nicht mehr regeln konnte.

Helfen sollte Kofi Annan, aus Ghana stammender Generalsekretär der Vereinten Nationen von 1997 bis 2006, Nobelpreisträger von 2001 und siebenfacher Ehrendoktor. Seit dem 23. Januar 2008 versuchte er, in Nairobi eine politische Lösung zu finden. Als er seine Mission begann, bekam er einen Anruf des deutschen Außenministers Frank-Walter Steinmeier: „Wenn Sie unsere Hilfe oder Unterstützung brauchen, lassen Sie es uns wissen!" Die Überlegungen des Vermittlers gingen in Richtung einer Regierung der nationalen Versöhnung. Er erinnerte sich, dass in Deutschland seit 2005 eine Große Koalition regierte. Könnte es vielleicht helfen, Informationen darüber, wann, warum und wie man eine solche Große Koalition bildet, wie sie vorbereitet wird und stabil bleiben kann, aus Deutschland abzurufen und in die Vermittlungsgespräche einzubringen? Seine Anfrage in Berlin beschert nun mir einen Anruf Frank-Walter Steinmeiers, als ich gerade auf dem Weg zur alljährlichen Münchner Sicherheitskonferenz bin: „Du bist doch unser Spezialist für Große Koalition", beginnt er das Telefonat. Das war ich zwar bisher in keiner Weise, aber wenige Stunden später sitze ich im Flugzeug nach Kenia, versorgt mit einer englischsprachigen Version des deutschen Koalitionsvertrages vom November 2005.

Im Serena-Hotel von Nairobi empfängt mich Kofi Annan am 1. Februar und nimmt sich viel Zeit, um mir zu erklären, was er von mir erhofft. Als er Ende 2006 die UN-Zentrale in New York als 68jähriger verließ, war ihm noch nicht nach Ruhestand zumute. Er beteiligt sich an der Gründung der Gruppe „Global Elders" und findet in dem Genfer „Globalen Humanitären Forum", das mit Hilfe Schweizer Politiker ins Leben gerufen wird und in der edlen „Villa Rigot" residiert, eine neue Plattform. Vor Aufträgen, überall auf der Welt bei Krisen und Konflikten seine Erfahrung und sein Ansehen helfend einzusetzen, kann sich der ehemalige Generalsekretär kaum retten. Die FAZ überschrieb einen Bericht über sein aktuelles Wirken etwas respektlos mit dem Titel „Der ewige Generalsekretär und seine Mini-Uno" (8. April 2008).

Wenn man Kofi Annan gegenüber sitzt, spürt man sofort, weshalb er so häufig zu schwierigsten Missionen gerufen wird. Er strahlt eine natürliche Autorität aus, spricht sehr konzentriert, aber leise. Man muss sich selber konzentrieren, um ihm zu folgen. Eine doppelte Aura scheint ihn zu umschweben – die seiner edlen ghanaischen Herkunft und die der bedeutendsten Weltorganisation, deren Geschicke er 10 Jahre leitete. Alles ist vorbedacht, alles ist professionell, vieles spiegelt seine immense Erfahrung, bis hin zu ausgeklügelten Arrangements und Tricks. Sein Team in Kenia umfasst etwa 40 Personen, darunter viele vertraute Mitstreiter aus der Zeit am Hudson-River. An der Führung des „Kenya National Dialogue and Reconciliation Team", so der offizielle Name, beteiligen sich mit Graca Machel, der Ehefrau von Nelson Mandela, und Benjamin Mkapa, dem tansanischen Expräsidenten, weitere afrikanische Autoritäten. Schon seit dem 23. Januar bemühen sie sich darum, die beiden vierköpfigen Verhandlungsteams von Präsident Kibaki und Oppositionsführer Odinga für die Idee einer Regierungskooperation auf der Basis von Machtteilung zu gewinnen. Aber bisher sperrt sich vor allem die Präsidenten-Gruppe gegen jede Power-Sharing-Lösung. Irgendetwas muss jetzt passieren, sonst drohen ein Stillstand der Verhandlungen und womöglich der Ausbruch neuer Unruhen.

Kofi Annan findet einen Weg. Am 12. Februar berichtet er vor dem Parlament und der Öffentlichkeit über den Zwischenstand, deutet Fortschritte in Richtung Koalitionsregierung an und inszeniert ein „Endgame": Das „Panel of Eminent African Personalities" werde sich jetzt mit den beiden Verhandlungsteams in ein Konklave an unbekanntem Ort zurückziehen, um den Durchbruch zu erzielen. Am Nachmittag werden dann zwei Regierungsflugzeuge mit allen Beteiligten auf der Sandpiste vor der Kilaguni-Lodge landen, wo die beiden letzten Touristen mittlerweile in einen anderen Nationalpark ausquartiert wurden, wo sich alle Zufahrten, auch für findige Journalisten, leicht versperren lassen und wo die Legende von den menschenfressenden Löwen rings um die Anlage dem Konklave-Feeling noch einen Touch von Unentrinnbarkeit gibt. „Meisterhaftes Arrangement" denke ich, bevor ich mich weiter meinen Vorbereitungen widme.

Am nächsten Vormittag stellt mich Kofi Annan den völlig überraschten Verhandlungsteams vor und bittet mich um meinen Bericht über „German Experience with Building of a Grand Coalition". Dass als einziger westlicher Ausländer ein deutscher Staatsminister an den Verhandlungen teilnimmt, weiß zu diesem Zeitpunkt niemand außer dem deutschen Botschafter in Nairobi Walter Lindner. In 30 Minuten erläutere ich, dass Große Koalitionen Ausnahmen sind, die aber in besonderen Situationen die richtige Antwort auf anders nicht lösbare Probleme darstellen können, wie wichtig es ist, in paritätischer Teilhabe zunächst ein verbindliches Programm zu erarbeiten, um dann Personalentscheidungen über die Verteilung der Ministerien zu treffen, die das Power-Sharing möglichst in jedem Fachbereich widerspiegeln (alternierende Besetzung bei den Paaren Wirtschaft – Finanzen, Äußeres – Sicherheit/Verteidigung etc.), ich beschreibe die Arbeitsweise von Spitzentreffen, Koalitionsausschüssen und der gemeinsamen Gesetzesvorbereitung sowie die Notwendigkeit eines Mindestmaßes von wechselseitiger Kooperationsbereitschaft und Vertrauen und vergesse auch nicht, auf die besondere Erwartung der Öffentlichkeit an die Leistungsfähigkeit von Großen Koalitionen hinzuweisen.

Das Interesse ist groß. Es kommen viele Nachfragen, besonders zur Portfolio-Verteilung. Alle wollen den Text der deutschen Koalitionsvereinbarung haben. In Eile muss ich über mein Berliner Büro per Mail noch den Text des Grundgesetzes auf Englisch besorgen. Am Nachmittag befragen mich die Verhandlungsdelegationen und ihre Berater einzeln. Kofi Annan ist zufrieden und gibt den Teams Zeit, sich untereinander zu beraten.

Am folgenden 14. Februar holt mich Botschafter Lindner mit dem Wagen von der Kilaguni-Lodge ab. Das erste Stück durch den Nationalpark wird doch noch safariartig, nach dem Motto „Elefant hat Vorfahrt", auf der Straße nach Nairobi bringt uns dann die Verstopfung, häufig verursacht von völlig überladenen LKWs, auf denen Flüchtlinge ihren aufgetürmten Hausrat transportieren, doch noch ins Schwitzen. Denn Kofi Annan hat mich gebeten, in der Hauptstadt vor meiner Abreise in einer Pressekonferenz von den Gesprächen über die deutschen Erfahrungen zu berichten. Es klappt dann noch mit 20 Minuten Verspätung, und am nächsten Tag sind die Zeitungen voll mit „Großer Koalition" und „german experience".

Der erhoffte Durchbruch verspätet sich allerdings. Am 18. Februar kommt die US-Außenministerin Condoleezza Rice, von Kofi Annan offenbar gut gebrieft, nach Kenia. Sie nutzt ihren Sechs-Stunden-Aufenthalt, um die Lösung „Große Koalition" so nachdrücklich zu pushen, dass die Spitzenpolitiker des

Landes regelrecht in Deckung gehen. Dann braucht der Ex-Generalsekretär noch weitere zehn Tage geduldiger und erfindungsreicher Arbeit, bis er am 28. Februar nach einer mehrstündigen „Elefanten-Runde", an der neben Kibaki, Odinga, Annan und Mkapa mit dem tansanischen Präsidenten Jakaya Kikwete auch der neue Vorsitzende der Afrikanischen Union teilnimmt, endlich ausrufen kann: „We do have a deal." Jetzt steht eine Rahmenvereinbarung über die Bildung einer Großen Koalition, die am 18. März im Parlament samt den notwendigen Verfassungsänderungen ohne Gegenstimme angenommen wird und am 3. April zur ersten Großen Koalition in Afrika führt. Ihr „Vater" Kofi Annan war am 1. März nach getaner Arbeit abgereist, kehrte zur feierlichen Vereidigung der neuen Regierung am 14. April aber noch einmal nach Nairobi zurück. In diesen Tagen häuften sich in den Medien Berichte über eine entspannte politische Atmosphäre, über einen freundlichen und partnerschaftlichen Umgang der bisherigen erbitterten Feinde und jetzigen Koalitionäre untereinander, ja sogar über eine Aufbruchstimmung im Land.

Wofür steht dieses Beispiel „Kenia 08", an dem ich zufällig partiell persönlich teilhaben konnte? Es geht in keiner Weise um irgendein Hohelied auf Große Koalitionen als Passepartout für Krisen nach angefochtenen Wahlen. Es soll auch nicht verklärt werden, was hier passierte: Keine Mission kann die Todesopfer der Unruhen wieder lebendig machen, den 300 000 Flüchtlingen ihre Verluste ersetzen oder garantieren, dass nicht auch künftig politische Spannungen in Kenia in ethnische Konflikte ausarten. Ich habe die Bilder nicht vergessen von den verrußten Lücken mitten in dem extrem verdichteten Kibera-Slumviertel in Nairobi, wo bei einem Überfall oder einer Feuersbrunst schon aus technischen Gründen keinerlei Hilfe möglich ist. Und natürlich haben auch die Kritiker Recht, die auf den Preis der Koalitionsbildung hinweisen: Neben dem neuen Premierminister Odinga umfasst das Kabinett der insofern wirklich „Großen Koalition" 40 sehr gut entlohnte Mitglieder, und in zweiter Reihe wurden weitere 52 Stellvertreterposten vergeben. Kein Wunder, dass Spötter, auf den verbliebenen Präsidenten bezogen, über „Mwai Kibaki und die 40 Räuber" höhnen.

Aber „Kenia 08" steht trotzdem auch für eine Fähigkeit, ohne die wir im 21. Jahrhundert in der internationalen Politik nicht mehr auskommen. Was wäre geschehen, wenn der „Friedensmacher" Kofi Annan mit seiner Gruppe angesehener afrikanischer Autoritäten nicht erfolgreich vermittelt hätte? Zu viele andere Beispiele, bei denen eine solche Prävention versagt hat, ersparen uns, dass wir unsere Phantasie bemühen müssen, um uns die vervielfachte Tragödie auszumalen, die dann mit großer Wahrscheinlichkeit ihren Lauf genommen hätte. Der Aufwand der Mission war groß, aber in jedem Fall lohnend. Kenia hat wieder eine Chance bekommen, die schon als verspielt galt. Und das war möglich, natürlich in erster Linie durch den Einsatz des ehemaligen Generalsekretärs der Vereinten Nationen, durch die Autorität, die Erfahrung und die Umsicht von Kofi Annan. Aber über den Einzelfall hinaus belegt dieses mutmachende Beispiel, was benötigt wird: Potentiale für präventive, konfliktvermeidende und konfliktlösende Politik, die möglichst auf dem Prinzip der regionalen „Selbstverantwortung" (in diesem Fall: afrikanische „Ownership") aufbauen, aber auch Synergie-Effekte über die globale Zusammenarbeit nutzen.

Leider gibt es mehr Fälle, wo krisenhafte Entwicklungen irgendwo auf dieser Erde nicht rechtzeitig mit Fähigkeiten zusammengebracht werden können, die das Schlimmste noch abwenden. Der Bedarf nach einer umfassenden präventiven und vorausschauenden Friedenspolitik wächst unaufhaltsam. Diese Erkenntnis hat sich allerdings erst allmählich herumgesprochen, und das erst auf der Grundlage von Lernerfahrungen, die mit dramatischen und tragischen Ereignissen verbunden waren. Dieser Prozess soll im Folgenden nachgezeichnet werden.

I. Das erzwungene Umdenken

Das Nachkriegserbe

Im 20. Jahrhundert erlebte die Weltgemeinschaft Deutschland als Hauptverantwortlichen für zwei Weltkriege. Nach den furchtbaren Verbrechen der Naziherrschaft und den flächendeckenden Zerstörungen des von Deutschland entfachten Zweiten Weltkrieges konnte es 1945 nur eine Priorität geben: eine Ordnung des „Nie wieder" zu schaffen, mit einer wirksamen Kontrolle über das Land, von dem so viel Unheil ausgegangen war. Es sah so aus, als sollte Deutschland für längere Zeit seine Funktion als Subjekt von Politik mit einer Objektrolle eintauschen und sich dem Willen der Siegermächte unterordnen.

Als auf den Weltkrieg der Kalte Krieg folgte, führte das zur Teilung des Landes und zur Entstehung von zwei deutschen Staaten. Die Demarkationslinie der beiden feindlichen und hochgerüsteten Blöcke verlief mitten durch Deutschland. Objektiv gesehen ergab dies eine perfekte Kontrolle, vor allem durch die beiden Leitnationen der Blöcke, USA und Sowjetunion. Darüber hinaus zwang diese Situation Deutschland jahrzehntelang zur Beschäftigung mit seinen eigenen Problemen. Über die Zielsetzung deutscher Politik konnte es keine Zweifel geben. Es musste darum gehen, schrittweise aus der Objektrolle herauszukommen und die Wiederaufnahme in die Staatengemeinschaft sowie die Wiedervereinigung anzustreben.

Mit dem ersten deutschen Bundeskanzler Konrad Adenauer wird immer seine Entschlossenheit verbunden bleiben, auf die Westintegration der Bundesrepublik zu setzen, um auf diese Weise wieder auf gleiche Augenhöhe mit den ehemaligen Kriegsgegnern zu kommen und sie als künftige Bündnispartner anzusehen. Dies konnte gelingen, weil sich der Westen mit der sich wirtschaftlich erholenden Bundesrepublik eine willkommene Verstärkung gegen das sowjetische Imperium versprach. Die Integration der Bonner Republik in die NATO und in die Vorstufen der EU fand postwendend in der Einbindung der DDR in die Warschauer Vertragsorganisation die zu erwartende politische Antwort. Die Chance einer deutschen Wiedervereinigung rückte damit in unbestimmte Ferne – ein Risiko, das Bundeskanzler Adenauer bewusst in Kauf nahm.

Es war die SPD in der sozialliberalen Koalition mit Bundeskanzler Willy Brandt, die dem inzwischen starr gewordenen Dogma der Westintegration den dialog- und vertragsgestützten Prozess der Entspannungs- und Ostpolitik entgegensetzte und ihn in der Bundestagswahl von 1972 gegen erbitterten konservativen Widerstand mehrheitsfähig machte. Die Erfahrung, dass man im Rahmen des Konzepts „Wandel durch Annäherung", das von dem eigentlichen Architekten Egon Bahr entwickelt wurde, und über eine Wertediskussion auf der Basis der beiderseitig anerkannten Prinzipien der KSZE-Schlussakte von Helsinki (1975) blockübergreifend konkrete Veränderungen auslösen konnte, grub sich tief in das Gedächtnis der politischen Kultur in Deutschland ein. Die Ostpolitik überlebte in ihrer Grundausrichtung deshalb auch den Regierungswechsel von 1982.

In der Regierungszeit Helmut Kohls erleben wir eine doppelte Kontinuität: Seine westliche Bündnispolitik in der Nachfolge Konrad Adenauers geht eine Verbindung ein mit der „Anpassung und Übernahme von früheren sozialdemokratisch-liberalen Positionen in der Entspannungspolitik".[3] Das erwies sich als keine schlechte Voraussetzung, um die historische Chance zu nutzen, die sich ab März 1985 entwickelte, als Michail Gorbatschow Generalsekretär der KPdSU wurde. Seine Reformpolitik der Glasnost und Perestrojka fand im Westen viel Sympathie, untergrub aber letztlich in der von wirtschaftlichen Problemen geschwächten Sowjetunion die Machtbasis der alten Nomenklatura, und das auch in den Warschauer Partnerstaaten einschließlich der DDR. Aus deutscher Sicht ebnete Gorbatschows Vision vom „Gemeinsamen Haus Europa" vor allem den Weg zur deutschen Vereinigung. Bundeskanzler Helmut Kohl und Außenminister Hans-Dietrich Genscher haben diese einmalige Chance konsequent genutzt und dabei mit dem Zwei-plus-vier-Vertrag (zwischen den zwei deutschen Staaten sowie den vier Siegermächten) vom 12. September 1990 zugleich einen Schlusspunkt hinter die Nachkriegszeit für Deutschland gesetzt. Die Auflösung von Sowjetunion und Warschauer Pakt im Jahr 1991 besiegelte das Ende der Blockkonfrontation, das ein von vielen Friedenshoffnungen begleitetes neues Zeitalter einläutete.

Was nahm die deutsche Außenpolitik an Erfahrung und Prägung aus den vier Jahrzehnten zwischen 1949 und 1989 mit in dieses neue Zeitalter? Am Anfang stand die von den Siegermächten des Zweiten Weltkrieges verordnete Schwäche, die eine Rückkehr zu klassischer Machtpolitik ausschloss. Für die Wiederaufnahme in die Staatengemeinschaft als geachteter Partner war ein mehrfacher Preis zu zahlen: Verzicht auf Massenvernichtungswaffen, Rüstungsbegrenzung, vorläufige Anerkennung der Teilung und vor allem Selbstintegration. Die Bonner Republik gab Souveränitätsrechte nach verschiedenen Seiten ab – vor allem an die NATO und an die EWG/EG/EU. Wie ein Musterschüler akzeptierte der europäische Wirtschaftsriese Bundesrepublik die Mitbestimmung seiner Partner über sich selbst – und machte damit gute Erfahrungen. Die Ost- und Entspannungspolitik funktionierte nach demselben Muster: Die Anerkennung der faktisch durch den Zweiten Weltkrieg neugezogenen Grenzen entschärfte Revisionsängste, die Dialog- und Vertragspolitik baute Vertrauen mit den östlichen Nachbarn auf. Es war ja keineswegs selbstverständlich, dass nach dem Fall der Mauer alle Nachbarn ihre schlechten Erinnerungen verdrängten und der Bildung eines mächtigen vereinten deutschen Staates mit über 80 Millionen Menschen in der Mitte Europas sofort Beifall klatschen würden! Aber die jahrzehntelangen Erfahrungen mit einem Partner, der sich in der Nachkriegsordnung neu orientiert und die ihm gesetzten Machtgrenzen akzeptiert hatte, der sich als verlässliches Mitglied in den Allianzen und Staatengemeinschaften erwiesen und sich mit einer aktiven Entspannungs- und Vertrauenspolitik profiliert hatte – dem konnte am Ende niemand die Verwirklichung des großen nationalen Ziels der Vereinigung verwehren.

Dass sich nach dem historischen Umbruch der Jahre 1989 bis 1991 neue Erwartungen an Deutschland richten könnten, dass dabei auch die bisherigen Orientierungen und Verhaltensweisen auf den Prüfstand gehörten, wurde durchaus diskutiert. Aber die jahrzehntelange Prämierung jener Kultur der Zurückhaltung, Nichtprofilierung und kollektiven Selbstbindung Deutschlands in europäischen und internationalen Fragen wirkte über die Zeitenwende hinweg und verzögerte jede Neuorientierung. Das hatte seine guten Seiten, wenn etwa die deutsche Politik der 90er Jahre auf die Osterweiterung der EU setzte, um den ohne politischen Kompass nach der Auflösung des sowjetischen Imperiums zurückgelassenen Staaten Ost- und Mitteleuropas eine neue Perspektive zu geben. Und es bediente zugleich das deutsche Interesse, auf Dauer nicht östlicher Grenzstaat der EU zu bleiben. Dagegen zeigten sich die Partner Deutschlands irritiert über die innenpolitischen Debatten zur Zulässigkeit von Out-of-area-Einsätzen deutscher Bundeswehrsoldaten und über die Scheckbuchpolitik von Kanzler Kohl, der den deutschen Beitrag zu der von vielen Staaten unterstützten US-Intervention gegen Saddam Hussein während des 2. Golfkriegs im Januar und Februar 1991 auf einen – mit 17 Milliarden Mark allerdings ziemlich hohen – finanziellen Zuschuss begrenzte. Nun wäre es völlig unsinnig, die Verantwortungsbereitschaft eines Landes daran zu messen, wie viele Soldaten es in einem Konflikt für eine Gemeinschaftsmission zur Verfügung stellt. Es gab aber in den 90er Jahren noch weitere Herausforderungen – ob bei den blutigen Konflikten auf dem Balkan ab 1992 oder bei der völlig verunglückten Intervention in Somalia 1993 –, die zeigten, dass die Bundesrepublik noch auf der Suche war bei der Frage, welche Rolle sie in internationalen Krisen spielen sollte.

Im Nachhinein sieht es so aus, als hätte da erst ein größerer Anstoß von außen kommen müssen, um diesen Klärungsprozess voranzutreiben. Es war das Jahr 1999, dessen Ereignisse dann langfristige Neuorientierungen in der europäischen und deutschen Politik auslösen sollten.

Kosovo oder die verhinderte Kontinuität

Die Bundestagswahl vom 27. September 1998 beendete in Deutschland eine politische Ära, die 16 Jahre gedauert hatte. Bundeskanzler Helmut Kohl büßte seine Mehrheit ein, weil die Wähler seine Amtsführung inzwischen mit „Stillstand" gleichsetzten. Außenpolitik spielte dabei keine Rolle. Außenpolitische Themen entscheiden in Deutschland traditionell nur in Ausnahmefällen Wahlen. Auch der Herausforderer Gerhard Schröder konzentrierte sich bei seinen Wahlaussagen auf die gesellschaftliche Erneuerung. Im Ausland war das anders: Dort beunruhigte die angekündigte Rot-Grün-Koalition die Gemüter. Ich denke dabei etwa an meinen alljährlichen USA-Besuch im Sommer 1998, damals in meiner Eigenschaft als Vorsitzender des Bundestags-Unterausschusses für Abrüstung und Rüstungskontrolle. Ich bekam kaum Gelegenheit, Abrüstungsfragen zu diskutieren oder das Wahlprogramm meiner Partei, der SPD, zu erläutern. Stattdessen fragten mich meine amerikanischen Kollegen über die Folgen einer möglichen Regierungsbeteiligung von Bündnis 90/Die Grünen und über die politischen Absichten eines künftigen Außenministers Joschka Fischer aus. Während der grüne Spitzenkandidat sich zuhause längst auf seine neue Aufgabe vorbereitete, musste ich in Washington Befürchtungen entgegentreten, die Bundesrepublik wolle aus der NATO austreten, das transatlantische Verhältnis auf Eis legen und weltweit antiamerikanische Umtriebe unterstützen.

Vor diesem Hintergrund wundert es nicht, dass die außenpolitische Hauptbotschaft im SPD-Wahlprogramm aus einem einzigen Wort bestand: „Kontinuität"! Das einschlägige Kapitel, als letztes von zwölf Sachkapiteln, begann mit dem Satz: „Mit einer SPD-geführten Bundesregierung bleibt Deutschland für Europa und für die Welt ein berechenbarer und zuverlässiger Partner".[4] Dieser Tenor setzte sich dann auch in der rot-grünen Koalitionsvereinbarung vom 20. Oktober 1998 fort. Im Schlusskapitel „Europäische Einigung, internationale Partnerschaft, Sicherheit und Frieden" fallen die Kontinuitätsbeteuerungen und die Bekenntnisse zu Europa, zu einer gemeinsamen europäischen Außen- und Sicherheitspolitik, zur NATO sowie zur Festigung der Beziehungen vor allem mit solchen Staaten wie USA, Frankreich, Polen, Tschechien, Israel, der Russischen Föderation und der Ukraine besonders auf.[5]

Im Regierungsprogramm begann der internationale Teil mit dem Bekenntnissatz „Deutsche Außenpolitik ist Friedenspolitik". Im Anschluss konnten dann einige vertraute Passagen aus dem sozialdemokratischen Programmkanon dazu treten, ohne der Hauptbotschaft der Verlässlichkeit und Berechenbarkeit zu schaden. Der Koalitionsvertrag verpflichtete die neue Regierung dazu, die Instrumente der Krisenprävention und der friedlichen Konfliktregelung zu stärken, sich um die Zivilisierung und Verrechtlichung der internationalen Beziehungen zu bemühen, die OSZE zu stärken und die Friedensforschung (wieder) zu fördern. Es fehlte nicht das Bekenntnis zum „Ziel der vollständigen Abschaffung aller Massenvernichtungswaffen" und zur Stärkung der Vereinten Nationen, denen international das Gewaltmonopol zustehe und denen Deutschland „Stand-By-Forces" für ihr Peacekeeping anbieten werde. Ein unabhängiges Menschenrechtsinstitut in der Bundesrepublik aufzubauen gehörte zu den konkreten Absichten, neben der Ankündigung, die Kriterien für den Rüstungsexport zu überprüfen und dem Bundestag jährlich einen Rüstungsexportbericht vorzulegen. Über die Zukunft der Bundeswehr sollte eine „Wehrstrukturkommission" Vorschläge machen (ein sozialdemokratisches *ceterum censeo* aus der Oppositionszeit). Bei der Entwicklungspolitik spürt man die Entschlossenheit, diesen Politikbereich aufzuwerten. Konkret wurde dabei auch die Unterstützung von Entschuldungsinitiativen genannt, ohne im Text verbindliche Festlegungen zu treffen.

Die Idee, die internationalen Fragen nachgeordnet, dem Primat der innenpolitischen Reformen gehorchend, unaufgeregt und gegenüber den Partnern vertrauensbewahrend zu behandeln, ließ sich so nicht umsetzen. Eine normale Abarbeitung der Sachpunkte in dem rot-grünen Arbeitsprogramm zur Außen- und Sicherheitspolitik war nicht möglich.[6] Viele dieser Forderungen mussten in einem völlig veränderten Kontext erst noch ihre Bewährungsprobe bestehen. In den kommenden fünf Jahren zwischen 1998 und 2003 erzwangen stattdessen gleich dreimal dramatische internationale Entwicklungen eine so intensive Beschäftigung durch die deutsche Politik, dass praktisch alle geplanten Tagesordnungen geändert werden mussten. Dies waren der Kosovo-Krieg von 1999, die Terroranschläge in Washington und New York vom 11. September 2001 und der Irak-Krieg des Jahres 2003.

Niemand hatte damit gerechnet, dass die neue rot-grüne Regierung nur fünf Monate nach ihrem Antritt die erstmalige Beteiligung der Bundeswehr an Kriegshandlungen würde verantworten müssen. Diese Erwartung hatten auch nicht die Bundestagsabgeordneten, als sie am 16. Oktober 1998, in der Zusammensetzung des alten Bundestages, einem Antrag der noch amtierenden Kohl-Kinkel-Regierung zustimmten, sich „zur Abwendung einer humanitären Katastrophe im Kosovo-Konflikt" gegebenenfalls an begrenzten Luftoperationen der NATO gegen Jugoslawien zu beteiligen. Damit trat Deutschland jenem Ultimatum bei, das Druck auf Präsident Milošević ausüben sollte, den internationalen Forderungen nach Änderung seiner Unterdrückungs- und Vertreibungspolitik gegenüber der albanischen Zivilbevölkerung im Kosovo nachzugeben. Im Oktober 1998 rechnete fast jeder damit, dass dieses Ultimatum seine Wirkung nicht verfehlen würde, was zunächst ja auch der Fall war. Eigentlich konnte sich niemand vorstellen, dass Milošević, der zwischen 1992 und 1995 bereits dreimal sein Land in blutige Konflikte geführt hatte, die jedes Mal mit Niederlagen endeten, jetzt wegen des Kosovo einen Waffengang mit der übermächtigen NATO riskieren würde.

SPD und Grüne fühlten sich, wenige Tage nach dem großen Wahlerfolg, wie eingesperrt in einem verbarrikadierten Raum.[7] Es gab intensive, zum Teil erbittert geführte Diskussionen. Die Vereinigten Staaten und das westliche Bündnis hatten sich für diese Kriegsdrohung gegen Belgrad entschieden. Die Zustimmung der Mehrheit des Bundestages, die in der noch gültigen Zusammensetzung ja bei CDU/CSU/FDP lag, war gewiss. Ein Nein von Rot-Grün hätte unabsehbare Folgen gehabt:

- Noch vor ihrer Arbeitsaufnahme wäre die neue rot-grüne Regierung in eine komplette internationale Isolierung gestolpert und hätte exakt all jene Skeptiker bestätigt, die ohnehin Zweifel an der Bündnisfähigkeit und Verlässlichkeit von Rot-Grün hegten;
- Milošević hätte die Verweigerung der neuen Regierungsmehrheit in Deutschland als Bestätigung für seine Zweifel an der tatsächlichen Entschlossenheit der Allianz werten können – und am Ende hätten die Verbündeten wahrscheinlich alle Schuld für die Konsequenzen daraus bei der neuen Bundesregierung unter Gerhard Schröder und Joschka Fischer abgeladen.

Das waren schwer ausräumbare, realpolitische Einwände gegen eine Verweigerung. Sie hätten alleine aber nicht ausgereicht, um die werte- und gewissensorientierten Abgeordneten der neuen rot-grünen Mehrheit zu erreichen. Es kamen intensiv diskutierte Abwägungen über die Sachlage vor Ort dazu. Niemand hatte die Schrecken des blutigen Bosnien-Krieges mit seinen über 200 000 Toten und zwei Millionen Flüchtlingen vergessen. Ging diese Tragödie, Srebrenica eingeschlossen, nicht auch auf das Konto der unzureichenden Mandatierung und Ausstattung der Schutztruppen der Vereinten Nationen (UNPROFOR)? Hätte ein früheres Eingreifen der NATO nicht viele Menschenleben retten können? Sollte man zuschauen, wenn jetzt – und so lauteten ja die Meldungen aus dem Kosovo – eine neue große Vertreibungswelle ausgelöst wurde, und ansonsten auf Verhandlungsergebnisse ohne militärischen Druck hoffen, obwohl genau das bisher gescheitert war? Und hatte nicht der Sicherheitsrat der Vereinten Nationen selbst in seiner Resolution 1199 vom 23. September 1998 gerade seine tiefe Sorge „über die sich abzeichnende humanitäre Katastrophe" zum Ausdruck gebracht und festgestellt, dass die Situation im Kosovo „eine Bedrohung des Friedens und der Sicherheit in der Region darstellt"? Rechtfertigte dieser alarmierende Beschluss nicht eine Gewaltandrohung gegenüber Milošević, auch wenn der Sicherheitsrat selbst wegen der Vetoankündigung aus Moskau und Peking auf die Androhung von Zwangsmaßnahmen nach Kapitel VII der UNO-Charta hatte verzichten müssen?

Die Gegenargumente hatten genauso Gewicht. Es stimmte schon, dass sich Europa und die Weltgemeinschaft trotz zahlreicher Warnungen viel zu spät dem Kosovo-Problem zugewendet hatten. Einmal mehr drohte die Krisenprävention auf dem Balkan zu scheitern. Im Kosovo selbst gab es nicht nur die leidende Zivilbevölkerung, sondern auch die gewalttätige, auf Separation zielende UČK – sollte sich die NATO für deren politische Ziele instrumentalisieren lassen? Und es waren nicht nur die Pazifisten in der SPD, die in der Logik des Ja zum Ultimatum auch ein Ja zur kaum noch aufzuhaltenden Kriegsbeteiligung gegen Jugoslawien erkannten, falls die Drohgebärde gegenüber Milošević scheitern würde. Sie bezogen sich dabei auf das Regierungsprogramm („Deutsche Außenpolitik ist Friedenspolitik") und erinnerten daran, dass Sozialdemokraten ein Gewaltmonopol für die UNO verlangten und bisher jeden

44

Auslandseinsatz der Bundeswehr von einer eindeutigen völkerrechtlichen Legitimation abhängig gemacht hatten.

Am Ende stimmte eine große rot-grüne Mehrheit für eine deutsche Unterstützung des Ultimatums. Dieser Beschluss erwies sich letztlich als konstitutiv für die deutsche Beteiligung an jenen „begrenzten Luftschlägen", die – nach langen, letztlich gescheiterten Verhandlungen in Rambouillet und Paris und letzten diplomatischen Rettungsversuchen – am 24. März 1999 als Auftakt für den Kosovo-Krieg begannen. Viele gaben ihre Zustimmung am 16. Oktober 1998 nur unter großen Zweifeln und Bedenken, auch aus dem Wunsch heraus, das rot-grüne Projekt nicht schon zu gefährden, bevor es überhaupt begonnen hatte,[8] und manch einer schon in Vorahnung der Probleme, die Rot-Grün bekommen musste, wenn es gegen alle Hoffnungen doch zur Realisierung der Gewaltandrohung kommen würde und der Krieg dann gegenüber der eigenen Basis und einer kritischen Öffentlichkeit legitimiert werden musste.

Die Wirklichkeit sollte die bösen Vorahnungen noch bei weitem übertreffen. Denn ganz anders, als kurz vor Beginn der Intervention die militärische Führung der Bundesregierung und den Fraktionsspitzen noch versicherte, genügten nicht „einige Tage" dauernde Luftschläge, um Milošević zum Einlenken zu bewegen und die verfolgten Menschen im Kosovo zu beschützen. Die aus größter Höhe und unter Vermeidung jeden Eigenrisikos geführten Luftangriffe erzielten nicht die erhoffte Wirkung am Boden. Serbien erhöhte seinen Druck auf die albanischen Kosovaren, die daraufhin fluchtartig ihre Heimat verlassen und ihre Häuser größtenteils zerstört zurücklassen mussten. Die NATO sah sich gezwungen, die Luftangriffe auf ganz Jugoslawien auszuweiten und hatte Mühe, Erklärungen für Fehltreffer und zivile Opfer zu finden. Damit wuchs auch der Legitimationsdruck auf die rot-grüne Bundesregierung. Außenminister Fischer rückte die Dimension des Kosovo-Krieges in die Nähe des Kampfes gegen Hitlerdeutschland, Verteidigungsminister Scharping stellte die Vertreibungsstrategien von Milošević („Hufeisenplan") und das brutale Vorgehen seiner Truppen und Sondereinheiten ins grelle Scheinwerferlicht. Je länger der Krieg dauerte, desto kritischer wurde die öffentliche Meinung. Vor Ort standen die Vertreter von SPD und Grünen immer häufiger auf verlorenem Posten. Gerade bei Linken mit langjährigen Bindungen an die Friedensbewegung schlug die Enttäuschung der ehemaligen Mitstreiter oftmals in blanke Wut um. Das war kein Bruch nur für den Augenblick.

Die öffentlichen Auseinandersetzungen, denen ich mich persönlich als in der Friedensbewegung wurzelnder Mensch und als für die gesamte internationale Politik zuständiger Stellvertretender Vorsitzender der SPD-Bundestagsfraktion kaum entziehen konnte, dauerten bis weit ins Jahr 2001 an. Die innerparteilichen Kontroversen fanden erst einen Schlusspunkt, als der Nürnberger SPD-Bundesparteitag im November 2001 einen von mir vorbereiteten Bericht des Parteivorstands zum Thema „Der Kosovo-Krieg und seine Lehren" zustimmend zur Kenntnis genommen hatte.[9] Aber dass in einem Jahrzehnt, zwischen 1992 und 1999, in Europa erstmals wieder nach dem Zweiten Weltkrieg gleich vier mit Waffengewalt geführte blutige Auseinandersetzungen stattgefunden hatten, mit dem Kosovo-Krieg als Höhepunkt, der die ganze Machtlosigkeit der europäischen Staaten offenbarte, das wirkte wie ein aufrüttelnder Schock und zwang ganz Europa zu einer Überprüfung der eigenen Fähigkeiten und politischen Konzepte.

Integration als Friedenspolitik

Der Ausgangspunkt für wichtige Entscheidungen, die noch im Jahr 1999 als Lehre aus dem Balkan-Versagen gezogen wurden, war eine nüchterne Bestandsaufnahme, aus der sich politische Schlussfolgerungen ergaben:

■ Eine regionale Krisenprävention und vorausschauende Friedenspolitik waren viermal hintereinander auf dem Balkan gescheitert. Also mussten dringend wirksame Präventionsstrategien und Präventionsinstrumente geschaffen werden.

- Die Europäische Union hatte längst die Entwicklung einer eigenen und kohärenten Außen- und Sicherheitspolitik beschlossen, hatte aber im Fall Kosovo den Offenbarungseid leisten müssen: Die europäischen Antworten auf die Belgrader Politik waren weder einheitlich noch konsistent, die Vereinigten Staaten übernahmen frühzeitig die diplomatische Führungsrolle und erst recht die militärische nach dem Beginn der Intervention. Also musste Europa die Weiterentwicklung der *Gemeinsamen Außen- und Sicherheitspolitik* (GASP) und die Herausbildung einer eigenen *Europäischen Sicherheits- und Verteidigungspolitik* (ESVP) beschleunigen und die Schaffung der dafür notwendigen Instrumente forcieren. Dabei war auf eine Balance zwischen militärischen und zivilen Fähigkeiten zu achten.

- Es war auffallend, dass die blutigen Konflikte der 90er Jahre alle in Südosteuropa stattfanden und im Zusammenhang mit dem Auflösungsprozess der jugoslawischen Föderation standen. Die Nachfolgestaaten des alten Jugoslawien (Slowenien ausgenommen) und das ebenfalls instabile Albanien verfügten bislang nicht über eine europäische Integrationsperspektive. Ganz anders als die Mehrzahl der Staaten Mittel- und Osteuropas, wo genau diese Integrationsaussicht im Zuge einer Osterweiterung der EU erstaunliche Friedens- und Stabilisierungswirkungen erzielt hatte – selbst da, wo auch ein schmerzlicher Auflösungsprozess stattfand, wie etwa bei der Teilung der alten Tschechoslowakei. Folglich musste diese Europapolitik verändert werden: Auch die Staaten Südosteuropas brauchten eine europäische Integrationsoption, unterstützt durch eine Prämierung von grenzüberschreitender Zusammenarbeit, die zugleich zur Reduzierung der ökonomischen und sozialen Rückstände im Vergleich zu den mittel- und osteuropäischen EU-Beitrittsstaaten beitragen sollte.

- Die Vereinten Nationen, die schon am Ende des Bosnien-Krieges in Dayton als Verlierer vom Platz geschlichen waren, hatten sich auch diesmal als nur begrenzt handlungsfähig erwiesen, auch deshalb, weil das aus den politischen Konfliktlösungsansätzen im Kosovo ausgegrenzte Russland wirksame UN-Maßnahmen durch seine Vetoandrohung blockierte. Also machte es Sinn, die Russische Föderation künftig in alle Konfliktlösungsstrategien wieder stärker mit einzubeziehen und die Vereinten Nationen in ihren Fähigkeiten zur Konfliktprävention und zum Konfliktmanagement zu stärken.

Die Balkan-Lektionen verebbten aber nicht in analytischen Betrachtungen, sondern mündeten schnell und konsequent in politisches Handeln.[10] Noch während des Kosovo-Krieges hat die EU, ausgehend von einer deutschen Initiative, den *Stabilitätspakt für Südosteuropa* aus der Taufe gehoben. Die Idee dabei war, das zerstörerische Kriegserlebnis zum Ausgangspunkt einer Umkehr der Verhaltensweisen zu machen. Wo der Kampf mit den Nachbarn die Lebensgrundlagen der ganzen Region infrage gestellt hatte, sollte fortan die grenzüberschreitende Zusammenarbeit prämiert und zugleich ein Identitäts- und Verantwortungsgefühl für die Region geschaffen werden. Die Europäische Union besann sich dabei auf die Rahmenbedingungen ihrer eigenen Erfolgsgeschichte, konnte aber auch auf ihre Erfahrungen mit der *Nördlichen Dimension* (Ostsee-Kooperation) und mit dem *Barcelona-Prozess* der Mittelmeerstaaten zurückgreifen. Die durch die Beiträge der EU-Mitgliedstaaten und der Internationalen Finanzinstitutionen getragenen Programme des Stabilitätspaktes brachten verschiedene Ländergruppen an gemeinsame Arbeitstische: neben den EU-Kandidatenstaaten Ungarn, Slowenien, Bulgarien und Rumänien auch die Balkanrepubliken Serbien und Montenegro, Kroatien, Bosnien-Herzegowina, Makedonien und Albanien, die bisher über keine EU-Perspektive verfügten.

48

Die Fortschritte des Stabilitätspaktes erleichterten es der EU dann, bei dem Europäischen Rat im Juni 2003 in Thessaloniki den entscheidenden Schritt zu tun und für den gesamten Westbalkan eine verbindliche Beitrittsperspektive zu verkünden. Seitdem läuft neben dem Stabilitätspakt, der im Frühjahr 2008 in einen stärker von den Ländern der Region selbst getragenen *Regionalen Kooperationsrat* umgestaltet wurde, ein strukturierter, mehrstufiger Heranführungsprozess. Während Kroatien schon seit Oktober 2005 Beitrittsverhandlungen führt, die voraussichtlich 2010 zum Abschluss kommen sollen, und Makedonien, mit einem offiziellen Kandidatenstatus versehen, auf baldigen Verhandlungsbeginn drängt, nutzen die übrigen Westbalkanstaaten die Möglichkeiten des ebenfalls der Heranführung dienenden *Stabilisierungs- und Assoziierungsprozesses* (SAP). Die EU hat also ab 1999, die Lektionen des Kosovo-Krieges lernend, ihre Erweiterungspolitik schrittweise revidiert und die Integrationsangebote, die sich in Ostmitteleuropa als konfliktlösend und friedensfördernd bewährt hatten, auf die krisengeschüttelte Balkanregion ausgedehnt.

Dieser friedens- und stabilitätspolitisch wichtige Entschluss erforderte Mut. Seine Aufrechterhaltung kostete Kraft. Denn in der Gemeinschaft der EU, deren Geschäftsgrundlagen seit dem Jahr 2000 auf 15 Mitglieder abgestellt sind, die aber in zwei Schritten am 1. Mai 2004 und am 1. Januar 2007 zwölf neue Mitgliedstaaten aufgenommen hat, fehlt für die rasche Aufnahme von noch mehr Ländern die öffentliche Zustimmung. Die EU steht vor keiner leichten Aufgabe: Der Verfassungsprozess, der die Handlungsfähigkeit der Union auch mit mehr als 30 Mitgliedsländern sicherstellen und erweitern sollte, inzwischen mit dem Label *Lissaboner Vertrag* versehen, rammte am 12. Juni 2008, nachdem er sich aus den Fesseln der fehlgeschlagenen Referenden in Frankreich und den Niederlanden im Frühjahr 2005 befreit hatte, auf das negative irische Votum und sitzt seitdem fest. Solange das so bleibt, gilt die Aufnahme weiterer Mitgliedsländer als nicht durchsetzbar – zugleich aber wird in der

Westbalkanregion das Momentum der Beitrittsperspektive im Umfeld neuer Stabilitätsrisiken, die vor allem mit der Kosovo-Status-Entscheidung vom 17. Februar 2008 und mit Transformationsproblemen in Bosnien-Herzegowina zusammenhängen, dringlich benötigt. Insofern hat der *Lissaboner Vertrag* gerade mit seinem Stolpern jenen Friedensprozess auf dem Balkan in Arrest genommen, der uns seit der bitteren Kosovolehre von 1999 so positiv weit weg getragen hat von den blutigen Ereignissen der 90er Jahre. Wer wie die Bundesregierung die Friedens- und Stabilitätsfunktion der Entscheidung von Thessaloniki klar erkannt und deswegen die Erweiterungspolitik der EU als Friedenspolitik kontinuierlich unterstützt hat, sieht die Risiken des aufgehaltenen Lissabon-Vertrages noch in einem zusätzlichen politischen Licht.

Der 11. September und seine Folgen

Gut zweieinhalb Jahre nach dem Kosovo-Krieg erschütterten am 11. September 2001 die Terroranschläge in New York und Washington mit ihren fast 3000 Todesopfern Amerika und die Welt. Der Schock war von bisher ungekannter Gewalt: wegen der Zahl der Opfer, wegen der Symbolik der ausgewählten Ziele und wegen der demonstrativen Ausschaltung aller denkbaren Abwehrmöglichkeiten. Die Anschläge der zunächst unbekannten Täter zerstörten den Mythos der Unverwundbarkeit der Vereinigten Staaten als alleiniger Weltmacht, die nach dem Ende des Kalten Krieges und der Blockkonfrontation in dieser Sonderstellung übriggeblieben war.[11]

Das verwundete Amerika bemühte sich in seiner Not um Schutz und Hilfe bei der internationalen Gemeinschaft, auch bei den von der Bush-Administration ansonsten wenig geschätzten Vereinten Nationen. Bereits einen Tag später verurteilte der UN-Sicherheitsrat in der Resolution 1368 vom 12. September 2001 die Anschläge als „Bedrohung des Weltfriedens und der internationalen Sicherheit" und bekräftigte, „dass

50

diejenigen, die den Tätern, Drahtziehern und Förderern helfen, sie unterstützen oder ihnen Zuflucht gewähren, zur Rechenschaft gezogen werden." Damit setzte der Sicherheitsrat die von Privatpersonen durchgeführten Anschläge mit einem von einem feindlichen Staat geführten kriegerischen Angriff gleich und bestätigte den angegriffenen Vereinigten Staaten das Recht auf Selbstverteidigung sowie ein Vorgehen gegen die Schützer der Attentäter.

Im Nachhinein kann man feststellen, dass diese sofortige, reflexartige Reaktion eine nachvollziehbare, aber problematische Spur gelegt hat. Ich erinnere mich sehr detailliert an den 11. September 2001, wie ich in meinem Bundestagsbüro in Berlin saß, wie dann in meine Teambesprechung mein Fraktionskollege Michael Müller mit der Nachricht platzte, in New York sei ein Verkehrsflugzeug in einen Wolkenkratzer gerast, wie wir dann unterbrochen haben, um das Weitere auf CNN zu verfolgen, wie dann der zweite Feuerball aufloderte, ich sehe noch vor mir die schwarzen Punkte, die in den Tod springende Menschen waren, und dann das wie in einer Endlosschleife ununterbrochen reproduzierte Zusammenkrachen erst des einen, dann des anderen Towers des World Trade Centers. Man begriff nichts. Einer forderte den anderen auf, den Fernseher anzuschalten. Später werde ich nie jemandem begegnen, der diese Bilder nicht so oder ähnlich live gesehen hat. Über die Korridore des Hauses schwirren Spekulationen, die alle unglaublich klingen. Die fliehenden Menschen, die riesigen Staubwolken, die Feuerwehrleute im Einsatz rund um die Reste der Zwillingstürme, bei diesen Bildern kam dann schon mal der Satz „das ist ja wie im Krieg". Diese Bilder waren natürlich, ein paar Stunden später und nur wenige Kilometer entfernt, auch in den Köpfen derer, die dann am Ufer des Hudson-Rivers im Hochhaus der Vereinten Nationen aufgefordert waren, eine Einordnung vorzunehmen. Es werden diese suggestiven, sich jeder analysierenden Annäherung entziehenden Bilder gewesen sein, die über die Einordnung als Angriffskrieg gegen Amerika entschieden haben – mit all den Konsequenzen, die das hatte.

Von diesem Punkt aus nahm das Programm „War on Terrorism" seinen Ausgang, das für die nächsten sieben Jahre die Politik der Vereinigten Staaten prägen sollte.[12] Es entsprach der Logik jener Gleichsetzung von Terroranschlag und kriegerischem Angriff, dass die NATO, erstmals in ihrer Geschichte, am 4. Oktober 2001 den Bündnisfall auslöste. Washington schmiedete erfolgreich eine „Große Koalition gegen den Terrorismus", bei der fast niemand fehlen wollte – weder Russland noch China. Auch die meisten arabischen und islamisch geprägten Staaten verkündeten ihre Teilnahme. Die Spuren der Täter führten zu dem Netzwerk Al Qaida unter Osama bin Laden mit ihren Organisationszellen und Ausbildungslagern in Afghanistan. Als die Ultimaten an die dortige Taliban-Regierung, diese Basen zu schließen und die mutmaßlichen Verantwortlichen für den 11. September auszuliefern, ohne Erfolg blieben, starteten die Vereinigten Staaten am 7. Oktober 2001 die „Operation Enduring Freedom". Nach anfänglichen Schwierigkeiten gelang es, im Verein mit der „Nordallianz" die Taliban-Herrschaft zu beseitigen und die Handlungsfähigkeit von Al Qaida spürbar einzuschränken. Allerdings scheiterten alle Versuche, die beiden Hauptfiguren Bin Laden als Oberhaupt von Al Qaida und Mullah Omar als Chef des vertriebenen Taliban-Regimes zu fassen.

In den ersten Stunden und Tagen nach den Anschlägen bekundeten in Deutschland zahlreiche Menschen ihre tiefe Betroffenheit und Anteilnahme und ihre Solidarität mit dem angegriffenen und verwundeten Amerika. Die von Bundeskanzler Gerhard Schröder einen Tag nach der Tragödie verkündete „uneingeschränkte Solidarität" mit den Vereinigten Staaten griff dabei eine verbreitete Stimmungslage in Deutschland auf. Bereits am 19. September erklärten alle Bundestagsfraktionen außer der PDS in einem Entschließungsantrag ihre Bereitschaft, den Vereinigten Staaten über die verbalen Solidaritätserklärungen hinaus konkret Beistand zu leisten. Wörtlich heißt es in der Entschließung: „Dazu zählen politische und wirtschaftliche Unterstützung sowie die Bereitstellung geeigneter militärischer Fähigkeiten zur Bekämpfung des internationalen Terrorismus". Es dauert dann bis zum 14. November 2001, bis diese Ankündigung wahr gemacht wird und der Deutsche Bundestag der Entsendung von bis zu 3900 Soldaten im Rahmen der *Operation Enduring Freedom* zustimmen wird. Zwar sind es vorwiegend defensive Fähigkeiten, die zur Verfügung gestellt werden: Sanitätskräfte (250), Lufttransportkräfte (500), ABC-Abwehrkräfte (800), Seestreitkräfte (1800) und 100 Mann Spezialkräfte zur Ergreifung von Tätern aus dem Al Qaida-Netzwerk oder zur Geiselbefreiung. Trotzdem verliefen die Debatten über diese erneute deutsche Kriegsbeteiligung nach dem Kosovo-Krieg von 1999 innerhalb der rot-grünen Regierungskoalition so kontrovers, dass Bundeskanzler Schröder sich genötigt sah, die Beschlussfassung zum ersten Mal mit der Vertrauensfrage zu verbinden.

Oberflächlich betrachtet sah alles so aus, als sei die verkündete „uneingeschränkte Solidarität" mit den USA nun in eine bedingungslose deutsche Gefolgschaft für die in Washington beschlossenen Antiterrormaßnahmen in Form des Afghanistan-Krieges eingemündet. Bei genauerem Hinsehen ergibt sich aber ein anderes Bild. Schon bei dem erwähnten Entschließungsantrag vom 19. September 2001 heißt es nach der Unterstützungsankündigung für das angegriffene Amerika, der Deutsche Bundestag trete aber „jeder kulturellen und religiösen Pauschalverurteilung" entgegen, er bekenne sich zum Schutz der muslimischen Mitbürgerinnen und Mitbürger in Deutschland und unterstreiche die Aufgabe, „mit anderen Nationen und internationalen Institutionen humanitäre Hilfe zu leisten sowie politische und ökonomische Konzepte zu erarbeiten, die geeignet sind, die Ursachen des Terrorismus zu bekämpfen und ihm seinen Nährboden zu entziehen." Und den konkreten Entsendebeschluss vom 14. November begleitete ein 10-Punkte-Entschließungsantrag von SPD und Grünen, der diesen Faden noch einmal verstärkend aufnimmt.

Dieser Text drückt die Überzeugung aus, dass der Kampf gegen den Terrorismus allein mit militärischen Mitteln nicht gewonnen werden kann, und er zeichnet die Umrisse einer globalen Strategie zur Eindämmung der verhängnisvollen Kettenreaktion von Armut und Demütigung über Hass und Gewaltbereitschaft bis zu Gotteskriegertum und Terrorismus. Die beiden Regierungsfraktionen bestehen darauf, dass die westlichen humanitären Grundsätze auch im Kampf gegen den Terror gelten und dass im militärischen Einsatz vor Ort „das Prinzip der Verhältnismäßigkeit und der größtmöglichen Vermeidung ziviler Opfer" Beachtung findet. Der Text weist auf die Notwendigkeit hin, die gefährlichen regionalen Konflikte vom Nahen Osten bis Kaschmir so rasch wie möglich zu entschärfen, die Anstrengungen für eine Verbesserung ziviler Konfliktbearbeitung und Krisenprävention zu erweitern, sich neuen politischen Strategien zur Humanisierung der Globalisierung und zur Korrektur einer ungerechten und unfairen Weltordnung zu widmen, den Dialog der Kulturen zu intensivieren und die Vereinten Nationen als wichtigste Instanz für die Verrechtlichung der internationalen Beziehungen zu stärken. All diese Schritte werden als unverzichtbar angesehen, wenn es darum geht, an die Ursprünge des Terrorismus, an seinen Nähr- und Resonanzboden heranzukommen.

Das Regierungshandeln in Sachen Terrorismus und Afghanistan bemühte sich, diesen Vorgaben gerecht zu werden: Außenminister Fischer versuchte eine Vermittlung im Nahostkonflikt, auch nachdem klar geworden war, in welcher Weise Bin Laden die ungelöste Palästinenserfrage instrumentalisierte. In Afghanistan profilierte sich die Bundesregierung zunächst mit hohen Zusagen für Humanitäre Hilfe zugunsten der Zivilbevölkerung und dann mit der Ausrichtung der UN-Konferenz zur Zukunft Afghanistans, die am 26. November 2001 auf dem Bonner Petersberg beginnt und am 5. Dezember mit einer Friedens- und Übergangsvereinbarung (*Bonn Agreement*) erfolgreich abschließt. Später folgen weitere Konferenzen im Rahmen dieses „Bonn-Prozesses", die auf einen Neu-anfang in Afghanistan mit der Übergangsregierung Karzai set-zen, mit einem Verfassungs- und Demokratisierungsprozess und mit dem Versuch, für das in mehr als 20 Jahren Bürger-krieg völlig zerstörte Land neue Lebensgrundlagen zu schaffen. Dem Bundestag fällt es dann auch wesentlich leichter, am 22. Dezember 2001 eine deutsche Beteiligung von bis zu 1200 Sol-daten an der *International Security Assistance Force* (ISAF) zu be-schließen, die diesen Nation-Building-Prozess in Afghanistan absichern soll, der auf dem Bonner Petersberg seine ersten Konturen gewonnen hatte.[13]

Unter dem Schirm der „uneingeschränkten Solidarität" mit den USA hatte sich also schrittweise eine spezifische Profilie-rung der deutschen Politik bei der Umsetzung dieses Solidari-tätsversprechens entwickelt, die auch eine gewisse Distanz er-kennen ließ: Distanz zu den martialischen Beschwörungen der Regierung Bush (nach dem Motto „wir haben jetzt Krieg mit dem Terrorismus und wir werden ihn gewinnen, alleine oder mit anderen zusammen"), kritische Fragen an Entstehung und Ursache des Netzwerkterrorismus von Bin Laden und an die Vorgeschichte seines Beschützerregimes in Afghanistan, Prioritätensetzung bei den politischen Prozessen und bei der Vermeidung eines „Kampfs der Kulturen" unter Zurückwei-sung der stellenweise in Amerika aufflackernden Kreuzzugs-terminologie. Zwischen den beiden vom Atlantik getrennten Kontinenten war politisch die Schere schon auseinander ge-gangen, als Präsident Bush am 29. Januar 2002 in seiner Rede zur Lage der Nation ankündigte, die nächsten Schläge gegen den Irak, den Iran und Nordkorea führen zu wollen – also ge-gen jene sprichwörtlich gewordene *Achse des Bösen*.

Der schnelle Waffenerfolg der USA in Afghanistan hatte die Lage völlig verändert. Ich erinnere mich persönlich noch an den Auftritt der amerikanischen Delegation auf der Münchner Sicherheitskonferenz am 2. Februar 2002, die dort den versam-melten internationalen Experten die Vorstellungen Washingtons von der zweiten Phase des Antiterrorkriegs verdeutlichte. Senator John McCain pries bei dieser Gelegenheit die Afghanistan-Intervention als „Modell": Man nehme überlegene Luftkräfte, verbinde sie mit Spezialeinheiten auf dem Boden sowie mit einheimischen Oppositionskräften und schreite rechtzeitig zur Tat, statt auf Aktivitäten des Feindes zu warten – dann spare man sogar Kosten! Der stellvertretende Verteidigungsminister Paul Wolfowitz machte den europäischen Konferenzteilnehmern klar, dass die USA ihr Vorgehen nicht von ihrer Zustimmung abhängig machen würden. Koalitionen hätten keinen Eigenwert, und die jeweilige Mission werde sich in Zukunft selbst die passende Ad-Hoc-Koalition schaffen. Notfalls würden die Amerikaner ihre Ziele eben auch alleine verfolgen.

Die „Achse des Bösen" und der Irak-Krieg

Dieses neue Selbstbewusstsein der Weltmacht Amerika, keine fünf Monate nach dem „Nine-Eleven-Schock", setzte sich danach in konkrete Politik um. Das Jahr 2002 wurde geprägt durch die Versuche Washingtons, Mitstreiter für die „Zweite Phase im Kampf gegen den Terrorismus" zu finden. Und diese richtete sich gegen den Irak des Diktators Saddam Hussein. Die Entschlossenheit des amerikanischen Präsidenten George W. Bush, im Irak mit Waffengewalt andere Verhältnisse zu schaffen, nährte sich aus verschiedenen Quellen: Da war die Erinnerung an den „nichtvollendeten Job" von Bush senior, als er im Februar 1991 in der Schlussphase des 2. Irak-Krieges gezögert hatte, in Bagdad einzumarschieren und Saddams Herrschaft zu beenden. Hinzu kam das ständige Katz- und Maussspiel, das Saddam Hussein mit den Kontrollmissionen der Vereinten Nationen und der Internationalen Atomenergiebehörde (IAEO) trieb, um sie an einer Aufklärung der vermuteten irakischen Versuche zur Herstellung von Massenvernichtungswaffen zu hindern. Und der Irak hatte als einziger Staat die Terroranschläge vom 11. September 2001 gegen Amerika nicht verurteilt. Vielleicht war dem US-Präsidenten aber am wichtigsten, nach dem Afghanistan-Erfolg seinen Anspruch auf die Schaffung einer „Neuen Weltordnung", die auf amerikanische Werte hörte, zu untermauern und mit einem weiteren Beweis amerikanischer Stärke die von Osama bin Laden geschlagenen Wunden vergessen zu machen.

Der Weg zum Irak-Krieg, der am 20. März 2003 begann, bereits am 9. April zur Einnahme Bagdads führte und am 1. Mai 2003 mit einer Siegesfeier offiziell für beendet erklärt wurde, zerstörte die große internationale Koalition gegen den Terrorismus aus den Nachseptembertagen des Jahres 2001. Das ganze Jahr 2002 war geprägt von den Bemühungen der Vereinten Nationen und der IAEO, den irakischen Präsidenten zur Kooperation bei der Aufklärung der Waffenprogramme zu bringen, während parallel dazu die USA und Großbritannien den Waffengang vorbereiteten. Die Verbündeten und Freunde der USA mussten sich entscheiden. In Europa führte das zur politischen Spaltung. Der amerikanische Verteidigungsminister Donald Rumsfeld brachte das „Neue Europa", vor allem bestehend aus den osteuropäischen Neumitgliedern und Kandidatenstaaten für die NATO, gegen das „Alte Europa", geführt von Deutschland und Frankreich, in Stellung. Während sich die Russische Föderation nach den Terroranschlägen noch demonstrativ an die Seite Amerikas gestellt hatte, reihte sich Präsident Putin nun ebenso demonstrativ in die Ablehnerfront ein.

Die von Gerhard Schröder geführte rot-grüne Bundesregierung verweigerte jede Beteiligung an einem Krieg gegen den Irak. Gerade nach der „uneingeschränkten Solidarität" unmittelbar nach dem 11. September wirkte das wie eine Kehrtwende und wurde in der Öffentlichkeit vor allem als Aufkündigung der Gefolgschaft gegenüber den Vereinigten Staaten interpretiert. Bei den Meinungsbildungsprozessen in Richtung „Nein zum Irakkrieg" spielten aber Sachargumente die entscheidende Rolle. Bundeskanzler Schröder stand mit seinen Zweifeln, die sich auf die Legitimation und die Auswirkungen eines gewaltsamen *Regime Change* richteten, nicht allein da. Es war auffällig, dass die von Hans Blix geleiteten UN-Waffeninspekteure keinerlei Spuren der vermuteten irakischen Massenvernichtungsproduktion vor Ort fanden. Es schien vernünftig, diese Missionen verstärkt fortzusetzen, um Sicherheit darüber zu gewinnen, dass von Saddam Hussein für die Vereinigten Staaten und andere Länder keinerlei ernsthafte Gefahr ausging. Die Bemühungen der Bush-Regierung, mit aller Gewalt die Waffenprogramme zu belegen oder Querverbindungen von Bagdad mit Al Qaida zu konstruieren, konnten nicht überzeugen. Der Höhepunkt dieser Beweisführungsversuche, die Rede des amerikanischen Außenministers Colin Powell vor den Vereinten Nationen am 5. Februar 2003, verstärkte die Zweifel eher noch. Die Vorstellung stellte sich später als kompletter, eingestandener Täuschungsversuch heraus. Auf dieser Basis war eine UN-Resolution zur Rechtfertigung militärischen Eingreifens nicht erreichbar. Ende Februar wurde klar, dass eine entsprechende Vorlage nicht nur am Veto von Russland, China und Frankreich scheitern musste, sondern nicht einmal auf eine numerische Mehrheit unter den 15 Sicherheitsratsmitgliedern rechnen konnte.[14]

Ein Irak-Krieg ohne völkerrechtliche Legitimation musste sich aber verheerend auswirken auf die große politische Koalition gegen den Terrorismus, die sich nach den Septemberanschlägen von 2001 gebildet hatte. Ein zweiter Krieg der Weltmacht Amerika gegen ein islamisches Land, nur eineinhalb Jahre nach der Afghanistanintervention, die ja keinesfalls als abgeschlossen gelten konnte, und diesmal ohne dass sich Notwehr geltend machen ließ, das konnte nicht einmal auf den ungeteilten Beifall der Länder zählen, die Gegner oder gefährdete Nachbarn des Diktators von Bagdad waren. Zu groß erschienen die Gefahren für die künftige Stabilität der ganzen Nahostregion, Israel eingeschlossen, und für die Chancen, sich hinterher noch für politische Lösungen der dortigen Langzeitkonflikte einzusetzen. Einen solchen Krieg ohne zwingenden Anlass, dem ausdrücklichen Interesse an einem *Regime Change* folgend, in Nutzung der eigenen überlegenen militärischen Potentiale, der Ablehnung der Mehrzahl der eigenen Bündnispartner zum Trotz, einfach alleine mit einer beliebigen Gefolgschafts-Koalition anzufangen – das schlug allen Überlegungen über die Notwendigkeit einer faireren und gerechteren Weltordnung zur Abwehr eines *Clash of Civilizations* nach dem 11. September 2001 ins Gesicht. Selten hat man erlebt, dass sich alle kritischen Argumente in einer aktuellen Entscheidungssituation, dass sich alle negativen Voraussagen so vollständig und punktgenau bestätigt haben wie bei dem Konflikt um den Irak-Krieg.

Bundeskanzler Schröder bewegte sich bei diesem Thema gemeinsam mit Außenminister Joschka Fischer und der gesamten rot-grünen Koalition auf dem Boden der Erfahrungen seit 1999. Schröders hartes Nein zum Irak-Krieg gründete tief in der sozialdemokratischen und koalitionsgemeinsamen Verarbeitung der Balkankonflikte der 90er Jahre, des Kosovo-Krieges von 1999, des 11. September 2001 und der sich anschließenden Intervention in Afghanistan. Dass er sich inhaltlich auf ein in schwierigen Konflikten entwickeltes Konzept von Friedenspolitik unter völlig veränderten internationalen Rahmenbedingungen stützen konnte, das machte seine Positionierung immun gegen die vom politischen Gegner, aber auch in der Öffentlichkeit erhobenen Populismusvorwürfe.

Das Thema spielte im Bundestagswahlkampf 2002 eine wichtige Rolle, es war aber kein erfundenes. Die CDU/CSU-Führung hielt Schröder vor, er setze das gute Verhältnis Deutschlands zu den Vereinigten Staaten aufs Spiel. Das zeigte eine unterschiedliche Prioritätensetzung: Den Konservativen waren die Beziehungen zu Washington wichtiger als eine kritische Abwägung des bevorstehenden Irak-Krieges und seiner möglichen Folgen. Für SPD und Grüne war es essentiell wichtig, nach der rasanten Kurvenfahrt im internationalen Bereich in ihrer ersten gemeinsamen Legislaturperiode wieder festen friedenspolitischen Boden unter die Füße zu bekommen. Gerhard Schröder erkannte nicht nur die politische Bedeutung dieser Reorientierung, er brachte auch das Stehvermögen mit, trotz des heftigen Gegenwinds durchzuhalten und das Risiko eines politischen Konflikts mit der Bush-Administration auf sich zu nehmen.

Nicht nur wegen der zeitlichen Nähe zu den Bundestagswahlen begleiteten raue Töne diesen Dissens in der Irak-Frage. Der traditionelle Grundkonsens deutscher Außenpolitik geriet zwischen die Mühlsteine dieser Auseinandersetzung. Die damalige CDU-Vorsitzende Angela Merkel wird sich noch am 20. Februar 2003, vier Monate nach der Bundestagswahl, in der „Washington Post" von Schröders Nein zum Irak-Krieg distanzieren und dort mitteilen, „Schröder spricht nicht für alle Deutschen". Man muss weit zurückgreifen in der deutschen Zeitgeschichte, um auf einen ähnlich verbittert geführten Konflikt zu treffen, und stößt dann auf das Ringen um die Ost- und Entspannungspolitik Willy Brandts Anfang der 70er Jahre. Es hat auch Zeit gebraucht, um wenigstens Behelfsbrücken über diesen Gräben zu errichten. Im Regierungsprogramm der Großen Koalition vom November 2005 werden wir ein Bekenntnis finden für „ein enges Vertrauensverhältnis zwischen den USA und einem selbstbewussten Europa", worauf die Feststellung folgt: „Das schließt unterschiedliche Auffassungen nicht aus, mit denen im partnerschaftlichen Dialog und im Geist der Freundschaft umgegangen werden muss." Das Wort Irak taucht ansonsten in diesem Koalitionsvertrag nicht auf.

Die EU auf dem Weg zum globalen Akteur

Die Außenpolitik der rot-grünen Bundesregierung zwischen 1998 und 2005 wird in der Wahrnehmung auch in Zukunft von den beschriebenen drei großen außenpolitischen Herausforderungen geprägt bleiben: dem Kosovo-Krieg von 1999, dem 11. September 2001 mit der anschließenden Intervention in Afghanistan und dem Irak-Krieg von 2003. Zeitgenössische Darstellungen und Memoiren folgen unisono diesen Phasen und Abläufen. Das eigentlich Spannende aber ist aus meiner Sicht, dass diese Abläufe eine Art Matrix bildeten, von der sich weitreichende Neufestlegungen deutscher und europäischer Politik ableiteten und verfestigten, so dass man am Ende von der Bildung eines neuen politischen Modells sprechen kann. Dabei wurden nicht nur neue Strategien entwickelt, sondern auch neue Fähigkeiten zum vorbeugenden Handeln und zum Reagieren aufgebaut. Nebeneinander liefen zwei Handlungsstränge, die sich wechselseitig stark beeinflussten. Die eine Agenda war geprägt von traumatischen Konflikterfahrungen und der Erkenntnis, weder für ihre Vermeidung noch für ihre Beendigung die richtigen Mittel in Händen zu halten. So war es bei den blutigen Balkankonflikten der 90er Jahre und beim Kosovo-Krieg, wo mehrfach die Vereinigten Staaten in Europa die Initiative ergreifen mussten. In der Konsequenz fanden sich die zwei Regierungsparteien SPD und Grüne, beide sich als Friedensparteien verstehend, im Frühjahr 1999 als Kriegsbeteiligte wieder. Das wiederholte sich in der Nachseptemberzeit 2001 mit der deutschen Beteiligung am Afghanistan-Einsatz und dem dortigen Engagement Deutschlands bei dem bewaffneten Stabilisierungs- und Staatsaufbauprozess (*Nation Building*) in den nachfolgenden Jahren, hier aber schon mit einer Prioritätensetzung und einer Auswahl der Beiträge, die einer spezifischen politischen Linie folgten. Und es mündete in der Verweigerung jeder Teilnahme am Irak-Krieg, hinter der faktisch eine eigene Konzeption von einer erfolgversprechenden Auseinandersetzung mit dem Terrorismus und eine eigene Vorstellung von einer gerechteren Weltordnung standen.

Die andere Agenda arbeitete diese Erfahrungen und Erlebnisse ab und zog praktische Rückschlüsse. 1999 konkretisierte sich die Gemeinsame Außen- und Sicherheitspolitik der EU (GASP). In der Balkanregion bereitete der Stabilitätspakt für Südosteuropa die dann 2003 erfolgte Ausstattung der gesamten

Ländergruppe mit einer verbindlichen EU-Beitrittsperspektive vor und nutzte damit das wichtigste, mit den anderen Kandidatenstaaten aus Osteuropa schon getestete Stabilitäts- und Friedensinstrumentarium zum Wohl dieser konfliktreichen Südost-Ecke Europas.

1999 wurde in der EU ein ehrgeiziger Fahrplan für den Aufbau neuer ziviler und militärischer Fähigkeiten zur Konfliktvermeidung und Konfliktbeendigung für vier Jahre auf den Weg gebracht, deren Einsetzbarkeit sich im Jahr 2003 in der Praxis bestätigte. Aber schon 2001 vollzog sich ein neuer Verständigungs- und Lernschub im europäischen Diskurs über die richtigen Antworten auf die dramatischen Bedrohungen durch den global agierenden Terrorismus. Die aus den Balkanerfahrungen abgeleiteten *regionalen* Präventionsstrategien weiteten sich zu Konzepten *globaler* Prävention als Alternative zu der amerikanischen Präferenz für militärische Repressionsstrategien. Auf dem Wege zum Irak-Krieg 2003 manifestierte sich diese Auseinanderentwicklung als transatlantisches Schisma – zwischen den Gegnern und Befürwortern des gewaltsamen *Regime Change* als zentraler Zielsetzung der US-Administration für die sogenannte zweite Phase des Kampfs gegen den Terrorismus.

Zwar gelang es Bush und Rumsfeld, Europa in der Frage der Unterstützung im Irak-Krieg zu spalten. Umso bemerkenswerter ist es, dass sich die EU im Dezember 2003 auf eine neue gemeinsame und verbindliche Sicherheitsstrategie verständigen konnte, die tatsächlich die Erfahrungen von 1999 bis 2003 auf den Punkt brachte und alle EU-Mitgliedstaaten für ein Konzept in die Pflicht nahm, das sich deutlich von der nationalen Sicherheitsstrategie der Bush-Ära unterschied.

Zuerst aber brachten die Europäischen Räte von Köln und Helsinki im Jahr 1999 ehrgeizige Programme auf die Schiene. Sie galten dem Ziel, eine eigene europäische Sicherheits- und Verteidigungspolitik aufzubauen und hierfür auch einen personellen Zuständigkeitsbereich zu schaffen. Das Amt des *Generalsekretärs und Hohen Repräsentanten der Außen- und Sicher-*

heitspolitik der EU wurde an Javier Solana vergeben. Die EU beschloss ganz bewusst, eigene Kapazitäten zu schaffen, die sowohl eine zivile als auch eine militärische Komponente haben
sollten. Das bekannte *Helsinki Headline Goal* formulierte das
Ziel, in Europa innerhalb von nur vier Jahren bis zum Jahr
2003 faktisch einsetzbare Kapazitäten aufzubauen.[15] Die erste
Bewährungsprobe für die gemeinsame Außen- und Sicherheitspolitik kam sehr schnell: Als sich im Februar 2001 die Gefahr eines fünften Balkankriegs in Makedonien abzeichnete,
sprachen die Europäer zum ersten Mal mit einer Stimme.
Javier Solana hatte einen entscheidenden Anteil daran, dass
der Friedensvertrag von Ohrid vom 17. August 2001 zustande
kam, wodurch eine weitere gewaltsame Auseinandersetzung
unterbunden werden konnte. Bis heute basiert die innenpolitische Entwicklung Makedoniens auf dieser Vertragsgrundlage.

Zwei Jahre später, im Jahr 2003, führte die EU plangemäß
die jeweils zwei ersten zivilen und – noch in bescheidenem
Umfang – militärischen Friedensoperationen durch: die beiden
Polizeimissionen in Bosnien-Herzegowina und Makedonien
sowie eine begrenzte Militärmission ebenfalls in Makedonien
sowie ARTEMIS, die Mission in Bunia im Kongo. Letztere war
die erste autonome EU-Operation, die sich allerdings auf nur
ein Jahr beschränkte. Am 12. Dezember 2003 folgte ein weiterer sehr wichtiger Schritt, als man sich auf eine eigene *Europäische Sicherheitsstrategie* (ESS) unter dem Titel *Ein sicheres Europa in einer besseren Welt* verständigte.[16] Der programmatische
Titel enthält schon die Markenzeichen der künftigen europäischen Friedensbemühungen: das Bekenntnis zu einer europäischen Verantwortung für den Frieden im globalen Maßstab
und das Ausbuchstabieren eines umfassenden Sicherheits-
begriffs mit der Konzentration europäischer Fähigkeiten auf
Konfliktprävention, Krisenmanagement und Konfliktnachsorge, auch als Friedenskonsolidierung bezeichnet. Zugleich
wurde eine Abfolge von politischen Schritten im Krisenfall festgelegt: Zuerst sind Maßnahmen der Krisen- und Gewaltpräven-

tion vorgesehen, die in eine Verhandlungslösung münden sollen. Nur im Fall eines Scheiterns all dieser Ansätze kann notfalls auf das Mittel der Gewaltanwendung zurückgegriffen werden. Diese europäische Prioritätensetzung reflektiert eine Interventionsskepsis, die sich im Dezember 2003 schon auf konkrete Erfahrungen stützte. Denn die Friedenskonsolidierung auf dem Balkan nach dem Friedensvertrag von Dayton erwies sich als ausgesprochen schwierig und kostspielig. Ähnliche Beobachtungen konnte man zu dieser Zeit bereits in Afghanistan und im Irak machen.

Das Ziel einer gerechteren Weltordnung, wie es im Titel der europäischen Sicherheitsstrategie formuliert ist, war die europäische Antwort auf die Terroranschläge vom 11. September 2001. Das Leitmotiv einer gerechteren Weltordnung ist im Sinne einer globalen Präventionspolitik zu verstehen. Sie soll es in Zukunft schwieriger machen, unzufriedene, gedemütigte, ausgegrenzte und marginalisierte Gruppen als Nachwuchs für die internationalen Netzwerke des Terrorismus zu rekrutieren. Diese Zielsetzung führte zugleich zu einer starken Aufwertung der Entwicklungspolitik in ganz Europa und insbesondere auch in Deutschland. Die Millenniumsziele und Armutsbekämpfungsprogramme der Vereinten Nationen wie auch die Entschuldungsinitiativen wurden jetzt als Teil einer neuen Sicherheitspolitik gesehen und erhielten eine ungleich höhere Wertschätzung als zuvor. Schließlich enthält die europäische Strategie auch ein eindeutiges Bekenntnis zu den Regeln und Maßgaben des Völkerrechts wie auch zur Führungsrolle der wichtigsten Weltorganisation, der Vereinten Nationen. Die UNO soll verhindern, dass Sprachlosigkeit zur Konflikteskalation beiträgt, sie soll helfen, Menschenrechte durchzusetzen und hierbei auch internationale Gerichte wie den Internationalen Strafgerichtshof einschalten.

Diese programmatische Festlegung der europäischen Friedenspolitik ist immer auch als eine Art Ferndialog mit anderen Strategien, so mit der amerikanischen *National Security Strate-*

gy, die Präsident George W. Bush am 17. September 2002 vorgestellt hatte, begriffen worden. Hierbei sind wichtige Unterschiede zu den europäischen Ansätzen zu beobachten: In der amerikanischen Doktrin herrscht das Prinzip des selektiven Multilateralismus vor, der mit der Ankündigung verbunden ist, dass, wenn der Multilateralismus nicht zu den gewünschten Ergebnissen führt, als Alternative eben auch die aus dem Irak-Krieg bekannten *Coalitions of the Willing*, mit anderen Worten Ad-hoc-Bündnisse, treten können, bis hin zu unilateralem Handeln unter Einschluss der *Doctrine of Preemption*. Der Begriff mag zwar ähnlich klingen wie „Prevention", er bedeutet aber genau das Gegenteil und schließt den Anspruch ein, auch einen gewaltsamen *Regime Change* vornehmen zu können. Diese Doktrin rechtfertigt den vorbeugenden Einsatz von Gewalt auch dann, wenn das Völkerrecht keine Legitimationsbasis schafft.

Die Umsetzung dieser Konzepte und ihre Folgen konnten im Verlauf des Irak-Krieges 2003 beobachtet werden. Im Lichte dieser Erfahrungen legte der amerikanische Präsident am 16. März 2006 eine Fortschreibung der *National Security Strategy* vor. Noch immer ist der gleiche Pfad in Bezug auf den selektiven Multilateralismus erkennbar. Gleiches gilt zwar auch für die Doktrin der Preemption, nun aber mit interessanten Einschränkungen. Das Recht auf vorbeugende Gewaltanwendung darf eigentlich nur dann ausgeübt werden, wenn die Vereinigten Staaten durch einen Angriff mit Massenvernichtungswaffen bedroht sind. Die neue Sicherheitsstrategie kommt zudem zu der Schlussfolgerung, dass die langfristigen Ziele der USA nur zusammen mit den Verbündeten erreicht werden können. Schließlich hält sie fest, dass die amerikanische Politik einer Präferenz für diplomatische Lösungen folgen soll. All diese Veränderungen und Differenzierungen bedeuten noch keine völlige Abkehr von der vorherigen Doktrin und militärischen Strategie. Es ist aber zu erkennen, dass die Doktrin nicht zuletzt aufgrund der Erfahrungen mit dem Irak-Krieg in eine bestimmte Richtung weiterentwickelt worden ist. Unübersehbar ist, dass die europäischen und die amerikanischen Ansätze damit objektiv wieder zumindest schrittweise näher aneinander rücken.

Seitdem die EU ab 2003 einsatzreife Fähigkeiten im militärischen wie im zivilen Bereich anbieten konnte, sind diese bis Ende 2008 in 21 Fällen abgerufen worden. Die Statistik sagt dabei einiges über die EU-Missionen aus. Von den 21 Missionen tragen 15 zivilen Charakter, nur sechs waren ganz oder teilweise militärischer Natur. Vier der sechs Einsätze mit Soldaten sind zu diesem Zeitpunkt bereits abgeschlossen: die allererste militärische Mission *Concordia* in Makedonien (2003), die *Artemis*-Intervention im Ostkongo vom selben Jahr, EUFOR Kongo zur Absicherung der Wahlen in der Demokratischen Republik Kongo im Jahr 2006 sowie die EU-Unterstützung für die Sicherheitskräfte der Afrikanischen Union in Darfur (AMIS), die inzwischen durch eine erweiterte UN-Mission (UNAMID) vor Ort abgelöst wurde. Ende 2008 haben nur zwei der noch laufenden 11 EU-Missionen militärischen Charakter: Althea in Bosnien-Herzegowina (seit 2004) und EUFOR TCHAD/RCA, im Jahr 2008 begonnen zum Schutz der Flüchtlinge im Tschad und in der Zentralafrikanischen Republik.

Von Beginn an im Jahr 2003 überwiegen die zivilen Missionen. Sechs der insgesamt 15 Missionen sind bis Ende 2008 bereits abgeschlossen oder abgelöst. Den größten Anteil beanspruchen dabei Polizeimissionen. Die erste zivile EU-Mission war die EUPM in Bosnien-Herzegowina, die 2003 begann, jeweils zwei weitere konzentrierten sich auf die Stabilisierung in Makedonien (PROXIMA 2004–2005 und EUPAT ab 2006) und in der Demokratischen Republik Kongo (EUPOL Kinshasa 2005–2007 und EUPOL RD Congo ab 2007), jeweils eine widmete sich dem Polizeiaufbau und der Polizeiausbildung in den palästinensischen Gebieten (EUPOL COPPS seit 2006) und in Afghanistan (EUPOL Afghanistan seit 2007). Dreimal finden wir die Aufgabe beim Aufbau und der Festigung rechtsstaatlicher Verhältnisse: schon abgeschlossen bei EUJUST THEMIS in Georgien (2004–2005); EUJUST LEX setzt sich zum Ziel, 700 irakische Richter, Staatsanwälte und hohe Polizeioffiziere auszubilden (seit 2005); EULEX Kosovo schließlich, die bisher größte und anspruchsvollste EU-Rechtsstaatsmission, unterstützt seit Dezember 2008 die im Februar 2008 unabhängig gewordene Balkanrepublik mit mehr als 1800 Fachleuten beim Aufbau eines demokratischen Rechtsstaats. Hinzu kommen noch zwei Maßnahmen zur Unterstützung von Sicherheitssektorreformen in Afrika (EUSEC RD CONGO seit 2005 und EUSSR GUINEA-BISSAO seit 2008), zwei Missionen zur Unterstützung von Grenzkontrollen in den Palästinensergebieten (EUBAM Rafah seit 2005) und in Moldowa (EUBAM Moldova seit 2005) sowie eine Beobachtermission für einen Friedensprozess mit der AMM in Aceh/Indonesien, die 2006 erfolgreich abgeschlossen werden konnte.

- Tatsächlich hat sich die EU zum „globalen Akteur" entwickelt, wie sie es schon in ihrer Europäischen Sicherheitsstrategie von 2003 angekündigt hatte: mit acht Friedens- und Stabilisierungseinsätzen in Afrika, sieben in der Region Balkan/Südosteuropa, drei im Nahen Osten, zwei in Asien und einem im Südkaukasus, alles innerhalb von sechs Jahren seit 2003.

- Die EU hat sich seit 1999 politische Gremien, Führungs- und Kommando-Strukturen sowie militärische Fähigkeiten für bewaffnete Missionen aufgebaut und hat solche seit 2003 auch durchgeführt. Die Nachfrage nach zivilen Unterstützungsmissionen wuchs allerdings wesentlich schneller, so dass in sechs Jahren das Verhältnis von militärischen zu zivilen Einsätzen bei 15 zu 6 lag.

- Die insgesamt starke und wachsende Nachfrage aus den Krisenregionen verschiedener Kontinente und bei aktuellen Konfliktsituationen spricht für ein zunehmendes Vertrauen in die europäischen Fähigkeiten, aber auch in die europäischen politischen Prinzipien und Prioritäten, wie sie in der

Sicherheitsstrategie von 2003 verbindlich festgelegt und danach in die Praxis umgesetzt wurden.

In diesem Kontext entwickelte sich der neue Kurs der deutschen Außenpolitik. In der rot-grünen Regierungszeit zwischen 1998 und 2005 gestaltete die deutsche Politik die Entwicklung innerhalb der EU aktiv und intensiv mit. Sie setzte aber auch eigene Schwerpunkte.

II. Die neue deutsche Außenpolitik:
Konzepte und Instrumente

Der Regierungswechsel von 1998 in Deutschland öffnete viele Türen und Fenster. Die angekündigte Kontinuität bei den großen Linien der Außen- und Sicherheitspolitik schloss keineswegs Innovationen und neue Initiativen aus. Das rot-grüne Regierungsbündnis öffnete sich für Ideen und Vorschläge, die in den 16 Jahren der Kohl-Ära im gesellschaftlichen Raum, aber auch in den eigenen Reihen herangewachsen waren. Was bisher keine Chance auf Umsetzung im Regierungshandeln hatte, bekam sie jetzt, auch weil der Problemdruck die Suche nach neuen Optionen vorantrieb. Viele Außenpolitiker der neuen Koalition hatten Wurzeln in der Friedensbewegung oder bei Dritte-Welt-Aktionen, andere unterhielten zumindest Verbindungen in diese Szene, Berührungsängste waren die Ausnahme.

Der Bedarf nach neuen friedenspolitischen Instrumenten und Fähigkeiten speiste sich aus unterschiedlichen Quellen. Da wirkte einmal noch das traditionelle Selbstverständnis des Landes nach, das sich Zurückhaltung bei jeder Beteiligung an bewaffneten Aktionen auferlegte – ein Prinzip, das bei Sozialdemokraten und Grünen noch tiefer als bei anderen verwurzelt war. Wo die laufenden Balkankonflikte doch zur Intervention zwangen, folgte bald die Ernüchterung über die Begleiterscheinungen und Ergebnisse, erst recht mit dem Kosovo-Krieg von 1999.

„Deutsche Außenpolitik ist Friedenspolitik": dieser erste Satz im internationalen Kapitel des rot-grünen Koalitionsvertrages vom 20. Oktober 1998 musste wenigstens mittelfristig umgesetzt und mit Leben erfüllt werden, gerade wegen des aktuellen Zwangsumwegs über den Waffeneinsatz auf dem Balkan.

All das begünstigte Konzepte für eine vorausschauende Friedenspolitik der Konfliktvermeidung und zivilen Krisenreaktion. Wer aber der Prävention Vorrang vor der Intervention geben wollte, der musste präventive Fähigkeiten schaffen. Ein Schritt in diese Richtung war die Bildung des *Zivilen Friedensdienstes* (ZFD) im Jahr 1999. Ab 1994 hatte sich schon ein „Forum ziviler Friedensdienst" im Umfeld der Evangelischen Kirche von Berlin-Brandenburg zusammengefunden. Der Name verweist auf die ursprüngliche, von dem Berliner Friedensforscher Theo Ebert maßgeblich entwickelte Konzeption, den zivilen Friedensdienst neben dem Zivildienst als zweite Alternative zum Wehrdienst aufzubauen. 1999 war es aber vor allem das Bundesministerium für wirtschaftliche Zusammenarbeit und die zuständige Ministerin Heidemarie Wieczorek-Zeul, die eher auf das Berufsbild der Entwicklungshelfer schauten und den Zivilen Friedensdienst dann als einen Freiwilligendienst von lebens- und berufserfahrenen Männern und Frauen konzipierten, die einiges an Voraussetzungen mitbringen mussten: eine abgeschlossene Berufsausbildung, mehrjährige Berufserfahrung, gute Sprachkenntnisse und möglichst eine Praxis im zivilgesellschaftlichen Engagement.

Die acht Gruppierungen, die sich zum *Konsortium ziviler Friedensdienst* zusammenfanden, spiegeln denn auch ein gemischtes friedens- und entwicklungspolitisches Spektrum. Es umfasst die *Aktionsgemeinschaft Dienst für den Frieden* (AGDF), die *Arbeitsgemeinschaft für Entwicklungshilfe* (AGEH), *Christliche Fachkräfte International* (CFI), den *Deutschen Entwicklungsdienst* (DED), den *Evangelischen Entwicklungsdienst* (EED), *EIRENE – Internationaler Christlicher Friedensdienst*, das *Forum Ziviler Friedensdienst* (Forum ZFD) und den *Weltfriedensdienst* (WFD). Die Bewerberinnen und Bewerber für den ZFD durchlaufen Trainingskurse von zwei bis sechs Monaten, erweitern dort ihre Sprachkenntnisse, bauen ihre Fähigkeiten zur interkulturellen

Kommunikation aus und werden über die regionalen Verhältnisse im vorgesehenen Einsatzgebiet ins Bild gesetzt. Dann werden sie als Friedensfachkräfte von ihrer Entsendeorganisation, die in der Regel mit regionalen Partnern zusammenarbeitet, für mindestens zwei Jahre in eine Krisen- oder Konfliktregion ausgesandt. Ihre Aufgabe heißt: beobachten, vermitteln, Vertrauen schaffen. Sie tun das in den drei klassischen Phasen gewaltfreier Konfliktbearbeitung – bei der eigentlichen Prävention, also in einem Stadium, wo man dem Ausbruch eines gewaltsamen Konflikts noch gegensteuern kann, bei der Konfliktbewältigung sowie bei der Konfliktnachsorge oder Friedenskonsolidierung, bei der die Unterscheidung von der Prävention eines erneuten Konfliktausbruchs schon schwierig wird.[17]

Um zu zeigen, wie die Praxis einer solchen Friedensfachkraft vor Ort aussehen kann, sei hier folgender Bericht von einem Einsatz in Kolumbien (Katharina Reifenrath, 2005) eingefügt:

„Ab Juli läuft unser schwierigstes Projekt an: die Betreuung und Ausbildung von indigenen Widerstandsgemeinden im Norden. Unsere *Fundación* wird dort Lehrer zu Multiplikatoren ausbilden, zum anderen aber auch einen gruppentherapeutischen Prozess mit Opfern beginnen. Wir werden stets von einer *„guardia indigena"* begleitet werden und sowohl einen Dolmetscher als auch immer wieder mal einen Medizinmann dabei haben. Aber der Beginn und Erfolg der Arbeit hängt am seidenen Faden: Mitte April flammte dort der bewaffnete Konflikt zwischen Militär und FARC-Guerilla wieder auf und die Gefechte dauern immer noch an. In den letzten Tagen wieder besonders stark. Das ewige Hubschrauberkreisen ist nervtötend und bedrückend. Und es ist so abstrakt: Da sitze ich hier in meinem Büro, die Sonne scheint, auf der Straße gehen die Leute ihren Beschäftigungen nach, Schulklassen strömen aus den Bussen und in das Naturkundemuseum gegenüber, Lachen, Schreien, Hupen ... Und wenige Kilometer entfernt herrscht Krieg: zerstörte Häuser, Schüsse und Angst. Viele Fa-

milien und ganze Dörfer flohen und wohnen nun in Sammel-
unterkünften. Die emotionale Belastung ist groß und vor allem
bei den Kindern gibt es viele Fälle von schwerem Schock und
Trauma."[18]

Bis Ende 2008 haben sich insgesamt 469 solche engagierten
Fachleute auf den Weg gemacht, zu Konfliktherden in Afrika,
Lateinamerika, Asien, Südosteuropa und im Nahen Osten. Im
November 2008 sind aktuell 156 Friedensfachkräfte unterwegs.
Für Personalkosten und Projektmittel hat das BMZ von 1999
bis 2008 152 Millionen Euro ausgegeben. Und die Ansätze für
2009 sind erneut aufgestockt worden. In keinem anderen Land
existiert ein umfangreicheres Projekt präventiver Friedensmissionen, weshalb die deutschen Erfahrungen international auch
immer wieder abgefragt werden.

Während der *Zivile Friedensdienst* im Wesentlichen als Beitrag des Bundesministeriums für wirtschaftliche Zusammenarbeit zum Aufbau präventiver Fähigkeiten in Deutschland gerechnet werden kann, gilt das *Zentrum für Internationale
Friedenseinsätze* (ZIF) als Kind des Auswärtigen Amtes. Dort
startete schon im Sommer 1999 ein erstes Trainingsprogramm
für ziviles Friedenspersonal. Als der Bedarf anstieg, wurde diese Aufgabe ausgegliedert und dem im April 2002 gegründeten
ZIF übertragen. Hier werden zivile Fachleute für internationale
Friedens- und Wahlbeobachtungseinsätze vorbereitet, wie sie
von den Vereinten Nationen, der Organisation für Sicherheit
und Zusammenarbeit in Europa (OSZE) und der Europäischen
Union durchgeführt werden.

Schon vorher führte das deutsche Außenministerium Listen
mit geeigneten zivilen Fachleuten für internationale Einsätze,
ab 2002 aber begann die systematische Erfassung dieser Kräfte
im ZIF-Expertenpool, gegliedert nach Fachrichtungen, Alters-
struktur, Geschlecht und anderen Kriterien. Ende 2007 waren
1160 Personen in dieser Auflistung erfasst, eine Größenordnung, die ausreicht, um die Nachfrage aus den genannten internationalen Organisationen zu bedienen. Etwa 40 Prozent

des erfassten Personals hat bereits einen längeren Friedenseinsatz hinter sich, und mit 74 Prozent halten die 30–50 Jahre alten Experten den größten Anteil. Weit vorne liegt der fachliche Arbeitsbereich Recht, gefolgt von Verwaltung, Entwicklungszusammenarbeit, Internationale Beziehungen, dem Sektor Polizei, Sicherheit und Militär, dann folgen die Felder Medien, Politische Angelegenheiten, Training und Bildung, Humanitäre Hilfe sowie Wirtschaft und Finanzen.

Eine wachsende Rolle spielt international die Wahlbeobachtung. Immer häufiger erleben wir Spannungen und Konflikte nach Wahlgängen, die angefochten oder deren Ergebnisse nicht anerkannt werden. Eine professionelle Kontrolle beginnt mit frühzeitig entsandten Langzeitbeobachtern, die auf die Fairness von Wahlkampagnen und auf den ausgewogenen Zugang von Oppositionsparteien und Bewerbern zu den Medien achten. Kurzzeitbeobachter konzentrieren sich auf den Wahltag selbst, besuchen Wahllokale während der Stimmabgabe und überprüfen die Auszählverfahren und die Arbeit der Wahlkommissionen. Wahlbeobachtungsmissionen sollen unfaire Praktiken präventiv erschweren und sie bieten die Chance einer unabhängigen und gewichtenden Einschätzung von Wahlvorgängen. Nicht alles, was das Qualitätssiegel „frei und fair" nicht erhält, muss bereits eine Verdrehung des Wählerwillens sein. Die Feststellung, dass es bestimmte Unregelmäßigkeiten gab, schließt die Anerkennung von Wahlergebnissen nicht automatisch aus. Erfahrene Wahlbeobachter tragen eine hohe Verantwortung, das Vertrauen in sie kann ein bedeutendes friedenspolitisches Kapital ausmachen. 2007 schickte das ZIF über 300 ausgebildete Wahlbeobachter in 24 Wahlbeobachtungsmissionen, womit die Gesamtzahl der Beobachterentsendungen zwischen 2002 und 2007 die Zahl 2119 erreichte.

Die Arbeit des ZIF ermöglicht es Deutschland, für die vielen zivilen Missionen von UNO, EU und OSZE qualifizierte Bewerber anzubieten und sich so an zahlreichen Missionen zu beteiligen. Im Sommer 2008 ergibt eine statistische Momentaufnahme, dass die Bundesrepublik an 18 von 27 UN-Missionen mit 198 Polizisten und genau 100 Zivilfachleuten teilnimmt, bei den 14 laufenden EU-Missionen beschicken wir 11 mit 69 Polizeikräften und 39 Zivilisten, während die OSZE bei 13 ihrer 19 Missionen auf 45 deutsche Zivilpersonen und zwei Militärbeobachter zurückgreifen kann.

Schon frühzeitig begann das ZIF, eigene Erfahrungen weiterzugeben. 2003 startete das Westafrika-Projekt mit der Unterstützung des *Kofi Annan International Peacekeeping Training Centre* in Accra, der Hauptstadt Ghanas, und der westafrikanischen Regionalorganisation ECOWAS (*Economic Community of West African States*). Die deutsche Außenpolitik setzt insgesamt auf wachsende afrikanische Fähigkeiten, die Probleme des Kontinents Schritt für Schritt mehr in Eigenverantwortung zu lösen, und dazu gehört auch, dass die Afrikanische Union (AU) sowie die verschiedenen Regionalorganisationen Afrikas handlungsfähiger werden, auch mit eigenen Pools von Friedensfachleuten. Inzwischen genießt das Berliner Zentrum für Internationale Friedenseinsätze ein hohes internationales Ansehen und muss immer häufiger interessierten Delegationen aus allen Ecken der Welt die eigene Arbeitsweise erläutern. Präventive Friedenspolitik ist mit dem ZIF zu einem deutschen Exportgut geworden.

Querschnittsaufgabe Krisenprävention

Im ersten Jahr der neuen rot-grünen Bundesregierung setzte sich auch die Erkenntnis durch, dass Krisenprävention als Querschnittsaufgabe verstanden werden muss, zu der mehr als ein Ressort beitragen sollte. Den Anfang machte die Ernennung von Beauftragten im Auswärtigen Amt und im Bundesministerium für wirtschaftliche Zusammenarbeit im Jahr 1999. Die Ressortabstimmung weitete sich Schritt für Schritt aus, lebhaft unterstützt von deutschen Nichtregierungsorganisationen, die sich Konfliktverhütung durch präventive Politik auf die Fahnen geschrieben hatten. So entstand ein großer Korb von Ideen, Ansätzen und Plänen, aber es dauerte dann noch bis zum 12. Mai 2004, bis daraus ein verbindliches Konzept für Regierungshandeln wurde. Zu diesem Datum legte die Bundesregierung den *Aktionsplan Zivile Krisenprävention, Konfliktlösung und Friedenskonsolidierung* vor, der mehr als 160 Punkte („Aktionen") umfasste. Um die Koordinierung innerhalb der Bundesregierung zu gewährleisten, wurde ein *Ressortkreis für zivile Krisenprävention* gebildet und im Auswärtigen Amt ein Botschafter zum *Beauftragten für zivile Krisenprävention* ernannt. Mit der Schaffung des *Beirats für zivile Krisenprävention* sollte die Brücke zu den aktiven Gruppen der Zivilgesellschaft gebaut und ihre Mitwirkung an der Weiterentwicklung des Gesamtkonzepts sichergestellt werden.

Mit der „Aktion" Nr. 161 aus dem Gesamtprogramm verpflichtete sich die Bundesregierung, alle zwei Jahre eine Bestandsaufnahme zur Unterrichtung des Deutschen Bundestages, aber auch einer interessierten Öffentlichkeit vorzulegen. Der erste Umsetzungsbericht vom 31. Mai 2006 trug den Titel *Sicherheit und Stabilität durch Krisenprävention gemeinsam stärken*, den zweiten verabschiedete das Bundeskabinett am 16. Juli 2008 unter der Überschrift *Krisenprävention als gemeinsame Aufgabe*. Der Aktionsplan mit seinen beiden Umsetzungsberichten bildet zusammen ein Dossier von mehr als 300 Seiten, das einen umfassenden Einblick in die „Präventionsphilosophie" der internationalen Politik der Bundesrepublik bietet und die rasante Ausweitung der Handlungsfelder dokumentiert.[19] Das Spektrum umfasst inzwischen die Förderung von Demokratie, Menschenrechten und *Good Governance,* den Aufbau und die Festigung von rechtsstaatlichen Strukturen, den ganzen Komplex von Armutsbekämpfung, sozialer Gerechtigkeit und des Engagements für eine fairere Weltordnung, den Einsatz für Abrüstung, Rüstungskontrolle und Nichtverbreitung, wendet sich den neuen Herausforderungen vom Klimawandel über den Umwelt- und Ressourcenschutz bis zur

Nahrungsmittelknappheit zu und schließt auch Maßnahmen im Bereich Kultur, Bildung, Medien und Geschlechtergerechtigkeit mit ein.

Der Beirat für zivile Krisenprävention, der im Jahr 2008 aus 19 Vertretern aus Wirtschaft, Wissenschaft, Nichtstaatlichen Organisationen, Kirchen, politischen Stiftungen und einigen Einzelpersönlichkeiten zusammengesetzt ist, begleitet die Arbeit des *Ressortkreises* und des *Beauftragten* aktiv – mit Veranstaltungen zu aktuellen Konflikten (Afghanistan, Sudan) oder thematischen Initiativen, so zu „Ressourcensicherheit und zivile Konfliktbearbeitung" oder „Vernetzte Sicherheit und Krisenprävention". Generell begrüßen die Akteure der Zivilgesellschaft den Aktionsplan und nennen ihn ein „außerordentlich ambitioniertes Vorhaben der Bundesregierung". Sie beklagen aber Schwächen, was die Instrumente zu seiner Umsetzung angeht. Deshalb schlägt der Beirat in seiner Stellungnahme zu dem 2. Umsetzungsbericht der Bundesregierung vom Juli 2008 sechs verschiedene Maßnahmen vor, darunter eine externe Evaluierung, eine professionelle Kommunikationsstrategie, eine Verstetigung der Haushaltsmittel für die Präventionspolitik sowie eine Vernetzung bestehender Frühwarnsysteme. Was die Mittelausstattung für den Titel *Krisenprävention, Friedenserhaltung* im Budget des Auswärtigen Amtes angeht, kann tatsächlich aktuell eine signifikante Steigerung festgestellt werden: Von 63 Millionen Euro im Haushalt 2008 auf über 90 Millionen im Etat für 2009.

Eine eigene Stellungnahme der *Plattform Zivile Konfliktbearbeitung* und des *Forums Menschenrechte,* die zusammen 114 deutsche NGOs repräsentieren und im Beirat mitarbeiten, geht in eine ähnliche Richtung: Grundsätzlich werden die Bemühungen der Bundesregierung mit dem Aktionsplan anerkannt, aber es wird auch Ungeduld deutlich, den Primat des Zivilen in der deutschen Außen-, Sicherheits- und Entwicklungspolitik klarer herauszustellen und auf EU-Ebene das Missverhältnis von militärischen zu zivilen Maßnahmen zu ändern. Die Autoren sehen bei den jährlichen Ausgaben pro EU-Bürger 400 Euro im militärischen und nur 15 Euro im zivilen Bereich investiert.[20] Aber gerade diese kritischen Auseinandersetzungen mit der deutschen und europäischen Präventionspolitik belegen, dass bei der Umsetzung des Aktionsplans die Einbindung der kritischen Zivilgesellschaft funktioniert und einer möglichen Bürokratisierung bei dieser Langfristaufgabe gegensteuert.

Was Prävention bedeutet, merkt man am ehesten, wenn sie versagt. Dafür gibt es ein aktuelles Beispiel. Im Dezember 2008 beschloss der Bundestag eine deutsche Beteiligung an der EU-geführten Marinemission ATALANTA. Manchmal sind die Titel das Beeindruckendste an internationalen bewaffneten Einsätzen. Den Namen trug in der griechischen Mythologie eine amazonenhafte Jägerin, die immerwährende Jungfräulichkeit geschworen hatte und später zur schnellsten Läuferin Griechenlands aufstieg. Nicht schlecht ausgedacht als Bezeichnung für einen Auftrag, der dem Kampf gegen und der Jagd auf Piraten vor den Küsten Somalias gilt. Dort waren im Verlauf des Jahres mehr als 100 Schiffe angegriffen und über 40 gekapert und entführt worden. Für die Wiederfreilassung der Wasserfahrzeuge und der etwa 350 als Geiseln genommenen Besatzungsmitglieder waren mindestens 30 Millionen Dollar geflossen. Einmal geriet mit der „Sirius" sogar ein Supertanker von 330 Metern Länge und mit zwei Millionen Barrel Rohöl an Bord in die Hände der Angreifer, die von Mutterschiffen und von den somalischen Küsten aus völlig unbehelligt operieren können. Es musste jetzt etwas passieren, weil der Golf von Aden mit dem benachbarten Suezkanal einer der meistbefahrenen Seerouten der Erde ist und außerdem per Schiff die Versorgung von 3,25 Millionen Somalis erfolgt, die auf humanitäre Hilfe angewiesen sind.

Somalia ist heute der klassische Fall eines „gescheiterten Staates" (*Failed State*), in dem nach 18 Jahren Bürgerkrieg keine staatliche Autorität mehr die Kontrolle über das Land ausüben kann. Als die Kämpfe Anfang der 90er Jahre eine humanitäre Katastrophe auszulösen drohten, schickte die UNO Blauhelme, die Ende 1992 Verstärkung durch amerikanische Kräfte erhielten (Mission *Restore Hope*). Während diese an der Küste landeten, liefen die Bilder per CNN über die ganze Welt. Als 1993 aber 18 US-Soldaten in Mogadischu getötet und – wiederum unter den Augen der Kameras – durch die Straßen der Hauptstadt geschleift wurden, ordnete Präsident Clinton umgehend den Rückzug an, dem sich bald auch alle Blauhelme anschlossen. Die Probleme Somalias blieben dieselben wie vorher, aber sie gerieten in Vergessenheit, und die Karawane der Weltpolitik zog weiter. Zuletzt versuchte der Nachbar Äthiopien mit einer Militärintervention die Regierung der „Islamischen Gerichtshöfe" zu vertreiben, die als radikale Islamisten gelten. Auch die Vereinigten Staaten gehen im Zuge der Verfolgung von Terroristen immer wieder gegen sie vor. Diese Auseinandersetzungen beraubten das Land der letzten Kräfte, die noch so etwas wie Ordnungsmacht ausübten. Jetzt hat die Weltgemeinschaft, aufgeschreckt durch die Gefährdung der strategisch wichtigen Schifffahrtsrouten, alle Hände voll zu tun mit einer äußerst kostspieligen Schadensbegrenzung. Das Ganze erinnert an andere Interventionsgeschichten wie etwa die von Afghanistan. Ein nachhaltiges Engagement vor Ort im Sinne einer präventiven Stabilitätspolitik hätte das Land und die Menschen vor Kriegsleid, Chaos und der Versorgungskatastrophe bewahren können. Und es wäre am Ende weit weniger aufwendig gewesen. An Somalia kann man wirklich lernen, was Prävention politisch bedeutet.

Vorfahrt für Menschenrechte

Auch in einem anderen Politikbereich bringt der politische Wechsel von 1998 eine signifikante neue Schwerpunktsetzung. Noch im November jenes Jahres wird im Auswärtigen Amt die Position eines *Beauftragten der Bundesregierung für Menschenrechtspolitik und Humanitäre Hilfe* eingerichtet. Der Beauftragte arbeitet eng mit den beiden Arbeitsstäben für Menschenrechte und Humanitäre Hilfe im Ministerium zusammen, verfolgt die internationalen Entwicklungen in diesen Bereichen und berät den Außenminister, was die deutsche Politik in diesem Arbeitsfeld angeht. Intern stellt der Beauftragte Kontakte zu allen Institutionen her, die in seinem Tätigkeitsbereich aktiv sind, also zu anderen Bundesministerien, zu den Bundestagsfraktionen, den Bundesländern, zu dem Koordinierungsausschuss Humanitäre Hilfe, zu den Mittlerorganisationen und zu dem ganzen Feld der engagierten Zivilgesellschaft. Er berichtet regelmäßig dem zuständigen Fachausschuss des Deutschen Bundestages über die Regierungspolitik und erstellt jährlich einen Bericht über seine eigene Arbeit. Nach außen leitet der Menschenrechtsbeauftragte die deutsche Delegation bei den Sitzungen des *Menschenrechtsrats der Vereinten Nationen* in Genf und vertritt die Bundesregierung bei internationalen Konferenzen und Veranstaltungen mit Bezug zu seinen Aufgaben. Nachdem die Bundesrepublik 2006 für drei Jahre in den neu gegründeten, die bisherige Menschenrechtskommission ablösenden Menschenrechtsrat gewählt worden war, konzentrierte sich der Beauftragte in Genf auf die Schaffung eines neuen institutionellen Rahmens des Menschenrechtsrats. Und seine Aufgabe ist es, der Menschenrechtspolitik und der Humanitären Hilfe der Bundesregierung eine auf Öffentlichkeitswirkung zielende Stimme zu verleihen. Dabei setzen die Beauftragten durchaus ihre eigenen Akzente. Während Tom Koenigs in seiner Amtszeit (2005–2006) das „Menschenrecht auf Wasser" in den Vordergrund stellte, beschäftigt sich Günter Nooke (2006–2009) bevorzugt mit den

Themen der Medien-, Meinungs- und Versammlungsfreiheit und konzentriert sich regional auf die ehemaligen Sowjetrepubliken, auf China und Afrika.

Die neue Mehrheit im Bundestag wertete 1998 auch die parlamentarische Behandlung von Menschenrechtsfragen auf. Bis zu diesem Datum hatte es im deutschen Parlament lediglich einen *Unterausschuss für Menschenrechte und Humanitäre Hilfe* gegeben, der in kleiner Besetzung dem Auswärtigen Ausschuss in Form von gutachterlichen Stellungnahmen zuarbeitete. Jetzt entstand mit dem *Ausschuss für Menschenrechte und Humanitäre Hilfe* ein Vollausschuss, dem in der 16. Legislaturperiode (2005 bis 2009) mittlerweile 16 Abgeordnete angehören, die sich intensiv mit der Weiterentwicklung des Menschenrechtsschutzes auf nationaler, europäischer und internationaler Ebene und mit aktuellen Menschenrechtsverletzungen beschäftigen. Sie lassen sich von der Bundesregierung über diese Entwicklungen berichten, organisieren öffentliche und nichtöffentliche Anhörungen und prüfen Gesetzesvorlagen aus ganz unterschiedlichen Bereichen auf Menschenrechtsaspekte. Zu dieser Querschnittsaufgabe gehört auch ausdrücklich die wachsame Kontrolle darüber, wie Menschenrechte in Deutschland selbst Beachtung finden, etwa bei der Asyl- und Flüchtlingspolitik, bei den Rechten von Minderheiten und in der Abwehr aller Formen von Rassismus. Seit den Anfängen des neuen Bundestagsausschusses beansprucht der Arbeitsbereich Humanitäre Hilfe immer mehr Aufmerksamkeit, weil die Durchführung von aktuellen Hilfsmaßnahmen im Rahmen internationaler Bemühungen zur Konfliktlösung und Krisenprävention eine wachsende Rolle spielt, was sich auch in der Aufstockung entsprechender Mittel im Bundeshaushalt spiegelt. So wuchs etwa der Titel *Humanitäre Hilfe* allein im Haushalt 2009 von 95,6 Millionen Euro auf 102,4 Millionen Euro im Vergleich zum Haushalt von 2008, also um mehr als sieben Prozent.

Der Bundestag hatte bereits Ende 1991 die Bundesregierung dazu verpflichtet, regelmäßig etwa im Zweijahresrhythmus *Menschenrechtsberichte* vorzulegen. Im Laufe der Jahre entwickelten sich daraus informative und faktenreiche Kompendien, die Belege für den umfassenden Ansatz der deutschen Menschenrechtspolitik und für den gewachsenen Stellenwert von Menschenrechtsschutz in einer globalen Friedenspolitik liefern. So gliedert sich etwa der 8. *Bericht der Bundesregierung über ihre Menschenrechtspolitik in den auswärtigen Beziehungen und in anderen Politikbereichen*, der am 16. Juli 2008 vorgelegt wurde und den Zeitraum von März 2005 bis Februar 2008 umfasst, in vier Hauptkapitel.[21] Das erste berichtet über die Schwerpunkte der deutschen Menschenrechtspolitik, startet da mit einem Rückblick darauf, was während der deutschen Doppelpräsidentschaft in der EU und bei den G8 im Jahr 2007 erreicht wurde, und behandelt dann die bürgerlichen und politischen, die wirtschaftlichen, sozialen sowie kulturellen Rechte, die Menschenrechte von Frauen und Mädchen, von Kindern, von Menschen mit Behinderungen, lenkt den Blick weiter auf menschenrechtliche Aspekte von Migration, Integration, Schutz von Flüchtlingen, nationalen Minderheiten und Indigenen, wendet sich darauf der Bekämpfung von Rassismus, Fremdenfeindlichkeit und Antisemitismus zu, um mit zwei Kapiteln zum Zusammenhang von Menschenrechten mit Entwicklung und Wirtschaft und zur Aufgabe des Schutzes von Menschenrechtsverteidigern, der Prävention von Menschenrechtsverletzungen und der Bekämpfung von Straflosigkeit abzuschließen.

Der zweite Teil widmet sich dem Internationalen Menschenrechtsschutz und gibt Auskunft darüber, wie die Bundesregierung die Arbeit des neuen UN-Menschenrechtsrats sowie die Bemühungen in der EU, im Europarat, in der OSZE und bei den Vereinten Nationen sieht. Im dritten Abschnitt wird ein Überblick über „Menschenrechte weltweit", quer über alle Kontinente hinweg, präsentiert. Und im abschließenden vierten Teil formuliert die Bundesregierung, entsprechend einer Forderung des Deutschen Bundestages vom Februar 2003, auf

10 Seiten ihren *Aktionsplan Menschenrechte* für die Jahre 2008 bis 2010 und gibt Auskunft darüber, wo sie die Prioritäten der künftigen deutschen Menschenrechtspolitik sieht.

Diese Berichtspraxis hat, zusammen mit der verstärkten parlamentarischen Behandlung von Menschenrechten und Humanitärer Hilfe in einem eigenen Bundestagsausschuss, wesentlich zu einer Intensivierung des Dialogs und Austausches zwischen Regierung, Parlament und engagierter Zivilgesellschaft beigetragen. Längst gibt es in der internationalen Politik der Bundesrepublik keine denkbare Aktivität mehr, die nicht von einer kritischen Aufmerksamkeit der wichtigsten Menschenrechtsorganisationen begleitet und oft auch beeinflusst und mit gestaltet wird. Ob es darum geht, bei einer internationalen Mission wie in Afghanistan die richtige Abstimmung von zivilen und militärischen Beiträgen zu finden, oder umgekehrt sich die Frage stellt, warum sich Deutschland bei einer drohenden menschlichen Katastrophe irgendwo auf der Welt nicht selber an Hilfsmaßnahmen beteiligt, immer werden wir hier die Stimmen einschlägiger Nichtregierungsorganisationen hören wie die von *Amnesty International, Human Rights Watch* und den übrigen der insgesamt 48 Organisationen, die sich zu dem Netzwerk des *Forums Menschenrechte* zusammengeschlossen haben. Diese Stimmen machen sich mit ihrer Kritik, mit ihren Forderungen, Anregungen oder Vorschlägen über die Öffentlichkeit, in den öffentlichen oder nichtöffentlichen Anhörungen des Bundestages und im direkten Gespräch mit Vertretern der Bundesregierung vernehmbar.

Dass dies gerade im Bereich der Menschenrechte von der neuen rot-grünen Bundesregierung von 1998 ausdrücklich gewünscht und unterstützt wurde, kann man an einer weiteren Neuerung vom März 2001 sehen. Zu diesem Zeitpunkt begann auch das *Deutsche Institut für Menschenrechte* mit Sitz in Berlin mit seiner Arbeit, dessen Gründungsbeschluss durch den Deutschen Bundestag sich auf die sogenannten *Pariser Prinzipien* der Vereinten Nationen von 1993 mit ihrer Empfehlung zur Bildung von *Nationalen Menschenrechtsinstitutionen* berief. Als Einrichtung der Zivilgesellschaft wird das Institut aus Mitteln des Bundesministeriums der Justiz, des Auswärtigen Amtes und des Bundesministeriums für wirtschaftliche Zusammenarbeit und Entwicklung finanziert und widmet sich vor allem Aufgaben der Information und Dokumentation, der Forschung und Politikberatung, der menschenrechtlichen Bildungsarbeit in Deutschland sowie der Zusammenarbeit mit allen internationalen Menschenrechtsinstitutionen und mit den einschlägigen Menschenrechts-NGOs im In- und Ausland. Zentraler Ansatz des *Deutschen Instituts für Menschenrechte* ist es, über Expertise, Weiterbildungsmaßnahmen (etwa bei der Polizei, bei der Sozialarbeit oder bei Pflegeberufen), durch Unterrichtsmaterialien, Veranstaltungen und Veröffentlichungen das gesamte gesellschaftliche und politische Leben in Deutschland für Menschenrechtsaspekte sensibler und offener zu machen. Längst ist dabei das Institut mit seinem langjährigen Direktor Professor Heiner Bielefeldt und seiner Stellvertreterin Frauke Seidensticker zu einem wichtigen Partner der Bundesregierung geworden bei ihrem Bemühen um eine angemessene und erfolgreiche Erfüllung der wachsenden Anforderungen aus der umfassenden Querschnittsaufgabe Menschenrechtsschutz.

Als in der Zeit um den 10. Dezember 2008 in zahlreichen Veranstaltungen weltweit an die *Allgemeine Erklärung der Menschenrechte* durch die Vollversammlung der Vereinten Nationen 60 Jahre zuvor erinnert wurde, betonten viele Festredner die Aktualität dieses Dokuments, das bisher in 360 Sprachen übertragen und damit zum häufigst übersetzten Text überhaupt wurde. Angesichts der globalen Finanzkrise, deren Folgen sich auf die Lebensumstände von Millionen von Menschen auswirken, bekommt die Erinnerung daran, dass die *Allgemeine Erklärung der Menschenrechte* vom 10. Dezember 1948 in ihren 30 Artikeln neben dem Schutz der Persönlichkeit eben auch das Recht auf Arbeit, Bildung, soziale Sicherheit und einen angemessenen Lebensstandard postuliert hat, einen aktuellen politischen Bezug. Immerhin sind bis September 2008 dem *Sozialpakt* (*International Convention on Economic, Social and Cultural Rights*) 159 Staaten beigetreten, neben den 162, die den *Zivilpakt* (*International Convention on Civil and Political Rights*) für sich als verbindlich ansehen. Beide Pakte, Januar bzw. März 1976 in Kraft getreten, stellen die völkerrechtlich verbindliche Umsetzung der 30 Punkte der *Allgemeinen Erklärung* dar.

Deutschland hat beide Konventionen bereits im Dezember 1973 ratifiziert und damit für sich selbst bindend gemacht. Darüber hinaus zeigen aber die ab 1998 vollzogenen Schritte zur Intensivierung der deutschen Menschenrechtspolitik – mit der Schaffung des *Menschenrechtsbeauftragten der Bundesregierung*, mit der Einrichtung des *Bundestagsausschusses für Menschenrechte und Humanitäre Hilfe*, mit der Ausweitung der Berichtspflicht der Bundesregierung einschließlich der Vorlage eines fortzuschreibenden *Aktionsplans Menschenrechte*, mit dem Aufbau des *Deutschen Instituts für Menschenrechte* seit 2001 und dem vertieften Dialog und Austausch mit den deutschen und internationalen Menschenrechtsorganisationen – eine eigene Prägung der deutschen Menschenrechtspolitik, die über die bloße Wahrnehmung der durch den Zivil- und Sozialpakt übernommenen internationalen Pflichten deutlich hinausgeht. Und das hängt eng zusammen mit den Einsichten von einem Zusammenhang zwischen Menschenrechtsschutz und Friedenspolitik. Wo die zivilen oder sozialen Menschenrechte mit Füßen getreten werden, kann keine nachhaltige Entwicklung stattfinden, da kommt es zu Spannungen, da formieren sich Proteste, da steigt das Potential von Gewaltbereitschaft und Radikalismus und im Extremfall endet es mit gewaltsamen Interventionen von außen, wenn die Menschenrechtsverletzungen als unerträglich und nicht mehr hinnehmbar empfunden werden. Aktive Menschenrechtspolitik, seit 1948 über die *Allgemeine Erklärung der Menschenrechte* durch die Vereinten Nationen ohnehin zum internationalen Handlungsgebot geworden, wird somit zum wesentlichen Stützpfeiler einer vorausschauenden Friedenspolitik und globalen Präventionsstrategie. Aus diesem Gesamtzusammenhang erklären sich die seit 1998 erfolgten Aufwertungsmaßnahmen in der deutschen Menschenrechtspolitik und geben ihnen ihren eigenen Ort in der zeitgleich verlaufenden Neuorientierung der deutschen Außenpolitik.

Mit den Vereinten Nationen für eine bessere Weltordnung

„Die Vereinten Nationen sind die wichtigste Ebene zur Lösung globaler Probleme. Deshalb sieht es die neue Bundesregierung als besondere Aufgabe an, sie politisch und finanziell zu stärken, sie zu reformieren und zu einer handlungsfähigen Instanz für die Lösung internationaler Probleme auszubauen." Dieses Bekenntnis steht im rot-grünen Koalitionsvertrag vom 20. Oktober 1998, ergänzt durch die Versicherung, die neue Bundesregierung werde sich für die Bewahrung des Gewaltmonopols der Vereinten Nationen und für die Stärkung ihres Generalsekretärs einsetzen. Deutschland werde sich im Verlauf der notwendigen Reformen der Weltorganisation als ständiges Mitglied des Sicherheitsrates bewerben, falls der „grundsätzlich bevorzugte europäische Sitz" nicht erreicht werden könne.

Dieses eindeutige Bekenntnis zur UNO hat programmatischen Charakter. Die meisten Argumente dafür, die Vereinten Nationen stärker zu machen und zu unterstützen, finden in Deutschland einen parteiübergreifenden Konsens. Keine andere Weltorganisation kann sich auf eine Legitimität berufen, die sich auf die annähernd universelle Mitgliedschaft von 192 Staaten stützt. Bis auf die Sonderrechte der fünf Veto-Staaten USA, Großbritannien, Frankreich, Russland und China genießen alle Mitgliedstaaten – egal wie stark oder schwach sie sind – gleiche Rechte. Und es sind gerade die Staaten, die ihre Interessen weder in mächtigen Regionalbündnissen vertreten sehen noch ihnen durch eigene Machtentfaltung Nachdruck verleihen können, die in der UNO-Familie Beachtung und notfalls Schutz finden. Das, was wir Weltordnung nennen, hat in den Vereinten Nationen einen Anwalt, von dessen Einsicht und Durchsetzungskraft die Qualität des globalen Zusammenlebens abhängt. Ein Anwalt, der versuchen muss, die Stärke des Rechts gegen das Recht des Stärkeren durchzusetzen. Von dem Idealzustand eines globalen Machtmonopols für die eine Weltorganisation, die alle Interessen in fairer Weise ausgleicht und auf diese Weise Spannungen und Konflikten vorbeugt und über genug Mittel verfügt, um im Bedarfsfall auch schwerste Rechtsverletzungen, Krisen und bewaffnete Auseinandersetzungen zu beenden – von diesem Wunschziel sind wir noch weit entfernt. Aber ohne das, was die Vereinten Nationen mit ihrem Netzwerk von Organisationen und Unterorganisationen leisten, wäre die heutige Welt unsteuerbar und um zahlreiche konstruktive Entwicklungen und Hoffnungen ärmer.

Als vital hat sich auch die Flexibilität der UNO erwiesen, die gerade auf der Basis ihrer Netzwerkstruktur die Qualität eines lernenden Systems erreicht hat, das imstande ist, sich auf neue Herausforderungen einzustellen. Neue Herausforderungen wie Nahrungsmittelverknappung, Wassermangel, der Wettlauf um die Verfügung und die Kontrolle über begrenzte Energieressourcen und das Ringen um eine rechtzeitige Abwehr des Klimawandels mit seinen für die Menschheit katastrophalen Folgen – all das sind globale Themen, die nach komplexen und abgestimmten Antworten rufen und die ihren Weg zu den geeigneten Adressaten in der unverzichtbaren Weltorganisation gefunden haben. Dass ein solch gigantischer Apparat zur Unübersichtlichkeit neigt, dass er bürokratische und andere Fehlentwicklungen nicht vermeiden kann, dass er in Kollision mit mächtigen Interessen von Einzelstaaten oder Staatengruppen geraten muss, dass er – wie alle vergleichbaren Organisationen – von der Integrität und dem Charisma seines Führungspersonals abhängt, und dass es deshalb unvermeidbar auch gute und schlechte Zeiten für die UNO gibt, das versteht sich alles von selbst. Aber das sollte eher die Entschlossenheit bestärken, die Vereinten Nationen über geeignete Erneuerungen und Reformen kontinuierlich handlungsfähiger, effizienter und anerkannter zu machen.

Dass solche Überlegungen in Deutschland auf fruchtbaren Boden fallen, erklärt sich auch aus der Nachkriegsgeschichte unseres Landes. Als 1973 die beiden deutschen Staaten als 133. und 134. Mitglied in die Vereinten Nationen aufgenommen wurden, konnte das auch als Abschluss jenes Entstigmatisierungsprozesses gewertet werden, den ich oben im Zusammenhang mit der Teilhabe der Bundesrepublik an der europäischen Integration und ihrem Eintritt in die NATO zu beschreiben versucht habe. Die Aufnahme in die große Völkerfamilie entlastete von der geschichtlichen Bürde und konnte als weiterer Schritt der Normalisierung von Deutschlands Rolle in der Weltgemeinschaft verstanden werden. Jede aktive Übernahme von Aufgaben in der UNO war geeignet, diesen positiven Aspekt zu verstärken. Innerhalb der Weltorganisation war man konfrontiert mit den besonderen Privilegien der fünf Ständigen Sicherheitsratsmitglieder (*Permanent Five*), die als anerkannte Atommächte für sich den Sonderstatus der Nichtsanktionierbarkeit beanspruchten und von denen mit den Vereinigten Staaten, der Sowjetunion, Großbritannien und Frankreich die vier Siegermächte des Zweiten Weltkrieges am Tisch des Sicherheitsrats saßen. Für das Verliererland Deutschland, das auf alle Massenvernichtungswaffen definitiv verzichtet hatte, blieb der direkte Weg in die erste Reihe versperrt, obwohl dort zumindest mit Frankreich und Großbritannien zwei Staaten Platz genommen hatten, mit denen die Bonner Republik bei Bevölkerungszahl und ökonomischem Potential mithalten konnte. Von der Logik her blieb nur die Möglichkeit, sich über eine besondere Treue und ein besonderes Engagement für die Weltgemeinschaft zu profilieren und auf diese Weise an eigenem Ansehen zu gewinnen.

Als Sozialdemokraten und Grüne 1998 die politische Verantwortung übernahmen, brachten sie, was die UNO betrifft, zueinander passende programmatische Gepäckstücke mit. Der historische Internationalismus der SPD war über die Station des Denkens in Globalverantwortung eines Willy Brandt, eine gerade Linie vom Völkerbund bis zu den Vereinten Nationen ziehend, längst auf die Übernahme von mehr internationalen Verpflichtungen vorbereitet. Das stimmte mit der politischen Sozialisation der Partner von Bündnis 90/Die Grünen überein, die sich mit ihrem Drittwelt- und Friedensbewegungshintergrund in dieselbe Richtung bewegten. So wundert es nicht, dass die ambitionierte UN-Passage im Koalitionsvertrag recht zügig in eine proaktive Unterstützung der Ziele der Weltorganisation umgesetzt wurde. Der eigentlich breit angelegte politische und gesellschaftliche Konsens für eine solche Politik geriet allerdings 2003 in eine Feuerprobe. Die Entscheidung der Bush-Regierung, nach ebenso handfesten wie vergeblichen Bemühungen um einen Legitimationsbeschluss des UN-Sicherheitsrats den Irak-Krieg dann eben auf eigene Faust und ohne völkerrechtliche Rechtfertigung anzufangen, spaltete die politische Welt in Europa und Deutschland. Weltweit wurde diese Entscheidung als Provokation und dramatische Schwächung der Autorität der Vereinten Nationen angesehen.

Die harte Kritik der CDU/CSU und der konservativen Öffentlichkeit an dem strikten Nein der rot-grünen Bundesregierung unter Kanzler Gerhard Schröder zum Irak-Krieg konnte nicht anders als eine politische Prioritätensetzung zulasten der bisher konsensfähigen UNO-First-Linie verstanden werden. Es hat recht lange gedauert, bis die beiden aus diesem Anlass auseinanderklaffenden Positionen wieder näher zusammenkamen. Als im amerikanischen Präsidentschaftswahlkampf im Jahr 2008 der republikanische Bewerber Senator John McCain die Idee aufbrachte, statt auf die UNO lieber auf eine *league of democracies* zu setzen, also auf eine Art proamerikanische *Coalition of the Willing* im Weltmaßstab, da blieb das Interesse und der Beifall dafür weltweit verhalten, auch bei den deutschen Irak-Kriegs-Befürwortern. Vielleicht hat die Entscheidung von Präsident Obama, seine enge Vertraute und Sicherheitsberaterin Susan Rice als amerikanische UNO-Botschafterin nach New York zu senden, die Tür aufgestoßen zu einem neuen, weniger spannungsreichen Verhältnis zwischen den Vereinigten Staaten und den Vereinten Nationen.

In Deutschland hat sich jedenfalls nach 1998 das umfassende Engagement bei den Vereinten Nationen spürbar verstärkt.[22] Inzwischen ist die Bundesrepublik zu einem der wichtigsten und zuverlässigsten Beitragszahler der UNO aufgerückt und nimmt mit einem Anteil von fast 8,6 Prozent am Haushalt der Weltorganisation nach den Vereinigten Staaten und Japan Platz 3 ein. Die deutschen Pflichtbeiträge zum UN-Budget stiegen von 309 Millionen Euro (2003) auf fast 554 Millionen Euro im Jahr 2007. Die Nachfrage nach Friedensmissionen wächst kontinuierlich. Im Jahr 2007 hat die UNO bei 20 verschiedenen Friedenseinsätzen die Entsendung von 120 000 Soldaten, Polizisten und zivilen Experten autorisiert. Die Bundesrepublik beteiligte sich mit bis zu 1120 Soldaten und Polizisten an sieben dieser Blauhelmmissionen, so im Libanon (UNIFIL), im Sudan (UNMIS), im Kosovo (UNMIK), in Georgien (UNOMIG), Liberia (UNMIL), Äthiopien/Eritrea (UNMEE) und Afghanistan (UNAMA). Die Vereinten Nationen geben allerdings auch völkerrechtliche Legitimationen für Missionen, die sie selber nicht durchführen. Auch an solchen beteiligt sich die Bundesrepublik. Ende 2008 galt das für die Auslandseinsätze im Kosovo (KFOR), in Bosnien-Herzegowina (EUFOR ALTHEA), für die neue erweiterte Mission im Sudan (UNAMID) sowie die beiden Afghanistan-Beteiligungen (ISAF und OEF/OAE). Zu diesem Zeitpunkt waren vom Deutschen Bundestag für insgesamt acht von den Vereinten Nationen durchgeführte oder autorisierte Einsätze, die wegen der Entsendung von bewaffneten Kräften der Zustimmungspflicht des Parlaments (*Parlamentsvorbehalt*) unterliegen, Gesamtobergrenzen von 17745 Mann festgelegt worden, während die tatsächlich entsandten Kräfte bei 7041 lagen. Mit diesem Umfang zählt Deutschland allerdings zur Spitzengruppe der Truppensteller für Einsätze im Rahmen von Friedensmissionen.

Die UNO: stärker durch Reformen

Es wäre aber eine unzulässige Verkürzung, die deutsche Unterstützung für die Arbeit der Vereinten Nationen allein an den finanziellen Beiträgen und an der Entsendung von Soldaten, Polizisten und zivilen Fachleuten für UN-Missionen zu messen. Seit dem Weltgipfel vom September 2005 verfolgt die UNO ein ehrgeiziges und umfassendes institutionelles Reformprogramm und erfährt dabei die aktive Unterstützung der Bundesrepublik. Ein wichtiges Ergebnis dieser Bemühungen besteht in der Einrichtung einer *Kommission für Friedenskonsolidierung (Peacebuilding Comission)*, von der Generalversammlung und dem Sicherheitsrat bereits am 20. Dezember 2005 auf den Weg gebracht. Der Begriff *Friedenskonsolidierung* steht für das Bemühen, eine geglückte Konfliktlösung dauerhaft zu machen, die kritische Übergangsphase zur Normalität abzusichern und den Frieden gegen ein Wiederaufflammen von Feindseligkeiten und gegen Rückfälle zu schützen. Statistiken der Vereinten Nationen zeigen, dass im Schnitt 50 Prozent aller gelösten Konflikte innerhalb von fünf Jahren erneut aufbrechen. Bessere Strategien der Friedenskonsolidierung sollen da helfen, wobei sich eine solche Konfliktnachsorge von einer Prävention wiederkehrender Konfliktlagen kaum noch unterscheiden lässt. Die *Peacebuilding Commission* widmete sich konkret solchen Aufgaben in den Postkonfliktsituationen in Burundi, Sierra Leone und Guinea Bissau. Weil dazu auch einsetzbare Mittel gehören, wurde ein *Fonds für Friedenskonsolidierung (Peacebuilding Fund)* gegründet. Deutschland beteiligte sich aktiv als Mitglied im Organisationskomitee der Kommission und stellte im März 2008 dem Fonds einen Betrag von zehn Millionen US-Dollar zur Verfügung.

Als Konsequenz der Bedeutung, die, wie beschrieben, die Bundesrepublik der internationalen Menschenrechtspolitik zumisst, hat unser Land von Anfang an die Reformbemühungen der UNO im Menschenrechtsbereich begleitet, die im Sommer 2006 zur Ablösung der bisherigen *Menschenrechtskommission* durch den neuen *Menschenrechtsrat* führten. Das neue Gremium tagt jetzt in zehn Sitzungswochen pro Jahr, hat ein neues universelles Staatenüberprüfungsverfahren (*Universal Periodic Review*) für alle UN-Mitgliedstaaten auf den Weg gebracht und wendet sich nach der institutionellen Aufbauphase inzwischen verstärkt seiner wichtigsten Aufgabe zu, nämlich der Behandlung von schweren Menschenrechtsverletzungen in einzelnen Ländern. Problematisch bleiben die regionale Zuordnung der 47 Sitze in dem neuen Rat, der befremdliche Zusammenhalt von „Sündern" in Sachen Menschenrechte und die häufige Politisierung der Gremienarbeit. Deutschland hat besonders während der eigenen EU-Ratspräsidentschaft in der ersten Hälfte des Jahres 2007 die Aufbauphase des *Menschenrechtsrates* aktiv unterstützt und kann einen gewissen Stolz über sein sehr gutes Wahlergebnis als Mitglied des Rates für die Jahre 2006 bis 2009 nicht vollständig verbergen.

Es gibt noch andere Felder der UN-Sacharbeit, bei denen die Reformbemühungen mit unserer vollen Unterstützung andauern, so im Umweltbereich, bei der Umgestaltung des *Wirtschafts- und Sozialrats* und bei der besseren Koordinierung der Entwicklungszusammenarbeit. Die öffentliche Aufmerksamkeit konzentriert sich aber eher auf die Frage der Reform des Sicherheitsrats. Die erscheint überfällig, weil die jetzige Zusammensetzung weder die Leistungsbereitschaft für die Vereinten Nationen in Rechnung stellt, noch einen Anspruch auf regionale Ausgewogenheit erheben kann. Der Sicherheitsrat besteht aus den *Permanent Five* (P5: USA, Frankreich, Großbritannien, Russland, China) und zehn nichtständigen Mitgliedern, die auf jeweils zwei Jahre gewählt werden. Ohne die fünf mit Vetorechten ausgestatteten Ständigen, die ihren Sonderstatus als die Sieger- und Hegemonialmächte der Nachkriegswelt von 1945 erhielten, läuft nichts in der UNO, natürlich auch keine neue Zusammensetzung des Sicherheitsrats. An ihrem Vetorecht bricht sich schon eine bloße Infragestellung dieses anachronistischen Privilegs. Realistische Reformbemühungen müssen auf diese Machtverhältnisse Rücksicht nehmen.

Das versucht der Vorschlag der G 4, den Deutschland zusammen mit Japan, Indien und Brasilien bei Unterstützung von weiteren 23 UN-Mitgliedern im Sommer 2005 in die Debatte eingebracht hat. Im Sicherheitsrat soll die Zahl der permanenten Mitglieder von 5 auf 11 und der Nichtständigen von 10 auf 14 erweitert und so auf eine Gesamtgröße von 25 Ländern gebracht werden. Bei Deutschland und Japan, die zusammen ein Viertel des UN-Etats beisteuern und in allen Bereichen zu den stärksten Stützen der UN-Familie zählen, soll der ständige Sitz dieses besondere Engagement würdigen und durch Mitgestaltungsrechte vergüten. Indien, Brasilien und zwei noch zu benennende afrikanische Staaten würden das Gewicht Asiens (bisher nur durch China vertreten) erhöhen und die Kontinente Lateinamerika und Afrika überhaupt erst im Sicherheitsrat dauerhaft sichtbar machen. Dieser Vorschlag, der die Vetofrage bewusst für die fernere Zukunft aufschiebt, folgt keineswegs einem billigen Länderegoismus, sondern zielt über die Würdigung konkreter und messbarer Beiträge und die angestrebte regionale Ausgewogenheit auf mehr Legitimität und Akzeptanz des UN-Führungsorgans und damit der gesamten Weltorganisation.

Viele Länder erkennen an, dass die Bundesrepublik mit ihrem Grundverständnis einer Weltordnung auf der Grundlage von Völkerrecht und fairer Chancenverteilung, mit ihrem konsequenten Multilateralismus und ihrer engagierten Zuwendung zu den neuen globalen Themen, von der Energiesicherheit über die Regelung des Zugangs zu Wasser und Nahrungsmitteln bis zur Klimapolitik, eine konstruktive Rolle am Steuerrad der Vereinten Nationen spielen könnte und sich diesen Platz auch verdient hat. Mangelnde Einigkeit und unrealistische Maximalforderungen innerhalb der wichtigen afrikanischen Staatengruppe haben bisher die potentielle Mehrheit für den G 4-Vorschlag vereitelt. Da auch konkurrierende Reformkonzepte für den Sicherheitsrat ohne Mehrheitschance blieben, konzentrierte sich die Entwicklung in den Jahren 2007 und 2008 zunehmend auf Ideen einer Interimslösung, die in einer zeitlich begrenzten Erweiterung des Sicherheitsrats bis zu einer endgültigen Reformentscheidung über eine Überprüfungskonferenz bestehen könnte. Dass sich Deutschland von diesen streckenweise frustrierenden Erfahrungen, was die UN-Reform an Haupt und Gliedern angeht, nicht hat beeindrucken lassen und seinen Einsatz für die Arbeit und die Ziele der Vereinten Nationen eher noch erhöhte, untermauert meine These, dass die Bundesrepublik sich seit 1998 fortlaufend mehr zu einem „Überzeugungstäter" entwickelt hat, was die UNO-Politik angeht.

Neue Wege im Völkerrecht: die „Schutzverantwortung"

Die Vereinten Nationen bemühen sich nach dem Weltgipfel von 2005 aber nicht nur, ihre notwendigen institutionellen Reformen voranzubringen. Sie stellten sich auch der Aufgabe, als die zuständige Instanz das Völkerrecht da weiterzuentwickeln, wo seine Defizite offenbar wurden. Es waren einmal mehr die dramatischen Ereignisse in den 90er Jahren auf dem Balkan, die uns deutlich machten, dass es einen gefährlichen Widerstreit innerhalb zweier anerkannter völkerrechtlicher Prinzipen gibt, mit unmittelbaren Auswirkungen auf die Legitimierung politischen Handelns. Gemeint ist die Spannung zwischen dem Souveränitätsrecht von Staaten, das ein Interventions-Verbot anderer Staaten einschließt, und dem Menschenrecht auf Schutz vor Genozid, ethnischen Säuberungen und anderen schweren Menschenrechtsverletzungen, was unter Umständen nur durch eine Intervention von außen gewahrt werden kann.

Den einen Pol markiert die Untätigkeit der Weltgemeinschaft im Jahr 1994, als es im zentralafrikanischen Ruanda zum Genozid mit millionenfachen Opfern kam – ein unerträglich hoher Preis für die Wahrung des Souveränitätsprinzips, weshalb heute die Auffassung überwiegt, die internationale Gemeinschaft hätte eingreifen müssen, natürlich auf der Basis eines Beschlusses der Vereinten Nationen.

Der Kosovo-Krieg von 1999 markiert den anderen Pol: Die Massenvertreibungen der albanischen Bevölkerung im Kosovo durch das Milošević-Regime weckten Rufe nach einer Schutzintervention von außen, deren Legitimation durch den Sicherheitsrat der Vereinten Nationen aber wegen einer russischen Veto-Drohung, wie oben bereits ausgeführt, nicht zustande kam. Eine „humanitäre Intervention" in Form des Kosovo-Krieges fand dann trotzdem statt, aber ohne den UN-Beschluss und insofern in einer „völkerrechtlichen Grauzone", mit der Gefahr, einen gefährlichen Berufungstatbestand für andere Arten von Interventionen zu schaffen, eben auch solchen, bei denen die humanitäre Begründung möglicherweise nur vorgeschoben wird. Der von Washington geführte Irak-Krieg von 2003 trug noch dazu bei, dass sich Drittwelt- und Schwellenländer, von denen die Überzahl nicht über wirklich demokratische Regierungen verfügt, äußerst kritisch gegenüber jeder Interventions-Legitimation verhalten.

Mit dem Beginn des neuen Millenniums begannen Bemühungen, hier eine Lösung zu finden. Kanada ergriff im Jahr 2000 die Initiative, eine *International Commission on Intervention and State Sovereignty* (ICISS) ins Leben zu rufen, die ein Jahr später einen Bericht unter dem Titel *The Responsibility to Protect* vorlegte. Dieser Bericht stellt eine Neudefinition des Begriffs Souveränität in den Mittelpunkt: Ein Staat, der seine Bevölkerung nicht vor Genozid, Kriegsverbrechen, ethnischen Säuberungen oder ernsthaften Verbrechen gegen die Menschlichkeit schützen kann oder will, verwirkt praktisch das Souveränitätsrecht. In solchen Fällen geht das Schutzrecht, ja sogar die

Schutzpflicht auf die Internationale Gemeinschaft über, die im äußersten Fall unter Gewaltanwendung intervenieren muss. Dieser Rechtsübertrag wird aber verbindlich an eine Reihe von Pflichten der Internationalen Gemeinschaft geknüpft. So muss diese vorher alles versuchen, um eine Fehlentwicklung aufzuhalten (*Responsibility to Prevent*), darf im Rahmen der *Responsibility to React* keineswegs sofort zu militärischen Maßnahmen greifen, sondern erst nach Nutzung aller anderen diplomatischen, politischen und wirtschaftlichen Maßnahmen, und übernimmt mit dem Rechtetransfer auch die *Responsibility to Rebuild*, was praktisch eine postinterventionistische Langzeitverantwortung bedeutet. Jedes Eingreifen setzt nach Auffassung der ICISS ein Mandat des Sicherheitsrats der Vereinten Nationen voraus.

Das Jahr 2004 bringt zwei UN-Berichte, die den Grundgedanken der Schutzverantwortung positiv aufgreifen, dasselbe passiert auch in dem Abschlussbericht des UN-Weltgipfels vom September 2005. In drei Sicherheitsratsresolutionen der Jahre 2006 und 2007 finden sich Bezüge zu den neuen Normen der *Responsibility to Protect* – ein Anzeichen dafür, dass diese Rechtsauffassung langsam Eingang zumindest beim Völkergewohnheitsrecht findet. Und immerhin bestätigte der Sicherheitsrat im Dezember 2007 die von Generalsekretär Ban Ki-Moon ausgesprochene Ernennung von Professor Edward Luck zum Sonderberater für die Schutzverantwortung. In seiner Rede vor der Vollversammlung der Vereinten Nationen am 18. April 2008 bekannte sich Papst Benedict XVI. ausdrücklich zu den Ansätzen der *Responsibility to Protect* und verlieh damit dieser Fortentwicklung des humanitären Völkerrechts eine äußerst prominente Unterstützung.[23] Das heißt allerdings leider nicht, dass wir uns schon auf einen allgemeinen Konsens in Sachen Schutzverantwortung hinbewegen: Russland und China halten ihre politischen Reserven weiterhin aufrecht, Länder wie Ägypten, Iran, Kuba, Pakistan, Venezuela und Simbabwe machen aus ihrer Ablehnung kein Hehl. Bis es zu einer nachhaltigen

Etablierung des Gesamtkonzepts der Schutzverantwortung, inklusive der stärkeren Präventions- und Friedenskonsolidierungspflichten der Weltgemeinschaft kommt, müssen wir uns auf weitere harte Auseinandersetzungen gefasst machen. In Deutschland findet das Konzept *Responsibility to Protect* allerdings eine sehr positive Aufmerksamkeit, sowohl in der Öffentlichkeit – sichtbar in zahlreichen Veröffentlichungen[24] – wie bei der Bundesregierung, die Sonderberater Luck im Februar 2008 nach Deutschland einlud und ihm zusagte, eng mit ihm zusammenzuarbeiten und seine Arbeit aktiv zu unterstützen.

Was Schutzverantwortung bzw. ihre Verweigerung heißen kann, habe ich im Frühjahr 2008 persönlich erfahren können. Der folgende Bericht wird uns nach Birma/Myanmar führen. Am Morgen des 25. Mai sitze ich in einem Airbus der Bundeswehr im Landeanflug nach Rangun. Die Maschine überfliegt das Irrawaddy Delta, das am 2. Mai von dem Zyklon Nargis heimgesucht wurde. Der Wirbelsturm richtete in dieser Reiskammer des Landes enorme Zerstörungen an, die ihn begleitende vier Meter hohe Flutwelle überschwemmte fast 8000 Quadratkilometer, schnitt Hunderte von Dörfern von jeder Verbindung mit der Außenwelt ab und unterbrach weitflächig die Strom- und Wasserversorgung. Die Naturkatastrophe kostete 130 000 Menschen das Leben und versetzte 2,4 Millionen Menschen in eine akute Notlage. Von meiner Fensterluke aus kann ich auch jetzt noch, drei Wochen nach der Katastrophe, im fahlen Licht des wolkenverhangenen Sonntagmorgen die riesigen Überschwemmungsgebiete erkennen, in denen sich keinerlei Leben zu rühren scheint.

In dem Airbus führen wir acht Tonnen Hilfsgüter mit: Großraumzelte, medizinische Notfallsets, Moskitonetze, eine mobile Wasseraufbereitungsanlage und Wasserreinigungstabletten, alles zusammengestellt von sieben verschiedenen deutschen Hilfsorganisationen. Das war bereits der dritte deutsche Hilfsflug nach Rangun. Schon am 15. Mai waren vier Wasseraufbereitungsanlagen des Technischen Hilfswerks (THW) eingeflogen worden, einen Tag später sechs weitere des Deutschen Roten Kreuzes. Denn die Flutwelle hatte im Katastrophengebiet, in dem Tausende von Tierkadavern trieben, jeden Zugang zu unverseuchtem Trinkwasser versperrt. Meine Hauptaufgabe war natürlich nicht, diesen Hilfstransport zu begleiten. Außenminister Steinmeier wollte, dass ich Deutschland bei der von den Vereinten Nationen und dem asiatischen Staatenbund ASEAN für diesen Tag einberufenen Geberkonferenz vertrete, zu der Generalsekretär Ban Ki-Moon persönlich eingeladen und angereist war. Birmas Militärregierung erwartete, als Start für das, was sie „Zweite Phase des Aufbaus" nannte, großzügige Hilfen der Weltgemeinschaft.

Das Ganze war schwer zu ertragen. Denn während ich mir stundenlang Additionen von Schadensstatistiken anhören musste, die den Anschein erweckten, die Regierung habe schon in jedem Dorf den Hilfsbedarf ermittelt, wusste ich doch, dass in Wirklichkeit die erste Phase, nämlich die Nothilfe für die betroffene Bevölkerung, noch gar nicht abgeschlossen war. Das lag vor allem daran, dass die Junta von *Senior General* Tan Shwe, der sich in die fast 400 Kilometer entfernte Hauptstadt Naypyidaw zurückgezogen hatte und sich auf der Konferenz von seinem starren und bleichgesichtigen Premierminister Thein Sein vertreten ließ, die westliche humanitäre Hilfe nicht zu den Opfern ließ. Vor der Küste lagen Marineschiffe aus den Vereinigten Staaten, Frankreich und Großbritannien mit Hubschraubern und hunderten Tonnen Hilfsgüter an Bord – die Häfen blieben ihnen versperrt. Ähnlich ging es den deutschen Helfern. Am Nachmittag verließ ich die Konferenz, um bei der Dependance von *Malteser International* mit den Freiwilligen des THW zusammenzutreffen. Dort führten sie mir eine ihrer beiden Trinkwasseraufbereitungsanlagen vor, von denen jede 120 000 Liter sauberes Wasser pro Tag liefert, ausreichend für 20 000 Menschen. Aber sie war eben nicht im Einsatz, wo sie gebraucht wurde, sondern stand im Hof der

Malteser. Junge Birmesen zeigten mir voller Stolz, dass sie das Gerät selbständig bedienen konnten – die THW-Helfer hatten die zehn vergangenen, für den Hilfs-Einsatz verlorenen Tage genutzt, um es ihnen beizubringen.

Die Militärregierung, die zuletzt im September 2007 mit ihrer blutigen Niederschlagung von Mönchsdemonstrationen gegen das Regime auf sich aufmerksam gemacht hatte und das wiederkehrend bei der Verlängerung des seit 1989 immer wieder verhängten Arrestes gegen die mutige Oppositionsführerin Aung San Suu Kyi tut, wollte partout Kontakte von westlichen Helfern mit der in Not geratenen Zivilbevölkerung vermeiden. Aus einer geradezu menschenverachtenden Nützlichkeitsabwägung heraus verweigerte die Junta mehrere Wochen lang exakt die *Schutzverantwortung*, wie sie von den Gremien der Vereinten Nationen als neues Gebot des Völkerrechts diskutiert wird. Tatsächlich gelang es, während der Geberkonferenz eine flexiblere Praxis der Machthaber vor Ort zu erreichen. Noch während meines Rangun-Aufenthaltes kam das THW-Equipment erstmals in Bogalé bei den Opfern von Zyklon Nargis zum Einsatz. Die ebenso begeisterten wie dankbaren Berichte darüber, wie schnell sich dort die Ankunft des rettenden Wassers herumsprach und die Helfer und ihre birmesischen Assistenten endlich zeigen konnten, wozu sie gekommen waren, habe ich nicht vergessen. Aber ich möchte nicht wissen, wie viele Menschen ihr Leben lassen mussten, weil als Folge der verweigerten Schutzverantwortung die angebotene internationale Hilfe gar nicht oder zu spät zu den Opfern gelassen wurde. Die Bilder, die ich von Myanmar mitgebracht habe, tauchen in meinem Kopf immer erneut auf, wenn ich auf das Thema *Responsibility to Protect* stoße.

Der Internationale Strafgerichtshof: Ende der Straflosigkeit

Zu der Spannung zwischen Souveränitätsrechten einerseits und dem Gebot der Beachtung humanitärer und völkerrechtlicher Grundregeln andererseits gehört auch die Frage, wie im internationalen Bereich die Straflosigkeit von Verbrechen gegen die Menschlichkeit vermieden werden kann. Wieso, muss man sich fragen, bringen wir jeden kleinen Täter, der gegen nationale Rechtsordnungen verstößt, vor Gericht, lassen aber Staatenlenker, die schwerste Verbrechen begehen, unbehelligt unter dem Schutzschirm der Immunität? Es war der Schweizer Gustave Moynier, der sich diese Frage bei der Betrachtung der Grausamkeiten des deutsch-französischen Krieges von 1870/71 gestellt und in der Konsequenz 1872 einen Internationalen Strafgerichtshof gefordert hat. Einmal in der Welt, tauchte dieser Gedanke in unserer Zeitgeschichte immer wieder auf, nahm 1948 die Gestalt der Militärgerichtshöfe von Nürnberg und Tokio an, beschäftigte viele Jahre die Völkerrechtskommission der Vereinten Nationen und kehrte 1993 und 1994 in Form der ad hoc-Strafgerichtshöfe für das ehemalige Jugoslawien und für Ruanda wieder. Aber es dauerte dann noch einige Jahre, bis im Sommer 1998 die *Diplomatische Bevollmächtigungskonferenz zur Errichtung eines Internationalen Strafgerichtshofs* zusammentrat und mit der Verabschiedung des *Römischen Statuts* am 17. Juli die Grundlage für eine Instanz schuf, die den Auftrag bekommen sollte, über „schwerste Verbrechen, welche die Internationale Gemeinschaft als Ganzes berühren", zu urteilen. Als solche definiert werden Völkermord, Verbrechen gegen die Menschlichkeit, Kriegsverbrechen sowie Verbrechen der Aggression, wobei im letzten Fall eine definitive Begriffsbestimmung und Abgrenzung noch aussteht.

Am 1. Juli 2002 konnte die Arbeit des *Internationalen Strafgerichtshofs* (IStGH) beginnen, der nach seinem Statut „der Straflosigkeit der Täter ein Ende setzen und so zur Verhütung solcher Verbrechen beitragen" soll. Von den 139 Unterzeichnerstaaten haben bis Ende 2008 108 das *Römische Statut* ratifiziert und sind dadurch zu Vertragsstaaten des IStGH in Den Haag geworden, darunter alle EU-Staaten bis auf die Tschechische Republik. Der Gerichtshof hat nicht die Aufgabe, nationale Strafgerichtsbarkeit zu ersetzen, sondern wird komplementär tätig, wenn Staaten nicht willens oder nicht in der Lage sind, die genannten schweren Straftaten selber zu verfolgen. Insofern unterwerfen sich zwar alle Vertragsstaaten prinzipiell dieser Zuständigkeit, aber eher „für den Fall, dass" und ohne praktische Folgen, solange es im eigenen Land eine funktionierende Strafverfolgung gibt.

Die Idee des *Internationalen Strafgerichtshofs* fand nicht nur Freunde. Zwar unterzeichnete Präsident Clinton in seinen letzten Amtstagen noch das Statut, sein Nachfolger George W. Bush annullierte diesen Schritt aber (*unsigning*) und startete eine regelrechte Kampagne, um andere Staaten von einem Beitritt zum IStGH abzuhalten oder sie im Zuge von sogenannten *Bilateral Immunity Agreements* wenigstens darauf zu verpflichten, keinen amerikanischen Staatsbürger nach Den Haag zu überstellen. Ganz anders verhielt sich Deutschland, das schon aktiv an der Ausarbeitung des Statuts mitgewirkt hatte, das am 11. Dezember 2000 mit der Hinterlegung der Ratifikationsurkunde zum Vertragsstaat des IStGH wurde und die Arbeit des Gerichtshofs auf die verschiedenste Weise unterstützt und für sie wirbt. Dazu gehört zum Beispiel auch, dass das Freiburger *Max-Planck-Institut für ausländisches und internationales Strafrecht* das in Deutschland entwickelte *Völkerstrafgesetzbuch*, mit dem das *Römische Statut* in das deutsche materielle Strafrecht integriert wurde, auf seiner Website in acht Übersetzungen vorhält (neben Englisch und Französisch auch in Arabisch, Chinesisch, Russisch, Spanisch, Portugiesisch und Griechisch).

Das aktive Engagement Deutschlands für den IStGH passt sich in die beschriebenen Grundlinien ein, die die Bundesrepublik auch in ihrer internationalen Politik verfolgt: Wo die Hoff-

100

nung auf Straflosigkeit als Folge von Immunitätsansprüchen (*Impunity*) durch die Gewissheit ersetzt wird, irgendwann vor die Schranken internationaler Gerichtsbarkeit gezogen zu werden, greifen Abschreckungseffekte ganz im Sinne des Präventionsprinzips. Wo der Wunsch nach Bestrafung von Verbrechen gegen die Menschlichkeit bisher in bestimmten Fällen nur über eine womöglich bewaffnete Selbstjustiz, also durch blutigen Konflikt, erfüllbar war, kann jetzt der Verweis auf die internationale Gerichtsbarkeit solche Konflikte vermeiden und die erwünschte Verrechtlichung gegen willkürliche oder illegitime Akte der Selbsthilfe zur Geltung bringen. Wo in der Vergangenheit die Praxis der Siegertribunale über die Verlierer schon die Saat für Auflehnung und Revanche ausbrachte, steht der *Internationale Strafgerichtshof* für Unabhängigkeit, Universalität und Bindung an das allgemein anerkannte Völkerrecht, mit allen Chancen für Widerstandsfähigkeit gegenüber politischem Missbrauch. Kein Wunder, dass weltweit die in diesem Bereich aktive Zivilgesellschaft den IStGH als wichtigsten Partner im Kampf gegen die Straflosigkeit schwerster Menschenrechtsverbrechen sieht und sich mit etwa 2000 NGOs in der *Coalition for the International Criminal Court* (CICC) zu seiner Unterstützung zusammengefunden hat. Die Europäische Union und die Bundesrepublik arbeiten eng mit der CICC zusammen.

Frieden durch Entwicklung

Es war wenig überraschend, dass sich die beiden Koalitionspartner der neuen rot-grünen Bundesregierung nach 1998 darum bemühten, bei der Entwicklungspolitik Zeichen zu setzen. In der SPD gaben einmal mehr die internationalistische Tradition und das Erbe Willy Brandts die entsprechenden Anstöße, in den Reihen der Grünen hatte so mancher in der Dritten-Welt-Bewegung politisch laufen gelernt. Ganz schnell verschwanden herumvagabundierende Pläne, die Entwicklungspolitik der Außenpolitik zuzuschlagen und das Bundesministerium für wirtschaftliche Zusammenarbeit und Entwicklung (BMZ) aufzulösen, in der Schublade. Mit der profilierten und kämpferischen SPD-Linken Heidemarie Wieczorek-Zeul übernahm eine Politikerin das Ressort, die sich gegen potentielle Übergriffe zu wehren wusste und sich Respekt verschaffte. Dass sie als einzige aus dem Ministerteam von 1998 über drei Legislaturperioden hinweg ihr Haus leiten und auf diese Weise dort für eine sehr kontinuierliche und nachhaltige Vorwärtsbewegung sorgen konnte, hat allein schon die öffentliche Wahrnehmung dieses Politikbereichs intensiviert und verbessert. Was nicht heißt, dass die weitverbreiteten Vorurteile gegenüber der Entwicklungspolitik als Spielwiese für Gutmenschen von einem Tag auf den anderen verschwunden wären.

Es war der 11. September 2001, der den Blick auf die Entwicklungspolitik entscheidend veränderte. Wo man sich bislang mit das Gewissen erleichternden Sonntagsreden begnügt hatte, wurden auf einmal sehr konkrete Fragen gestellt: Was tun wir dagegen, dass der Gegensatz von Nord und Süd, von Arm und Reich, dass eine insgesamt als unfair und ungerecht wahrgenommene Weltordnung von gefährlichen Extremisten zum Anlass genommen wird, Vertreter der Verlierer für die Mitarbeit in terroristischen Netzwerken zu rekrutieren? Welche Ziele müssen wir uns setzen, welche Mittel aufwenden, um im wahrsten Sinne des Wortes ruhiger schlafen zu können – nicht wegen des Gewissens, sondern wegen neuer Gefährdungen mit Hardware-Charakter? Über Nacht rückten die zentralen Themen der Entwicklungspolitik heran an klassische Sicherheitsfragen. Oben habe ich schon nachgezeichnet, dass dieser Paradigmenwechsel im Dezember 2003 Einfluss auf die Formulierung der Sicherheitsstrategie der Europäischen Union nahm, die sich den Titel gab „Ein sicheres Europa in einer besseren Welt“. Das war durchaus konditional gemeint, in dem Sinne, dass wir Sicherheit nur über eine gerechte Weltordnung gewinnen können. Und so, wie aus den Konflikterfahrungen der 90er Jahre auf dem Balkan in Europa neue Ansätze für eine Politik *regionaler Prävention* entstanden, verlieh die Nach-septemberwelt der Politik des Westens mit der Dritten Welt das Etikett der *globalen Prävention* und damit einen ganz neuen sicherheitsrelevanten Stellenwert.

In dieser Logik lag es, in die Entwicklungspolitik mehr zu investieren. Tatsächlich steigerte sich der Anteil des BMZ-Haushalts am Bundeshaushalt in den folgenden Jahren kontinuierlich. Dabei spielte auch jene Selbstverpflichtung der Industrieländer aus der Mitte der 70er Jahre eine Rolle, einen Anteil von 0,7 Prozent des Bruttonationaleinkommens (BNE) für Entwicklungsaufgaben anzustreben. Kaum ein Land, auch Deutschland nicht, war in den folgenden Jahrzehnten auch nur in die Nähe dieses magischen Ziels gelangt. Um diesen politischen Faden auf einer realistischen Basis wieder neu aufzunehmen, verständigte sich die Europäische Union auf einen „ODA-Stufenplan" (ODA steht für *Official Development Aid*), der für 2010 eine Quote von 0,51 Prozent BNE und für 2015 dann die 0,7 Prozent vorsieht. Um das zu erreichen, müssten im BMZ-Haushalt allerdings noch dramatische Zuwächse stattfinden. Denn von 2006 auf 2007 stieg dieser Wert lediglich von 0,36 auf 0,37 Prozent, ein Niveau, das im Jahr 2008 nicht mehr als gehalten werden konnte, und das obwohl das Budget für die Entwicklungszusammenarbeit für 2008 um 641 Millionen Euro (plus 14,3 Prozent) auf 5,1 Milliarden Euro und für 2009 abermals um 13,2 Prozent auf 5,8 Milliarden Euro angehoben wurde, womit das BMZ zwischen 2005 und 2009 insgesamt einen Haushaltsaufwuchs von 48 Prozent verzeichnen konnte. Man ahnt die Schwierigkeiten, die auf uns zukommen, wenn es bei der Zielmarke von 0,51 Prozent für das Jahr 2010 bleiben soll, wo noch niemand die Gesamtbelastungen für die öffentlichen Haushalte durch die weltweite Finanz- und Wirtschaftskrise von 2008/2009 absehen kann.

Aber natürlich hängt der Erfolg nicht allein von den Mitteln ab, sondern auch von den Konzepten. Die Erwartungen in der Öffentlichkeit an die Entwicklungspolitik und ihre Problemlösungskompetenz wuchsen rasch, auf jeden Fall schneller als ihre finanzielle Ausstattung. Ein Standardwerk bringt das auf eine gern zitierte, alle neuen Arbeitsbereiche einbeziehende Formel: „Ohne Reform der Finanz- und Handelsbeziehungen, die dem Recht und der Macht der Stärkeren das Prinzip eines fairen Interessenausgleichs entgegensetzt; ohne Aufbau einer internationalen Sozialordnung, die der sozialen Blindheit eines globalisierten ‚Turbokapitalismus' die Prinzipien einer internationalen Marktwirtschaft entgegensetzt; ohne eine Friedensordnung, die stärker auf Konfliktprävention setzt; ohne globale Umweltpolitik, die sich auf völkerrechtlich verbindliche Regelwerke einlässt und sich am Leitbild der Nachhaltigkeit orientiert; ohne eine glaubwürdige Menschenrechtspolitik und ohne gleichzeitige interne Strukturveränderung zu mehr Demokratie und marktwirtschaftlicher Entfesselung der Produktivkräfte müsste die Entwicklungspolitik bleiben, was sie bisher war: der sprichwörtliche Tropfen auf den heißen Stein."[25]

Wer sich daraufhin den *Dreizehnten Bericht zur Entwicklungspolitik der Bundesregierung* vom 17. Juli 2008 anschaut, der wird feststellen, dass die Politik diese Herausforderung angenommen hat. Da beansprucht die Armutsbekämpfung zwar immer noch einen hohen Stellenwert, wird aber flankiert von Klimaschutz, Friedenssicherung, Demokratieförderung und Globalisierungsgestaltung.[26] Die neuen Herausforderungen sind nicht nur in der Außen-, sondern auch in der Entwicklungspolitik angekommen, was die Koordinierungsaufgaben für die Zukunft nicht leichter machen wird.

Wenn es darum geht, Fortschritte zu messen, kommt regelmäßig eine Zielsetzung aus dem Jahr 2001 und der Stand ihrer Umsetzung zur Sprache. Im September 2000 verabschiedeten 189 Mitgliedsstaaten der Vereinten Nationen eine Millenniumserklärung, mit der sie nicht nur das neue Jahrtausend begrüßen wollten, sondern sich auch über die wichtigsten Herausforderungen und Ziele in der globalen Politik verständigten. UN-Generalsekretär Kofi Annan definierte auf dieser

Basis im September 2001 acht entwicklungspolitische Ziele, die in der Folge als die sogenannten Millenniums-Entwicklungsziele oder MDGs (*Millennium Development Goals*) zur Messlatte aller entwicklungspolitischen Bemühungen wurden. Im Einzelnen lauteten die Zielvorgaben:

- Beseitigung der extremen Armut und des Hungers: Gemessen am Stand von 1990 soll bis 2015 der Anteil der Menschen halbiert werden, die weniger als einen Dollar pro Tag zur Verfügung haben;
- Bis 2015 sollen alle Kinder auf der Welt, Jungen wie Mädchen, Zugang zur Primarschulbildung erhalten;
- Bis spätestens 2015 soll es eine Gleichstellung bei Jungen und Mädchen geben, was den Zugang zur Grund- und Oberschule betrifft;
- Bis 2015 soll die Kindersterblichkeitsrate um zwei Drittel gesenkt werden;
- Bis 2015 soll die Müttersterblichkeitsrate um drei Viertel gesenkt werden;
- Bis 2015 soll die Ausbreitung von HIV/Aids zum Stillstand gebracht werden und wieder sinken;
- Bis 2015 soll die Sicherung ökologischer Nachhaltigkeit erreicht sein;
- Und schließlich soll der Aufbau einer weltweiten Entwicklungspartnerschaft erfolgen.

Zur „Halbzeit" im Jahr 2008 konstatiert das BMZ wichtige Erfolge bei der Umsetzung dieser Ziele. Zwischen 1990 und 2002 sank die Zahl der in extremer Armut lebenden Menschen auf unter eine Milliarde, die chronische Unterernährung in den Entwicklungsländern hat sich halbiert, die Lebenserwartung ist gestiegen, die Kindersterblichkeit dagegen gesunken, 2004 gingen in Afrika 20 Millionen mehr Kinder zur Schule als im Jahr 2000, die Zahl von HIV-Infizierten mit medizinischer Versorgung hat sich zwischen 2001 und 2007 auf 1,6 Millionen verachtfacht – eine Liste, die man fortsetzen kann. Dabei lassen sich erhebliche regionale Unterschiede feststellen: Während einige Entwicklungsländer immer mehr Eigenverantwortung übernehmen können, lässt sich in anderen Regionen der Zirkel von Armut, Ressourcenmangel und Konfliktanfälligkeit einfach nicht aufbrechen. Trotz einiger hoffnungsvoller Entwicklungen bleibt zum Beispiel die Subsahara-Region offensichtlich ein Dauer-Sorgenkind. Und gegen Rückschläge ist man nie gefeit, wie die jüngsten kritischen Entwicklungen der Welternährungslage zeigen.

Ähnlich wie bei der Friedenspolitik sucht die Bundesregierung bei der Entwicklungspolitik den kontinuierlichen Austausch mit der Zivilgesellschaft. Dieses Angebot wird angenommen. Die gut vernetzten entwicklungspolitischen Nichtregierungsorganisationen weichen dem Dialog nicht aus, zeigen Respekt für das Geleistete, bilanzieren aber auch kritisch und formulieren dann ihre eigenen Handlungsempfehlungen. Als Beispiel nenne ich *VENRO* (den *Verband Entwicklungspolitik deutscher Nichtregierungsorganisationen*), der im September 2008 einen *Schattenbericht zum deutschen Engagement für die Verwirklichung der Millenniums-Entwicklungsziele* unter dem Titel „Damit Armut einpacken kann" veröffentlichte. In der Einleitung heißt es da: „Entwicklung und Armutsbekämpfung können nur in einem ganzheitlichen Ansatz nachhaltigen Erfolg zeigen. Bessere Bildung ist eine Voraussetzung für bessere Gesundheit, Krankheiten treiben Menschen oft in Hunger und Armut und arme Menschen haben häufig keinen Zugang zu Bildung und Gesundheitsversorgung. Armen Menschen fehlt es an Macht, um ihre Rechte durchzusetzen, und auch Macht- und Rechtlosigkeit treibt Menschen in die Armut. Entwicklungshilfegelder in den Süden zu transferieren, bringt unterm Strich nichts, wenn arme Länder für den Schuldendienst Gelder in den Norden transferieren müssen und unfaire Handelsbedingungen ihnen Handelsbilanzdefizite aufzwingen, die sie wiederum nur durch Aufnahme neuer Schulden finanzieren können."[27]

Der Teufelskreis ist gut beschrieben. Daher hat die neue deutsche Entwicklungspolitik schon ganz früh, ab 1999, den Schwerpunkt auf Entschuldungsstrategien gelegt und sich dann in Anti-Aids-Kampagnen mit dem Schwerpunkt im südlichen Afrika gestürzt. Um alle Probleme gleichzeitig anzupacken, reichen die begrenzten Mittel nicht aus. Der in der Tat notwendige ganzheitliche Ansatz findet seine Umsetzungschance allein in einer globalen Abstimmung, die ohne eine die Führung und Koordinierung übernehmende Weltorganisation nicht funktionieren kann. An diesem Punkt treffen dann zwei Schwerpunkte deutscher Politik aufeinander: Der Multilateralismus, der auf die globale Rolle der Vereinten Nationen baut, und die Übernahme internationaler Verantwortung für eine gerechtere Weltordnung, die ohne eine massive Intensivierung einer ganzheitlich angelegten und auf die neuen Herausforderungen vorbereiteten Entwicklungszusammenarbeit keine Glaubwürdigkeit beanspruchen kann.

Frieden durch weniger Waffen

Kritik aus der Zivilgesellschaft kassierte die Bundesregierung unter Schröder/Fischer von Anfang an auch auf einem anderen politischen Feld: dem der Rüstungsexporte. Zwar gehörte es zu den ersten Maßnahmen von Rot-Grün, in die Arbeit des *Bundessicherheitsrats* (BSR), dem bisher sechs Ressorts angehörten (Außen, Verteidigung, Inneres, Justiz, Finanzen und Wirtschaft), das BMZ mit einzubeziehen. Damit verband sich das Signal, dass in dem Gremium, das über Exportgenehmigungen für Kriegswaffen entschied, künftig Einwände aus der Entwicklungszusammenarbeit gehört werden sollten – etwa wenn Entwicklungsgelder für Waffenkäufe zweckentfremdet wurden. Als Problem erwies sich aber, dass der Bundessicherheitsrat auf der Grundlage von veralteten *Politischen Grundsätzen* aus dem Jahr 1982 arbeitete, in denen Begriffe wie „Nachhaltigkeit" oder „Menschenrechte" überhaupt nicht auftauchten. Anhand dieser Richtlinien mussten die Minister aber ihre Entscheidungen treffen. Schon im ersten Regierungsjahr gab es immer wieder Ärger, am häufigsten im Zusammenhang mit der Türkei. Ich erinnere mich an Ausschusssitzungen, wo Bilder von Schützenpanzern des Typs *BTR* aus deutscher Produktion, die offensichtlich im südostanatolischen Krieg mit den Kurden im Einsatz waren, von Hand zu Hand gingen. Als sich der Bundessicherheitsrat am 20. Oktober 1999 per Mehrheitsbeschluss auch noch für die Freigabe eines deutschen Testpanzers Leopard A2 für die Türkei entschied, löste dies eine handfeste Koalitionskrise aus. Vier Tage später gab der Koalitionsausschuss deshalb eine Überarbeitung der *Politischen Grundsätze* in Auftrag, vorzunehmen von einem „Vorbereitungsausschuss Bundessicherheitsrat", in den für die Grünen die Abgeordnete Claudia Roth, damals Vorsitzende des *Ausschusses für Menschenrechte und Humanitäre Hilfe*, und für die SPD ich als Stellvertretender Fraktionsvorsitzender berufen wurden.

Die Verhandlungen gestalteten sich schwierig, aber bereits am 19. Januar 2000 konnte das Bundeskabinett die neuen *Politischen Grundsätze der Bundesregierung für den Export von Kriegswaffen und sonstigen Rüstungsgütern* förmlich beschließen. Sie sind bis heute in Kraft und gelten als das restriktivste Regelwerk in der gesamten EU. Die neuen Grundsätze verlangen bei Exportentscheidungen ein „besonderes Gewicht" für die Beachtung der Menschenrechtssituation im Empfängerland und schließen Waffenexporte in Länder aus, in denen „fortdauernde und systematische Menschenrechtsverletzungen" stattfinden. Bei Rüstungskooperationen mit NATO-Ländern, deren Notwendigkeit nicht bestritten wird, strebt die Bundesregierung die Möglichkeit an, „Einwendungen wirksam geltend zu machen". Waffenlieferungen in andere Länder werden grundsätzlich restriktiv gehandhabt, wobei erstmalig auch ernsthafte Beeinträchtigungen nachhaltiger Entwicklung als Kriterium genannt werden. Besonderen Wert legt die Neufassung auf eine strikte Sicherung des Endverbleibs gelieferter Waffen. In dem letzten Abschnitt der *Politischen Grundsätze* heißt es: „Die Bundesregierung legt dem Deutschen Bundestag jährlich einen Rüstungsexportbericht vor, in dem die Umsetzung der Grundsätze der deutschen Rüstungsexportpolitik im abgelaufenen Kalenderjahr aufgezeigt sowie die von der Bundesregierung erteilten Exportgenehmigungen für Kriegswaffen und sonstige Rüstungsgüter im Rahmen der gesetzlichen Bestimmungen aufgeschlüsselt werden."[28]

Im Laufe der Jahre konnte vor allem über die Qualität der jährlichen Rüstungsexportberichte der Bundesregierung die Transparenz dieses Sektors schrittweise verbessert werden. Und längst findet jeder vorgelegte Bericht – der für das Jahr 2007 wurde im Dezember 2008 vorgelegt – sein promptes Echo mit dem jährlichen Rüstungsexportbericht der *Gemeinsamen Konferenz Kirche und Entwicklung* (GKKE), der sich kritisch mit den genehmigten Exporten auseinandersetzt.[29] Wiederkehrende Stichworte sind dabei neben dem steigenden Gesamtvolumen (2007 mit einer Steigerung von 13 Prozent auf 8,7 Milliarden Euro) Lieferungen in Länder, in denen Menschenrechte nicht beachtet werden oder wo innere oder grenzüberschreitende Konflikte Waffenlieferungen nach den *Politischen Grundsätzen* eigentlich ausschließen würden. In den vergangenen Jahren hat sich auch die Kritik am Auftauchen von Kleinwaffen aus deutscher Produktion in aktuellen Regionalkonflikten – zuletzt im Kaukasus-Krieg – verstärkt. Die „strikte Sicherung des Endverbleibs" bedarf offenbar einer strengeren Kontrolle. Zieht man eine Zwischenbilanz, dann können die neuen *Politischen Grundsätze* für den Waffenexport vom Januar 2000 sicher als notwendiger Schritt in die richtige Richtung gewertet werden, aber Richtlinien allein lösen das Problem nicht, zumal sie im Detail Definitions- und Bewertungsfragen offen lassen müssen. Die mittlerweile immer weiter ausgebaute Berichtspflicht der Bundesregierung schuf aber die Grundlage für einen alljährlich stattfindenden Austausch von Kritik und Legitimation im Bereich Rüstungsexporte, der längst mit der Entscheidungsebene des *Bundessicherheitsrats* rückgekoppelt ist und damit politisches Gewicht gewonnen hat.

Forschung für eine neue Kultur der Friedenspolitik

Das Selbstverständnis der rot-grünen Koalitionäre ließ solche keineswegs pflegeleichten Wechselbeziehungen zwischen Regierungsverantwortung und zivilgesellschaftlicher Kontrolle nicht nur zu, sondern wollte mehr davon. Im Koalitionsvertrag vom 20. Oktober 1998 hatte die neue Bundesregierung die „finanzielle Förderung der Friedens- und Konfliktforschung" angekündigt und sich damit von der Praxis der Vorgängerregierungen unter Helmut Kohl abgegrenzt, die Schritt für Schritt die Finanzierung der Friedensforschung auf Null abgesenkt hatten. Diese Zusage wurde im Oktober 2000 mit der Gründung der *Deutschen Stiftung Friedensforschung* (DSF) eingelöst. Von der Konstruktion her ist sie eine Kapitalstiftung bürgerlichen Rechts mit 27,06 Millionen Euro Stiftungskapital. Sie finanziert ihre Arbeit aus den Zinseinkünften, machte in der Anfangsphase aber von ihrem satzungsmäßigen Recht der Kapitalverzehrung Gebrauch. Diese Mittel wurden von der Bundesseite aber wieder ergänzt, mit dem Ergebnis, dass aus dem Bundeshaushalt in den Jahren 2000 bis Ende 2007 insgesamt etwas mehr als 43 Millionen Euro in die DSF geflossen sind. Diese Ausstattung reichte, um einiges auf die Beine zu stellen, etwa die Einrichtung einer Stiftungsprofessur für naturwissenschaftliche Friedensforschung, der Aufbau einer strukturierten Promotionsförderung sowie die Unterstützung für vier Masterstudiengänge Friedens- und Konfliktforschung. Im Zentrum der Jahresprogramme der von Osnabrück aus wirkenden Stiftung steht die Förderung von größeren Forschungsprojekten sowie von Kleinprojekten wie Pilotstudien oder Tagungen. Im Jahr 2007 flossen etwa 612 000 Euro in die größeren Vorhaben, auf die Kleinprojekte entfielen 123 000 Euro. Außerdem richtete die DSF im selben Jahr gemeinsam mit dem Auswärtigen

Amt das 16. *Forum Globale Fragen* zum Thema „Neue Wege der Rüstungskontrolle und Abrüstung" aus, organisierte zusammen mit mehreren anderen Institutionen den Veranstaltungszyklus „Energie, Ressourcen, Frieden" und präsentierte sich, inzwischen bereits zum dritten Mal, in einem Parlamentarischen Abend interessierten Bundestagsabgeordneten und ihren Mitarbeitern mit dem Thema „Was können multilaterale Friedensmissionen beim Wiederaufbau staatlicher Strukturen in Krisengebieten leisten?".

Diese Stichworte zu einem einzelnen Jahresprogramm zeigen bereits, dass die Stiftung keineswegs nur in der akademischen Welt ihr Zuhause hat, sondern auch die Nähe zu den Entscheidungsebenen sucht und sich als Provider von politikberatender Expertise versteht. Die geförderten Projekte behandeln sieben Themenschwerpunkte: Friedensvölkerrecht und internationale Organisationen, Gewalt- und Krisenprävention, Intervention in Gewaltkonflikte, Friedenskonsolidierung nach Beendigung von Gewaltkonflikten, Rüstungskontrolle und Abrüstung, Friedenspädagogik sowie Historische Friedensforschung. Damit deckt die Mehrzahl dieser Schwerpunkte exakt die Herausforderungen ab, mit denen sich die Bundesrepublik bei ihrem weltweiten Engagement aktuell konfrontiert sieht. Da kann es nicht überraschen, dass nicht nur Friedensbewegung und Friedensforschung, sondern auch Regierung und Parlamentarier die *Deutsche Stiftung Friedensforschung* als ein gelingendes Unternehmen ansehen, das sich auf einen erfolgversprechenden Weg gemacht hat.

Die Renaissance der Förderung von Friedens- und Konfliktforschung nach 1998 blieb nicht auf die Neugründung der DSF begrenzt. So erhält die *Hessische Stiftung Friedens- und Konfliktforschung* (HSFK) eine institutionelle Förderung von Bund und Ländern, das BMZ unterstützt das *Bonn International Center for Conversion* (BICC), das *Berghof Forschungszentrum für konstruktive Konfliktberatung* und das *Leibniz Institut für Globale und Regionale Studien* (GIGA, hervorgegangen aus dem *Deutschen*

Übersee Institut, DÜI), vom Auswärtigen Amt fließen Mittel in den Haushalt des *Forschungszentrums für OSZE-Studien* (CORE) beim *Institut für Friedensforschung und Sicherheitspolitik an der Universität Hamburg* (IFSH) und der *Analyseeinheit des Zentrums für internationale Friedenseinsätze (ZIF)*, die *Stiftung Wissenschaft und Politik* (SWP) als wichtigste deutsche Institution für Politikberatung genießt Förderungen vom Bundeskanzleramt und vom Bundesverteidigungsministerium und letzteres gibt auch Geld an das *Wissenschaftliche Forum für internationale Sicherheit e.V.*

Zum Flaggschiff der Friedens- und Konfliktforschung in Deutschland hat sich das alljährlich von den fünf einschlägigen Forschungsinstituten veröffentlichte *Friedensgutachten* entwickelt.[30] Die seit 1987 erscheinenden Bände bündeln die Ergebnisse der Friedensforschung und präsentieren sie in verständlicher Sprache, formulieren aber auch aktuelle Erwartungen und Forderungen an die Politik. So wird ablesbar, welche Probleme in Wissenschaft und Gesellschaft Sorgen auslösen, in welchen Ländern Handlungsbedarf gesehen wird, welche neuen Themen sich auf die Tagesordnung drängen. 2008 zum Beispiel die Sicherheitsgefahren des Klimawandels. Wer sich die Friedensgutachten nebeneinander auf seinen Schreibtisch holt, hat gute Chancen, aus ihnen ein die wichtigsten Diskussionen nachzeichnendes Verlaufsbild der friedenspolitischen Kultur Deutschlands zu gewinnen. Viele Fragen, die hier behandelt werden, spiegeln zugleich die parallel in der vielköpfigen Szene der deutschen Friedensbewegung bearbeiteten Themen wider. Schon viele Gedanken und Vorschläge, die aus der Kreativität von Protestbewegungen geboren wurden, fanden über ihre Prüfung und Vertiefung in den Institutionen der Friedensforschung einen Zugang zum politischen Meinungsbild auf der Entscheidungsebene von Parlament und Regierung. Das gilt gerade auch für die politischen Markenzeichen der neuen deutschen Politik nach 1998.[31]

Diese vielfältigen Bemühungen, die Gründung neuer Institutionen, die Umsetzung neuer Konzepte und Koordinierungsideen macht ein Patchwork friedenspolitischer Bemühungen im internationalen, staatlichen und nichtstaatlichen Rahmen sichtbar. Sie zeigen, wie Deutschland heute seine Rolle in der Welt wahrnehmen will. Dieses Land hat lange gebraucht und ist behutsam aus den dunklen Schatten der Vergangenheit getreten. Es hat einen jahrzehntelangen Lernprozess hinter sich und weiß sich diesem Gepäck verpflichtet. Es springt nicht plötzlich auf die globale Bühne und verkündet, „schaut wie groß und erwachsen wir geworden sind, jetzt müsst ihr wieder mit uns rechnen!" – obwohl es nicht an Ratschlägen fehlt, genau das zu tun.[32] Wir wollen gar nicht, dass unser Einfluss respektiert und unser Rat gehört wird, weil wir Deutschland sind, das bevölkerungs- und wirtschaftsstärkste Land der Europäischen Union. Wir haben allerdings den Wunsch, etwas zu der Mission Weltfrieden beizutragen, ein Akteur zu werden. Aber nicht per Anspruch, sondern durch gute Vorbereitung und überzeugende Antworten auf die Probleme und Herausforderungen.

Nach 1998 entstand in Deutschland eine neue politische Kultur der Friedensvermittlung. Wie jede wirkliche Kultur folgt sie Werten und Prinzipien. Die einzelnen Bausteine erscheinen bescheiden. Da schickt der neu geschaffene *Zivile Friedensdienst* ein paar hundert Helfer in die Welt. Ein *Zentrum für Internationale Friedenseinsätze* entsteht und hält sich bereit, geschulte Konfliktlöser, Rechtsstaatsspezialisten und erfahrene Wahlbeobachter dort einzusetzen, wo sie gebraucht werden. Mehrere Ministerien nehmen sich einen *Aktionsplan Zivile Krisenprävention, Konfliktlösung und Friedenskonsolidierung* als guten Vorsatz und mühen sich mit seiner Umsetzung ab, was draußen nur wenige zur Kenntnis nehmen. Und ähnlich ist es bei dem Einsatz für Menschenrechte, auch wegen ihrer Rolle für Krisenvermeidung: Musste das überhaupt erwähnt werden, dass sich im deutschen Parlament statt eines *Unteraus-*

schusses auf einmal ein richtiger *Bundestagsausschuss* dieser Materie widmet? Dass im Auswärtigen Amt jetzt ein *Menschenrechtsbeauftragter* seinen Dienst tut, u. a. unterstützt von einem neuen *Deutschen Institut für Menschenrechte*? Und dass die Bundesregierung nicht nur regelmäßige Menschenrechtsberichte zur Diskussion stellen muss, sondern auch einen *Aktionsplan Menschenrechte* für die künftige Arbeit?

Sensationell erscheint auch nicht der Report über die Beiträge des wohlhabenden Deutschland zum Haushalt der *Vereinten Nationen*, über seine weitgestreute Teilnahme an den Friedensmissionen der Weltorganisation, über die Einlage in den Fonds der *Peacebuilding Commission*, das Engagement bei dem neuen *Menschenrechtsrat*, bei der Weiterentwicklung des Völkerrechts am Beispiel der *Schutzverantwortung* oder beim Kampf des *Internationalen Strafgerichtshofs* um seine universelle Akzeptanz. Das mag auch gelten für die kontinuierliche Ausweitung der Entwicklungszusammenarbeit mit dem Schwerpunkt der *Millenniumsziele*. Sowieso hört man zum Rüstungsexport, auch wenn dem das straffere Korsett der *Politischen Grundsätze* angelegt wurde, eher kritische Anmerkungen in der Öffentlichkeit. Immerhin wird kaum jemand Einwände gegen die Wiederförderung der Konfliktforschung und die Gründung der *Deutschen Stiftung Friedensforschung* erheben und vielleicht sogar anerkennend zur Kenntnis nehmen, dass Politik und Gesellschaft sich in solchen Fragen intensiv austauschen.

Nein, nicht die Dimension der Einzelbausteine macht den Unterschied. Aber sie passen alle zusammen und fügen sich zu einer Art Instrumentenkasten, der eine erfolgreiche und kohärente Politik auf der globalen Bühne überhaupt erst ermöglicht. Wer weiß, wie wichtig das frühzeitige Einschreiten bei Krisen und Konflikten ist, wer erkannt hat, welche Bedeutung der Prävention bei all unseren Erfahrungen mit Interventionen nach gescheiterter Prävention zukommt, wer wie wir immer auf gewaltfreie Lösungen drängt über Einbindung, Dialog, Verhandlungen und Integrationsprozesse, wer wie wir als wichtigste Lehre aus dem Schock des 11. September den Auftrag zu einem Dialog der Kulturen und zur Schaffung einer gerechteren, sozialeren und faireren Weltordnung angenommen hat, und wer sich bewusst ist, dass alle diese Aufgaben nur bei einer Zusammenführung der politischen und gesellschaftlichen Ressourcen des ganzen Landes zu meistern sind, also nur über einen intensiven Austausch mit den engagierten Einzelpersonen und Gruppen und ihrer akkumulierten Expertise in der Zivilgesellschaft – der muss sich auch um die Umsetzungschancen einer solchen für richtig gehaltenen Politik kümmern. Und das geht nur, indem man einen Baustein auf den anderen setzt.

Dass sich im Verlaufe eines Jahrzehnts in Deutschland eine solche politische Kultur der Friedensvermittlung herausgebildet hat, war nur möglich, weil die dahintersteckenden Ideen und Konzepte in ganz Europa auf fruchtbaren Boden fielen. Ob Zufall oder nicht – auf der EU-Ebene wurden die wichtigsten Weichenstellungen alle im Jahr 2003 sichtbar: Die Mehrzahl der Mitgliedstaaten erkennt im Irak-Krieg eine falsche Fortsetzung des Kampfs gegen den Terrorismus und lehnt jede Beteiligung ab, nach vier Jahren Vorbereitung setzt die EU erstmals ihre neuen militärischen und zivilen Fähigkeiten bei Friedensmissionen ein und besteht dabei den Praxistest als friedensvermittelnder Akteur, im Juni zieht der Europäische Rat in Thessaloniki die politische Konsequenz aus den vergangenen Fehlern und Fehlentwicklungen auf dem Balkan und öffnet allen Westbalkanstaaten mit der verbindlichen europäischen Beitrittsperspektive einen aussichtsreichen Weg in die Zukunft, und am 12. Dezember folgt der für alle aktuellen und künftigen Mitgliedstaaten verbindliche Beschluss über die neue *Europäische Sicherheitsstrategie* (ESS) unter der programmatischen Überschrift „Ein sicheres Europa in einer besseren Welt", die sich, wie oben bereits ausgeführt, bewusst als anderes politisches Modell zur amerikanischen *Nationalen Sicherheits-Strategie* positioniert und seitdem die entscheidenden Vorgaben für Europas Beiträge zur globalen Politik liefert.

In diesem Kontext hat sich das neue deutsche Modell internationaler Verantwortungsbereitschaft entwickelt, ermöglicht durch die neue politische Mehrheit des Jahres 1998, getragen von dem, was die beiden Koalitionspartner SPD und Bündnis 90/Die Grünen an friedens- und sicherheitspolitischen Überzeugungen mitbrachten und zwischen 1998 und 2005 repräsentiert von Gerhard Schröder als Bundeskanzler und Joschka Fischer als Außenminister. Nach der Bundestagswahl vom 18. September 2005, bei der die CDU/CSU mit 224 Abgeordneten knapp stärkste Fraktion vor der SPD mit 222 Abgeordneten wurde, verabredeten beide Parteien eine Große Koalition zu bilden, mit der CDU-Vorsitzenden Angela Merkel als Bundeskanzlerin an der Spitze. Auch bei diesem Bundestagswahlkampf spielten außenpolitische Fragen bestenfalls eine Nebenrolle. Die SPD und Kanzler Schröder sorgten dafür, dass ihr von der Bevölkerungsmehrheit unterstütztes Nein zum Irak-Krieg nicht in Vergessenheit geriet. Die Herausforderin Merkel setzte auf die verbreitete Skepsis gegenüber einem EU-Beitritts-Verhandlungsprozess mit der Türkei und brachte als Alternative eine „privilegierte Partnerschaft" zwischen EU und Türkei ins Spiel. Sie konnte den Entscheidungsprozess allerdings nicht mehr beeinflussen: Am 3. Oktober 2005 nahm die Europäische Union die Verhandlungen mit Ankara auf.

Beide Themen dürften sich kaum auf den Wahlausgang ausgewirkt haben, aber als die Koalitionsverhandlungen begannen, tauchte natürlich die Frage auf, wie die künftigen Partner wohl mit diesen Fragen umgehen und überhaupt in der Außenpolitik auf einen gemeinsamen Nenner kommen wollten. Am 20. Oktober 2005 trafen im kleinen Kabinettssaal des Bundeskanzleramtes erstmals die beiden Verhandlungsdelegationen aufeinander. Bei der SPD lag die Verhandlungsführung in den Händen des designierten Außenministers Frank-Walter Steinmeier und der bisherigen und künftigen Bundesministerin für wirtschaftliche Zusammenarbeit und Entwicklung Heidemarie Wieczorek-Zeul. Ich habe als Stellvertreter SPD-

Fraktionsvorsitzender mit der Zuständigkeit für die Außen-, Sicherheits-, Entwicklungs- und Menschenrechtspolitik an allen Sitzungen bis zum 11. November teilgenommen und war etwas überrascht, dass Michael Glos, der spätere Wirtschaftsminister, die CDU/CSU-Verhandlungsgruppe anführte. Wider Erwarten gab es nur bei wenigen Themen längere und kontroverse Auseinandersetzungen, die aber alle mit Kompromissen endeten. Was das Verhältnis zu den Vereinigten Staaten angeht, plädiert der Text für „ein enges Vertrauensverhältnis zwischen den USA und einem selbstbewussten Europa, das sich nicht als Gegengewicht, sondern als Partner versteht", um dann fortzufahren: „Das schließt unterschiedliche Auffassungen nicht aus, mit denen im partnerschaftlichen Dialog und im Geist der Freundschaft umgegangen werden muss." Auch ohne den Irak beim Nahmen zu nennen, wusste jeder, was hier gemeint war. Und bei der Türkei bekräftigt der Koalitionsvertrag das deutsche Interesse „an einer Anbindung des Landes an die Europäische Union" und führt die unterschiedlichen Ausgangspositionen dann in folgender Formel zusammen: „Die am 3. Oktober 2005 aufgenommenen Verhandlungen mit dem Ziel des Beitritts sind ein Prozess mit offenem Ende, der keinen Automatismus begründet und dessen Ausgang sich nicht im Vorhinein garantieren lässt." Mit diesem Kompromiss, der allerdings erst in der „Elefantenrunde" mit den Spitzen der künftigen Koalition erreicht wurde, konnten beide Seiten leben.[33]

Aus meiner Sicht fanden aber die wichtigsten Festlegungen des Regierungsprogramms auf anderen Feldern statt. Wir konstatieren in ihm ein klares Bekenntnis zum Erweiterungsprozess der EU, zur Strategischen Partnerschaft mit der Russischen Föderation, zur Fortsetzung des Rechtsstaatsdialogs mit China und zur herausragenden Rolle der Vereinten Nationen in der globalen Politik, ohne dabei die Bereitschaft Berlins zu vergessen, einen Ständigen Sitz im Sicherheitsrat zu übernehmen. Und bei den „Globalen Fragen" kündigt das gemeinsame

Programm an, die Instrumentarien der Krisenprävention auszubauen, den dazugehörigen *Aktionsplan* der bisherigen Bundesregierung weiter umzusetzen und dabei den *Ressortkreis Zivile Krisenprävention* zu stärken. Positive Erwähnung finden die
deutschen Abrüstungsbemühungen und der verstärkte Einsatz
für die Dritte Welt, wobei es die Ministerin sogar schaffte, die
konkreten ODA-Quoten in den Text zu bringen. Ich hatte
mein persönliches Erfolgserlebnis, als es mir gelungen war, einen positiven Bezug zu der *Europäischen Sicherheitsstrategie* mit
ihren Prinzipien und Instrumenten gleich an zwei verschiedenen Stellen zu platzieren.

Damit war der ausdrücklich erwähnte Kontinuitätswunsch
bei der internationalen Politik inhaltlich festgeschrieben. Im
Grunde bedeutete das: Fortgeltung des zwischen 1998 und
2005 entwickelten Modells mit seiner politischen Kultur der
Friedensvermittlung als Basis für die künftigen Schritte
Deutschlands auf dem Parkett der globalen Politik. Ab sofort
sollte an der Spitze des Auswärtigen Amtes mit Frank-Walter
Steinmeier erstmals nach Willy Brandt wieder ein Soziademo-
krat stehen. Er konnte aufbauen auf den sozialdemokratisch
geprägten Grundlagen, die in den vergangenen sieben Jahren
entwickelt worden waren und die nun Eingang in das Regierungsprogramm der Großen Koalition gefunden hatten, dessen Verbindlichkeit gerade auch Bundeskanzlerin Angela Merkel in den nachfolgenden Jahren nie auch nur antasten ließ.

Jedes politische Programm, egal wie verbindlich es ist, erfährt erst in der Praxis seine Bewährungsprobe. Mit welchen
Partnern diese Umsetzung versucht werden musste und mit
welchen Herausforderungen es die deutsche Mission Weltfrieden dann zu tun bekam, das ist der Gegenstand der nachfolgenden Kapitel.

III. Partner in der Weltpolitik

Frieden und Stabilität in einer Welt zu garantieren, die als Folge der Risikogemeinschaft durch die Globalisierung keinen Konflikt und keine Fehlentwicklung mehr kennt, die straflos zu ignorieren wären, das kann nur noch eine Aufgabe der Vielen sein. Das, was wir als das *Europäische Modell* in seiner Entstehung und Herausbildung kennengelernt haben, braucht Partner. Und zwar Partner, die über ausreichende Kapazitäten verfügen, diese aber auch für die Bewahrung von Frieden und Stabilität einzusetzen bereit sind. Die Gemeinsamkeit von Interessen und Werten sollte dabei als Allererstes Europas Engagement mit dem der Vereinigten Staaten verbinden. In der unmittelbaren Nachbarschaft der EU spielt die Russische Föderation nach Überwindung ihrer Schwächephase, die das Land unmittelbar nach der Auflösung der Sowjetunion durchlebte, eine wachsende Rolle, und Moskau meldet sich auch immer nachdrücklicher in der Weltpolitik zurück. An die Spitze der sogenannten Schwellenländer hat sich die chinesische Volksrepublik mit ihrem bereits seit drei Jahrzehnten vorangetriebenen Modernisierungsprogramm geschoben. Die dabei erzielten Erfolge, sichtbar besonders an den anhaltend hohen Raten des Wirtschaftswachstums, haben Peking zu einem einflussreichen *Global Player* gemacht. Natürlich braucht eine Mission Weltfrieden so viele Partner wie möglich. Aber für den Erfolg der europäischen und deutschen Ansätze und Strategien bei der globalen Politik ist die Frage maßgeblich, wieweit solche mächtigen Akteure wie die Vereinigten Staaten, Russland und China als Partner gewonnen werden können. Deswegen wollen wir an dieser Stelle einen Blick auf die jüngsten Entwicklungen in diesen drei Staaten werfen.

USA

Am 4. November 2008 hat Amerika einen neuen Präsidenten gewählt. Mit Barack Obama zieht erstmals ein Nicht-Weißer ins Weiße Haus ein. Der Kandidat der Demokraten gewann eindrucksvoll, mit 53 zu 46 Prozent der Wählerstimmen bei 365 zu 173 Wahlmännerstimmen. Hinter Obama stehen 95 Prozent der Afroamerikaner, 67 Prozent der Hispanics, 63 Prozent der asiatisch-stämmigen, aber auch 43 Prozent der Stimmen weißer Amerikaner. Dem 46jährigen Senator aus Illinois gelang es, viele Jung- und Erstwähler zu mobilisieren. Zwei Drittel der Wähler zwischen 18 und 29 Jahren stimmten für ihn. Das eindeutige Ergebnis geht aber nicht nur auf eine professionelle Wahlkampagne mit einer Rekordeinwerbung von Spendengeldern zurück, von denen Obama über mehr als 780 Millionen Dollar, überwiegend aus Kleinspenden, verfügte. Zum entscheidenden Momentum im politischen Umfeld wurde eine weitverbreitete Wechselstimmung, mit gemessenen 70 Prozent der Amerikaner, die der bisherigen Amtsführung von Präsident George W. Bush ablehnend gegenüberstanden, und 90 Prozent, die allgemein das eigene Land auf dem falschen Weg sahen. Der Wille zum *Change* geriet zum Nachteil für Senator McCain, der sich als Republikaner aus der Identifizierung mit dem „System Bush" nicht freizuschwimmen vermochte.

Vieles spricht dafür, dass letztlich die Zuspitzung der wirtschaftlichen Lage mit der amerikanischen Immobilien- und Finanzkrise den Ausschlag gegeben hat, zumal die Wähler den Umfragen nach Barack Obama eher als seinem Konkurrenten ökonomische Kompetenz zutrauten. Aber auch das Thema Irak-Krieg, die Lage in Afghanistan und das internationale Ansehen der Vereinigten Staaten in der Welt spielten eine Rolle. Enorme Erwartungen lasten auf dem neuen Präsidenten und das nicht nur im Lande selbst. Weltweit richten sich fragende Blicke auf Washington: Wird Barack Obama auch in der internationalen Politik der wichtigsten globalen Macht Veränderungen einläuten und, wenn ja, welche? Und wie wird der neue Präsident mit dem außenpolitischen Erbe seines Vorgängers umgehen?

Vor allem die Europäer haben den Prozess, der letztlich das Ende der Ära von George W. Bush brachte und der im Ganzen 21 Monate dauerte, geradezu fasziniert verfolgt: vom Zweikampf des jungen Hoffnungsträgers mit der erfahrenen Senatorin Hillary Clinton über das Duell zwischen zwei politischen Kulturen bis zum Wahltag am 4. November. Im Laufe des Geschehens wuchs auch in Europa die Popularität Obamas, der in fast allen europäischen Staaten laut Umfragen die Mehrheit auf seiner Seite hatte, in Deutschland sogar mit 70 bis 80 Prozent. Als er am 24. Juli 2008 vor der Berliner Siegessäule auftrat und dabei nicht ohne Hintergedanken an die unvergessene Rede von Präsident John F. Kennedy vor dem Schöneberger Rathaus am 26. Juni 1963 anknüpfte, wollten 200 000 Menschen dabei sein. Es gab viel Zustimmung, hinter der auch die Sehnsucht nach einer „guten Führungsmacht" sichtbar wurde.

Ein Land im Krieg gegen den Terrorismus

Dieser Wunsch nach einem anderen Amerika, der auf den jugendlich und unverbraucht wirkenden neuen Präsidenten projiziert wird, geht auf die problematische Erfahrung mit der Amtszeit von George W. Bush zurück, in deren Verlauf sich Europa und Amerika in verschiedene Richtungen entwickelt haben. Um dieses politische Erbe anschaulich zu machen, mit dem sich Barack Obama im Kontext der von ihm selbst forcierten *Change*-Erwartung konfrontiert sieht, will ich an dieser Stelle die neun *State-of-the-Union*-Reden von Präsident Bush zwischen den Jahren 2001 bis 2008 in ihren außenpolitischen Teilen Revue passieren lassen. Diese traditionell jährlich zwischen Ende Januar und Ende Februar gehaltenen Reden zur Lage der Nation nutzen amerikanische Präsidenten, um ihre Lageeinschätzung und ihre vordringlichen Projekte in kondensierter Form dem Kongress und der Öffentlichkeit darzustellen.

Bei seinem ersten Auftritt vor dem Kongress am 27. Februar 2001 versicherte der neue Präsident George W. Bush, Amerika wolle „eine Kraft für das Gute und ein Verfechter der Freiheit" sein. Die Bedrohungen des 21. Jahrhunderts werden angesprochen – und die militärische Antwort der Vereinigten Staaten: Die Gefahren „reichen von Terroristen, die mit Bomben drohen, bis zu der Absicht von Tyrannen und Schurkenstaaten, Massenvernichtungswaffen zu entwickeln. Um unser eigenes Volk, unsere Bündnispartner und Freunde zu schützen, müssen wir eine effektive Raketenabwehr entwickeln und stationieren." Ansonsten konzentriert sich der Bericht vor dem Kongress in epischer Breite auf die Themen Schulen, Medicare, Sozialversicherungen und Steuersenkungen.

Das ändert sich vollständig mit der *State-of-the-Union*-Rede vom 29. Januar 2002, der ersten nach den Terroranschlägen vom 11. September 2001. Sie ist in die Geschichte eingegangen und markiert gleich zu Beginn das tragende politische Motto bis zum Ende von Bushs beiden Amtszeiten: „Während wir uns heute Abend hier versammeln, befindet sich unser Land im Krieg, unsere Wirtschaft ist in der Rezession und die zivilisierte Welt steht vor nie da gewesenen Gefahren. Dennoch war die Lage der Nation nie stabiler." Als Beleg dafür dient der militärische Erfolg im Afghanistan-Krieg, persönlich dokumentiert von Ehrengast Hamid Karzai, damals noch nicht Präsident, aber Chef der Übergangsregierung. Die Terroristen sind geschlagen und sitzen nun in Guantanamo Bay in ihren Zellen, und in Afghanistan, „wo die Menschen auf der Straße das Ende der Tyrannei mit Liedern und Feiern begrüßten", genießen jetzt Männer und vor allem Frauen ihre neue Freiheit.[34]

Damals konnte noch keiner wissen, wie voreilig diese Genugtuung war, aber jeder verstand die Ernsthaftigkeit der Drohung des Präsidenten gegen die drei Länder Nordkorea, Iran und Irak mit ihrem Streben nach Massenvernichtungswaffen:

„Staaten wie diese und ihre terroristischen Verbündeten stellen eine Achse des Bösen dar, die sich bewaffnet, um den Frieden auf der Welt zu bedrohen." Mit dem Anspruch, das Gute auf der Welt zu verkörpern („unsere Sache ist gerecht"), werde Amerika „Terroristen und Regime, die in den Besitz von chemischen, biologischen oder nuklearen Waffen gelangen wollen, davon abhalten, die Vereinigten Staaten und die Welt zu bedrohen." Und zwar sofort, da der „Preis der Gleichgültigkeit" zu hoch sei. An dieser Stelle, so hat man das Gefühl, will George W. Bush unbedingt das, was vor vier Monaten geschehen ist und fast 3000 Menschen das Leben gekostet hat, vergessen machen. Mit einer massiven Drohung lenkt er ab von der schmerzlichen Erfahrung der Verwundbarkeit der mächtigsten Nation der Erde, lässt sich mit keiner Silbe, mit keiner Andeutung von Nachdenklichkeit auf die Gründe und Hintergründe dieses unfasslichen Geschehens ein, sondern schmettert seine Kampfansage in den Saal: „Und alle Länder sollten wissen: Amerika wird das für die Sicherheit seines Landes Erforderliche tun." Um dann gleich eine Ankündigung nachzuschieben, die man nicht anders als die erste Fassung jener „Doktrin der Preemption" verstehen kann, wie sie in die im September desselben Jahres vorgelegte neue *National Security Strategy* eingegangen ist: „Ich werde nicht auf Ereignisse warten, während die Gefahren zunehmen. Ich werde nicht untätig zusehen, während die Gefahr näher und näher kommt. Die Vereinigten Staaten von Amerika werden es den gefährlichsten Regimen der Welt nicht erlauben, sie mit den zerstörerischsten Waffen der Welt zu bedrohen." Als Folge dieser Aussage, die mitten im begonnenen „Krieg gegen den Terrorismus" erfolgt, der bereits eine Milliarde Dollar pro Monat verschlingt, verlangt Bush in seiner Haushaltsvorlage „die größte Steigerung der Verteidigungsausgaben seit zwanzig Jahren."

Die Sprache dieser Rede an die Nation nähert sich mehrfach einem Glaubensbekenntnis. Gerade in Zeiten der Tragödie sei Gott nah. Als habe er ein Erweckungserlebnis erfahren, konstatiert der Präsident: „Das Böse ist real, und es muss bekämpft werden." Von hier aus ist es nur noch ein kleiner Schritt bis zu jenem Sendungsbewusstsein, das die kommenden Jahre des *War on Terrorism* der Ära Bush prägen sollte: „In einem einzigen Augenblick haben wir erkannt, dass dies ein entscheidendes Jahrzehnt in der Geschichte der Freiheit sein wird, dass wir zu einer einzigartigen Rolle in der Geschichte der Menschheit aufgerufen wurden. Die Welt hat sich selten einer klareren oder konsequenteren Entscheidung gegenüber gesehen." Bei der nächsten Rede an die Nation, am 28. Januar 2003, ist die Entscheidung schon gefallen.

Ein Großteil der Ansprache bereitet die amerikanische Öffentlichkeit auf den knapp zwei Monate später beginnenden Krieg gegen Saddam Hussein vor. Fünf Mal hintereinander werden Belege zitiert zu angeblichen Waffenprogrammen des Diktators in Bagdad von geradezu apokalyptischen Ausmaßen – und jedes Mal schließt der Präsident sein Horrorbild mit dem Satz ab: „Er hat keine Beweise vorgelegt, dass er es zerstört hat." Die schon erwähnte Beweis-Rede von Außenminister Colin Powell wird für den 5. Februar angekündigt. Bush instrumentalisiert den Schock von Nine-Eleven für seinen feststehenden Angriffsplan: „Stellen Sie sich diese 19 Luftpiraten mit anderen Waffen und anderen Plänen vor – dieses Mal von Saddam Hussein bewaffnet." Der Präsident vertraut auf den amerikanischen Sieg in diesem „aufgezwungenen Krieg", aber auch „in den liebenden Gott, der hinter allem Leben und der gesamten Geschichte steht."

Ein Jahr später (Rede vom 21. Januar 2004) hat Bush den Irak-Krieg im engeren Sinne schon siegreich abgeschlossen und verbirgt nicht seine Genugtuung darüber, dass Saddam Hussein gefangen und 45 seiner 55 wichtigsten Mitstreiter ausgeschaltet sind. Jetzt habe man es nur noch mit den „Überresten gewalttätiger Saddam-Anhänger" zu tun. Zugleich scheint sich aber irgendwie die Beweislast umgekehrt zu haben: Der Präsident beharrt darauf, dass zahlreiche irakische „Aktivitäten

124

im Zusammenhang mit Programmen für Massenvernichtungswaffen" aufgedeckt worden seien, und folgert daraus: „Hätten wir nicht gehandelt, würden die Programme für Massenvernichtungswaffen des Diktators bis zum heutigen Tag fortgeführt. Hätten wir nicht gehandelt, hätten sich die Resolutionen des Sicherheitsrats als leere Drohungen entpuppt, die Vereinten Nationen geschwächt sowie Diktatoren auf der ganzen Welt zu Widerstand ermutigt." Diese Äußerung erfolgt zu einer Zeit, zu der für die übrige Welt bereits feststeht, dass es im Irak keine Programme zur Herstellung von Massenvernichtungswaffen gab und dass die Vereinten Nationen durch das nichtautorisierte amerikanische Vorgehen gegen Saddam Hussein in schädlicher Weise auf die Seite gedrängt wurden.

Der Feldzug für die Freiheit

Bei dieser Gelegenheit beginnt Bush auch für seinen nun längst über den Irak hinausweisenden Freiheits-Feldzug zu werben.[35] Den Ansatzpunkt dafür findet er einmal mehr in seiner religiösen Überzeugung: „Meiner Ansicht nach hat Gott in jedem menschlichen Herz den Wunsch nach einem Leben in Freiheit gesät, selbst wenn dieser Wunsch jahrzehntelang durch Tyrannei unterdrückt wurde, wird er wieder entstehen." Um diesen Prozess zu beschleunigen, verfolgten die Vereinigten Staaten als „eine Nation mit einer Mission", die sich ihrer „besonderen Berufung" bewusst sei, „eine zukunftsorientierte Strategie der Freiheit in der gesamten Region des Nahen Ostens". Ein Jahr später (am 2. Februar 2005) bildet diese nun weiterentwickelte und nicht ohne Pathos vorgetragene Freiheits-Doktrin einen krassen Gegensatz zu den tatsächlichen Vorgängen auf den Schauplätzen des Geschehens in Afghanistan, im Irak und im gesamten Nahen Osten:

„Der Angriff auf die Freiheit in unserer Welt hat unser Vertrauen in die Macht der Freiheit bestärkt, die Welt zu verändern. Wir sind alle Teile eines großen Unterfangens: Der

Ausdehnung des Versprechens der Freiheit in unserem Land, der Erneuerung der Werte, auf die unsere Freiheit gründet, und der Verbreitung des Friedens, den die Freiheit mit sich bringt. Franklin Roosevelt erinnerte die Amerikaner einst: ‚Jedes Zeitalter ist entweder ein sterbender oder ein entstehender Traum.' Und wir leben in dem Land, in dem die großartigsten Träume entstehen. Die Abschaffung der Sklaverei war nur ein Traum – bis er in Erfüllung ging. Die Befreiung Europas vom Faschismus war nur ein Traum – bis sie erreicht wurde. Der Zusammenbruch des imperialen Kommunismus war nur ein Traum – bis er stattfand. Unsere Generation hat eigene Träume, und wir schreiten ebenfalls selbstbewusst voran. Der Weg der Vorsehung ist uneben und unvorhersagbar – und dennoch wissen wir, wohin er führt: Er führt in die Freiheit."

Dabei fand sich in dieser *State-of-the-Union*-Rede durchaus ein nachdenklicher Satz über die Hintergründe des Terrorismus, in dem der Präsident feststellt: „Langfristig kann der von uns angestrebte Frieden nur durch die Bekämpfung der Umstände erreicht werden, unter denen Radikalismus und mörderische Ideologien gedeihen. Wenn ganze Regionen der Welt verzweifelt und hasserfüllt bleiben, werden sie zu Anwerbestellen für den Terror, und dieser Terror wird die Vereinigten Staaten und andere freie Nationen jahrzehntelang verfolgen." Das Problem ist nur, dass für ihn die Antwort nicht etwa in einer Politik des globalen Chancenausgleichs und einer faireren Weltordnung liegt, wie sie kurz darauf der Weltgipfel von 2005 mit seiner Bekräftigung der Millenniums-Ziele beeindruckend unterstreichen sollte, sondern eben in seinem Freiheits-Feldzug. Seine Antwort lautet: „Die einzige Kraft, die stark genug ist, Tyrannen und Terror Einhalt zu gebieten und Hass durch Hoffnung zu ersetzen, ist die Kraft der menschlichen Freiheit." Und eine Erläuterung, wie Washington sich die Mobilisierung dieser Kraft vorstellt, wird sofort am Beispiel des Iran geliefert, der zur Zeit ein „Hauptsponsor des Terrors auf der Welt" sei, der den Besitz von Atomwaffen anstrebe und der sein Volk der Freiheit beraube, „die es sich wünscht und verdient". Diesem Volk ruft George W. Bush zu: „Wenn Sie für Ihre eigene Freiheit einstehen, stehen die Vereinigten Staaten an Ihrer Seite." Weltweit wurde das als unverhohlener Aufruf zur Erhebung gegen das Mullah-Regime in Teheran gedeutet, um – auf eine andere Weise als im Irak – auch dort einen *Regime Change* im Namen der Freiheit zu erreichen. Und das geschah zu einem Zeitpunkt, zu dem die Verhandlungen zwischen den europäischen Drei (Deutschland, Frankreich, Großbritannien) und der iranischen Führung über die Unterbrechung ihrer Nuklearprogramme schon fast zwei Jahre liefen – zuletzt mit amerikanischer Beteiligung.

2006 nimmt in dem Bericht zur Lage der Nation vom 31. Januar der Kampf gegen den Terrorismus weltweit und im eigenen Land den allergrößten Raum ein. Die Förderung der Freiheit, die in Afghanistan, im Irak, im Libanon und in Ägypten Fortschritte erzielt habe, dürfe auch vor Ländern wie Syrien, Burma, Simbabwe, Nordkorea und Iran nicht Halt machen. Ausführlich widmet sich der Präsident der inneramerikanischen Diskussion über die Strategie im Irak und warnt vor einem „plötzlichen Rückzug" der Streitkräfte. Einen „künstlichen Zeitplan für einen Truppenrückzug" werde es nicht geben. Die Schwierigkeiten, die es im Irak gibt, werden mehr als deutlich. Umso stärker betont Bush aber seine Entschlossenheit, die Ausbreitung der Demokratie in der gesamten Großregion Nahost voranzutreiben. Auch 2007 (Rede vom 23. Januar) bleibt Amerika für den Präsidenten ein Land, „das sich im Krieg befindet", obwohl es an vielen Orten im Nahen Osten Fortschritte gegeben habe. Was den Irak angeht, ist Bush aber gezwungen, für Truppenverstärkungen von zusätzlichen 20 000 Soldaten zu werben. Er beschwört den Kongress geradezu, ein Scheitern im Irak, mit all den Konsequenzen, die das für die gesamte Region hätte, nicht zuzulassen und bittet ihn darum, die Gesamtstärke der amerikanischen Streitkräfte um 92 000 Mann für die nächsten fünf Jahre zu erhöhen.

Am Ende des internationalen Teils der Rede fallen neue Töne auf. „Amerikanische Politik" – so versichert der Präsident – „ist mehr als Krieg und Diplomatie". Man höre auch „den Ruf nach der Bewältigung der Herausforderungen durch Hunger, Armut und Krankheit", weshalb der Kongress gebeten wird, dem *Millennium Challenge Account* zuzustimmen. Das wird sich bei der *State-of-the-Union*-Rede für 2008 am 28. Januar fortsetzen, wo Amerika „eine Kraft für das Gute" genannt wird und Amerikaner „mitfühlende Menschen", die sich auch im Kampf gegen HIV/Aids und andere Krankheiten sowie im Kampf gegen den Hunger auf der Welt engagieren. Aber die Fortsetzung des *War on Terrorism* prägt auch diesen Bericht zu Beginn des letzten Amtsjahres des Präsidenten. Er konstatiert im Irak Fortschritte als Folge der veränderten Strategie, sieht den Feind Al Qaida auf der Flucht, warnt aber vor einem zu schnellen Rückzug. Und auch diesmal fehlen nicht die Warnungen an den Iran, der Terroristen im Irak und im Libanon unterstütze und seine nuklearen Fähigkeiten in nicht akzeptabler Weise ausbaue.

Man kann Präsident Bush Beharrlichkeit und Konsequenz bei seiner Deutung der Ereignisse und bei seinen politischen Antworten nicht absprechen. Der Terrorismus hat Amerika am 11. September 2001 den Krieg erklärt. Die Antwort in Afghanistan, wohin die Spuren der Täter führen, lässt nicht lange auf sich warten. Dafür erhält Amerika grünes Licht von den Vereinten Nationen und Unterstützung von fast allen Ländern. Der rasche vorläufige Erfolg, begründet auf militärischer Überlegenheit, wirft die Frage auf, was jetzt passieren soll. Bush erweitert den *War on terrorism* auf schon vor Nine-Eleven ausgemachte Bösewichter, auf die sogenannten „Schurkenstaaten" der „Achse des Bösen" mit dem Irak an der Spitze. Der Vorhalt verbotener Arbeiten an Massenvernichtungswaffen und Querverbindungen zu Terrororganisationen sollen die Rechtfertigung liefern, wofür aber überzeugende Beweise nicht vorgelegt werden können. Wo die völkerrechtliche Legitimation für den Angriff auf den Irak ausbleibt und zum multilateralen Vorgehen die Partner fehlen, tritt die *Coalition of the Willing* auf, als Begleitung für ein in eigener Verantwortung handelndes Amerika, das einen höheren Auftrag erfüllt.

Es geht gar nicht mehr um Saddam Hussein allein, sondern um die Erweiterung des Reichs der Freiheit auf Erden über eine kreuzzugartige Ausbreitung der Demokratie, vor allem in der Großregion des erweiterten Nahen Ostens. Die Realitäten geraten immer mehr in einen krassen Gegensatz zu den hehren Zielen: Der weltweite Netzwerk-Terrorismus gibt nicht auf und meldet sich aus den verschiedensten Ecken der Welt mit seinen Anschlägen. Und nach den schnellen Waffenerfolgen in Afghanistan und im Irak formiert sich dort ein Widerstand, der immer mehr amerikanische Kräfte bindet. Das brutale Vorgehen der Widersacher Amerikas wird als Rechtfertigung für ebensolche Antworten genommen. Aber Guantanamo, Abu Ghraib, *Water Boarding* – das werden Stichworte für die Diskreditierung des Freiheitsfeldzuges von Präsident Bush und sie schaden dem amerikanischen Ansehen in der Welt. In den letzten Jahren der Bush-Administration verbessert sich die Zusammenarbeit mit Partnern und Verbündeten auf der Basis des Interesses an einer gemeinsamen Antwort auf die Herausforderungen, die sich inzwischen längst erweitert haben – von Afghanistan und Irak über die Frage des Nahostfriedens bis zu den anderen Krisenschauplätzen in Afrika (Sudan, Kongo, Somalia, Simbabwe) oder in Pakistan und Indien, aber auch im Zusammenhang mit den Fragen von Energieversorgung, Wassermangel, Lebensmittelknappheit und Klimaschutz. Zum Schluss lässt sich aber gerade auch in Europa ein gewisser Attentismus nicht übersehen – man setzt auf Bushs Nachfolger im Weißen Haus.

Der ist sich seiner Lage sehr gut bewusst. In seiner *Victory Speech* am 5. November 2008 brauchte Barack Obama nur 13 Worte, um die Startbedingungen für seine Präsidentschaft auf den Punkt zu bringen: „two wars, a planet in peril, the worst financial crisis in a century". Er hat ein Land mit einem Haushaltsdefizit in 2008 von 455 Milliarden Dollar (3,2 Prozent des BSP) und einer Gesamtstaatsverschuldung von 10,6 Billionen Dollar übernommen, die Finanzkrise hat sich längst zur Wirtschaftskrise mit der Bedrohung von Millionen von Arbeitsplätzen ausgewachsen, am akutesten bei der US-Autoindustrie, und die 95 Prozent der Einkommensbezieher, denen Obama Steuersenkungen versprochen hat, werden ihn an diese Zusage erinnern. Niemand kann jetzt etwas anderes erwarten, als eine volle Konzentration der neuen Administration auf die aktuelle Wirtschaftslage. Da überrascht es nicht, dass der neue Präsident in der Außen- und Sicherheitspolitik personell zunächst auf Erfahrung und Kontinuität setzt: mit Hillary Clinton als Außenministerin, dem amtierenden Robert Gates als Chef des Pentagons und General a. D. James Jones als Nationalem Sicherheitsberater. Dass er seine engste außenpolitische Beraterin Susan Rice als UNO-Botschafterin mit Kabinettsrang in die „unverzichtbare, aber unvollkommene" Weltorganisation am Hudson River geschickt hat, interpretieren viele bereits als Start in eine Renaissance des amerikanischen Multilateralismus.

Personelle Kontinuität in der Außenpolitik und absolute Priorität für das Krisenmanagement muss nicht heißen, dass die Signale ausbleiben, die gerade in den prägenden Anfangsphasen einer neuen Administration so wichtig sind. Anstatt zu spekulieren, was kommen könnte, will ich hier meinen ganz persönlichen „Wunschzettel" anfügen, der in elf Punkten aufzählt, mit welchen Maßnahmen Barack Obama innerhalb kürzester Zeit das Verhältnis der Vereinigten Staaten zur gesamten übrigen Welt auf eine völlig neue Grundlage stellen könnte:

1. Tatsächlich Guantanamo schließen, die Gefangenen an die zuständigen Gerichte überstellen und jegliche Folteranwendung auch gegenüber Terrorismus-Verdächtigen unter Strafe stellen, wie bereits in ähnlicher Form angekündigt;
2. Während der ersten 100 Tage eine Rede an einem Ort der islamischen Welt zum Dialog der Kulturen und zur Zusammenarbeit der westlichen mit der islamischen Welt bei der Beantwortung globaler Herausforderungen halten, wie bereits in ähnlicher Form angekündigt;
3. Konkrete erste Schritte für den amerikanischen Abzug aus dem Irak bekannt geben, verbunden mit Hinweisen darauf, wie sich Washington die Fortsetzung eines breit angelegten regionalen Friedens- und Stabilisierungsprozesses vorstellt;
4. Einen neuen Verständigungsprozess über das weitere internationale Vorgehen in Afghanistan anstoßen (*Afghanistan Compact II*) und als Auftakt dazu Anweisungen für die Einsatzregeln in Afghanistan geben, die das Risiko ziviler Opfer bei bewaffneten Einsätzen deutlich reduzieren;
5. Gemeinsam mit den arabischen Ländern und der EU einen Gesamtplan zur Unterstützung von Stabilität und Sicherheit in Pakistan auf den Weg bringen, der auch gemeinsame indisch-pakistanische Vorgehensweisen gegen terroristische Aktivitäten ermutigt;
6. Die klare Aussage, dass die amerikanische Regierung zu Direktgesprächen mit der iranischen Führung bereit ist, die neben dem Nuklearprogramm auch iranische Sicherheitsinteressen und die Rolle des Iran bei der Lösung von regionalen Konflikten zum Gegenstand haben sollen, mit einem Stufenplan verbunden, der beide Seiten zu einem Dialog auf dieser Ebene hinführen soll;
7. Anders als seine Vorgänger Bill Clinton und George W. Bush nicht erst am Ende seiner Amtszeit, sondern gleich zu Beginn den steckengebliebenen Verhandlungsprozess für eine Friedenslösung im Nahen Osten auf der Basis zweier lebensfähiger Staaten mit vollem Risiko aufnehmen und

dabei sowohl gegenüber Israel wie gegenüber den Vertretern der Palästinenser die erneuerte Autorität der Vereinigten Staaten einsetzen;

8. Im Vorfeld des Jubiläumsgipfels der NATO in Frankreich und Deutschland die amerikanische Bereitschaft erklären, alle noch offenen Fragen der NATO-Erweiterung vorerst zurückzustellen und ihre Klärung als Auftrag an die Gremien zu übertragen, die in der Verantwortung für die Fortschreibung der künftigen NATO-Strategie (*Strategisches Konzept*) stehen;

9. Der russischen Seite gegenüber Offenheit für einen Dialog über eine europäisch-transatlantische Sicherheitsarchitektur bekunden, wie ihn Präsident Medwedjew angeregt hat, und zugleich eine Fortsetzung der Gespräche über ein gemeinsames oder gemeinsam zu nutzendes Raketenabwehrsystem anbieten;

10. Gemeinsam mit Russland einen Vorstoß zu einer neuen Stufe atomarer Abrüstung und Rüstungsbegrenzung so vorbereiten, dass dieser noch im Vorfeld der Überprüfungskonferenz des Nichtverbreitungsvertrages des Jahres 2010 politisch wirksam werden kann;

11. Erklären, dass die Vereinigten Staaten bereit sind, sich wieder aktiv in die UN-geleitete Klimapolitik einzubringen, mit dem Ziel erfolgreicher Verhandlungen über ein Nachfolgeabkommen des Kyoto-Protokolls.

Die Antrittsrede des neuen Präsidenten konzentrierte sich erwartungsgemäß auf die innenpolitischen Aufgaben angesichts der Finanz- und Wirtschaftskrise. Aber Barack Obama sandte auch ein positives Signal an die islamische Welt mit der Ankündigung, sich um verbesserte Beziehungen im Geist „des beiderseitigen Interesses und des gegenseitigen Respekts" bemühen zu wollen. Mehrere Punkte meines „Wunschzettels" kreuzen sich mit Absichten, Konzepten oder konkreten Aktivitäten der deutschen Politik auf internationaler Ebene, und wir werden bei den einschlägigen Kapiteln erneut auf sie treffen.[36] Bei zwei der gewünschten Initiativen taucht als Partner die Russische Föderation auf. Als was für ein Partner in Sachen Weltfrieden sich Russland heute erweist, das soll Gegenstand des folgenden Kapitels sein.

Russland

Strategische Partnerschaft

Die Russische Föderation ist der große Nachbarstaat Deutschlands und der EU im Osten, mit dem die Beziehungen auf der festen Grundlage gemeinsamer Regeln und regelmäßiger Treffen gepflegt werden. Den Rahmen für die EU-Russland-Beziehungen bietet das *Partnerschafts- und Kooperationsabkommen* (PKA) von 1997, das zwar nach zehn Jahren im November 2007 abgelaufen ist, aber sich automatisch jahresweise verlängert, solange keine Kündigung erfolgt. In vier Bereichen, den sogenannten „Gemeinsamen Räumen", erfolgt eine vertiefte Zusammenarbeit: bei der äußeren Sicherheit, der inneren Sicherheit, im Bereich der Wirtschaft und im Feld von Bildung, Wissenschaft und Kultur. Zweimal im Jahr bieten EU-Russland-Gipfel, immer abwechselnd in Russland und im EU-Land mit der Ratspräsidentschaft ausgerichtet, Gelegenheit zu einem intensiven Austausch und zum Anstoß neuer gemeinsamer Initiativen. Während der deutschen Ratspräsidentschaft in der ersten Hälfte des Jahres 2007 sollten nach gründlicher Vorarbeit eigentlich die Verhandlungen über ein neues Partnerschafts- und Kooperationsabkommen beginnen, aber wegen einer Auseinandersetzung um polnische Fleischexporte nach Russland musste das verschoben werden – denn das Verhandlungsmandat brauchte auch die Zustimmung aus Warschau.

Solche Vorgänge irritieren Moskau. Ein Kollektiv als Partner, bei dem immer alle 27 Stimmen benötigt werden, und dann das schwer durchschaubare Geflecht der Brüsseler Entscheidungsabläufe behagt einem System, das auf einen fast omnipotenten Präsidenten zugeschnitten ist, nicht. Moskau bevorzugt die bilaterale Ebene, egal ob mit Washington, Paris oder Berlin. Ein guter persönlicher Kontakt kann dann den Ausschlag geben. Wo immer es geht, setzt die russische Führung auf diese Karte. Auf dieser Grundlage wuchs auch der besonders intensive Austausch mit Deutschland heran. Zweimal im Jahr finden Regierungskonsultationen beider Länder statt, und eine *Strategische Arbeitsgruppe* mit den wichtigsten Wirtschaftsführern, auf deutscher Seite im Ostausschuss der Deutschen Wirtschaft organisiert, sorgt für stetige Zuwächse im Handelsvolumen. Plusraten von 35 Prozent (2006) oder 25 Prozent (2007) steigern jährlich das Volumen, das 2007 die Marke von 57 Milliarden Euro überschritt. Mehr als 4500 deutsche Firmen engagieren sich im Russlandgeschäft, beim Partner geschätzt, weil viele von ihnen auch harte „Pionierzeiten" durchgestanden haben und weniger auf das schnelle Geschäft, als auf die dauerhafte Zusammenarbeit hinarbeiten.

Natürlich bildet der mächtige Energiesektor das Rückgrat dieses Austausches. Wie die gesamte EU verlässt sich auch Deutschland bei mehr als 30 Prozent seiner Öl- und Gasimporte auf russische Lieferungen. Kommt dann die kritische Frage, ob man sich damit nicht zu sehr abhängig von diesem Lieferanten mache, fehlt nie der Hinweis auf dieselbe Abhängigkeit Russlands, das bis zu 75 Prozent seiner Energieexportgeschäfte mit der EU tätigt.

Was Deutschland betrifft, bleibt es aber nicht allein bei prächtig gedeihenden Wirtschaftsbeziehungen. Der schwierigen Vergangenheit zum Trotz schafft ein ganzes Geflecht von Organisationen und Initiativen zahllose Begegnungs- und Austauschbeziehungen – in der Politik, in Wissenschaft und Kultur und auch im Alltagsleben. Registriert sind mehr als 100 deutsch-russische Städtepartnerschaften, bei unterschiedlicher Intensität ihrer Aktivitäten, neben dem *Deutsch-Russischen Fo-*

rum bemühen sich noch zahlreiche andere Nichtregierungsorganisationen um Kontakte und Begegnungen, und seit dem
Jahr 2000, angestoßen vom damaligen Bundeskanzler Gerhard
Schröder im Verein mit dem damaligen russischen Präsidenten Wladimir Putin, versucht der *Petersburger Dialog* die Zivil-
gesellschaften beider Länder einander näher zu bringen. Zu den
wichtigsten Erfolgen des *Petersburger Dialogs* gehört ein neuer
Anlauf, den deutsch-russischen Jugendaustausch zu intensivieren und damit einer nach dem Ende des Kalten Krieges zu be-
obachtenden Tendenz auf beiden Seiten gegenzusteuern, sich
für die Sprache, Geschichte und Kultur der anderen Seite nicht
mehr so lebhaft zu interessieren wie zu früheren Zeiten.

Addiert man alles, was in Wirtschaft, Gesellschaft, Wissenschaft und Kultur an gemeinsamer Arbeit geleistet wird, dann
ließe sich allein aus dem Umfang dieser Aktivitäten schon eine
Rechtfertigung für den Griff nach der Definition „Strategische
Partnerschaft" für das Quantum der deutsch-russischen Zusammenarbeit herleiten. Aber auch wer erwartet, dass eine solche Wortwahl eigentlich die gemeinsame Verfolgung gemeinsamer politischer Interessen voraussetzt, fände geeignete
Argumente. Der Westen braucht Russland tatsächlich als kons-
truktiven Partner bei der Lösung von Problemen verschiedens-
ter Art. Moskau ist – neben UNO, USA und EU – Mitglied des
Nahostquartetts, mit belastbaren Interessen an Frieden und Stabilität in dieser Region. Der Einfluss Russlands auf dem Balkan
und in Südosteuropa erwächst aus einer langen historischen
Wechselbeziehung und machte das Land zu Recht zu einem
aktiven Mitglied in der *Balkankontaktgruppe*. Wie die Europäer
zeigte Russland früh ein Interesse daran, bei dem komplizierten Konflikt mit dem Iran wegen dessen Nuklearaktivitäten zu
einer Verhandlungslösung zu gelangen. Und trotz aller Mei-
nungsunterschiede im Detail und besonders, wenn ein Konsens über Sanktionen gefunden werden musste, reichten die
Gemeinsamkeiten in der Vergangenheit doch aus, um am
Ende innerhalb der Gruppe „E3+3" (Frankreich, Großbritan-

nien, Deutschland, USA, Russland und China) immer wieder zu gemeinsamen Ergebnissen zu kommen. Auch im Afghanistankonflikt baut der Westen auf die Zusammenarbeit mit Russland, das dort in den 80er Jahren des vergangenen Jahrhunderts seine eigenen Erfahrungen mit einer militärischen Intervention gemacht hat. Was bei den großen Regionalkonflikten der Fall ist, gilt auch bei den globalen Herausforderungen: Russland wird gebraucht. Moskau tritt beharrlich für eine führende Rolle der Vereinten Nationen ein und stärkt die UNO. Und es verdient Anerkennung, dass Russland sich mit seiner Ratifizierung des Kyoto-Protokolls eingereiht hat in die Staatengruppe, die Partner im Kampf gegen den Klimawandel sein wollen, obwohl die Vereinigten Staaten sich zu diesem Schritt bisher nicht entschließen konnten.

2007 oder die angesagten Probleme

Als im August 2008 der Kaukasus-Krieg die Weltöffentlichkeit aufschreckte und ein eisiger Hauch in die Beziehungen des Westens mit Russland fuhr, kam das in Wirklichkeit nicht überraschend. Das Jahr 2007 hatte schon mit einem Paukenschlag begonnen. Ich saß selber im Saal des Hotels „Bayerischer Hof", dem traditionellen Austragungsort der alljährlichen *Münchner Sicherheitskonferenz*, als dort der russische Präsident Wladimir Putin am 10. Februar seine berühmt gewordene Rede hielt. Die Gesichter der amerikanischen Senatoren, der führenden NATO-Vertreter sowie der Außen- und Verteidigungsminister zahlreicher europäischer Länder in den ersten Reihen des dicht bestuhlten Konferenzraums versteinerten sich, während das Stakkato des Gastes aus Moskau, von dem man sonst eher eine unterkühlte und emotionslose Vortragsweise gewohnt war, immer leidenschaftlicher, vorwurfsvoller und schneller wurde, so dass die Dolmetscher schließlich größte Mühe hatten, mitzuhalten. Putin warf den Vereinigten Staaten vor, sich im Rahmen einer monopolaren Ordnung die Weltherrschaft aneignen zu wollen und dabei – mit Anspielung auf den nichtgenannten Irak-Krieg – entgegen dem geltenden Völkerrecht Gewalt anzuwenden. Er bezeichnete die militärischen Aktivitäten der USA im Weltraum und ihre Pläne für ein in Europa stationiertes Raketenabwehrsystem als Schritte zu einem neuen Wettrüsten und beklagte die mangelnde Bereitschaft der westlichen Länder, endlich den *Vertrag über konventionelle Streitkräfte in Europa* (KSE) zu ratifizieren. Die Osterweiterung der NATO nannte der russische Präsident einen „provozierenden Faktor" und erinnerte an die nichteingehaltenen Zusagen der Allianz, jenseits der Grenzen der Bundesrepublik keine militärischen Stationierungen vorzunehmen. Und mit dem Satz „Man darf die UNO nicht durch die NATO oder die EU ersetzen" drückte er den ganzen angestauten Moskauer Unmut über das aus, was sich der Westen aus einer Position der Stärke heraus international anmaße.

Später sollte sich herausstellen, dass diese Rede tatsächlich eine öffentliche Ansage gesteigerter russischer Konfliktbereitschaft war. Das wurde eine lange Liste für das Jahr 2007. Da gab es den Streit um polnische Fleischexporte nach Russland, der über ein Nein Warschaus zu einem EU-Verhandlungsmandat die Aufnahme von europäisch-russischen Gesprächen über ein neues Partnerschafts- und Kooperationsabkommen bis in den Herbst 2008 verschob. Als die estnische Regierung die Verlegung eines Kriegerdenkmals für sowjetische Opfer des Zweiten Weltkrieges (*Aljoscha*) aus dem Stadtzentrum von Tallin verfügte, antwortete Moskau mit drakonischen Gegenmaßnahmen bis hin zu einem Hacker-Angriff auf estnische Regierungsorgane. Als bei einer Ausschreibung für eine große litauische Raffinerie die polnischen Bieter statt der russischen den Zuschlag erhielten, tauchten plötzlich technische Schwierigkeiten bei der russischen Ölpipeline zu dieser Raffinerie auf, die sich fortan angeblich nicht mehr beheben ließen. Auch als Antwort auf diese Vorfälle verstärkte Polen zusammen mit den baltischen Republiken den Widerstand gegen die von Gazprom und zwei deutschen Konzernen projektierte Ostseepipeline (*North Stream*). Einen Tiefpunkt erreichte in diesem Jahr das russisch-britische Verhältnis, angeheizt durch den mysteriösen Mord an dem russischen Ex-Agenten Litwinenko in London. Die Aktivitäten von BP und Shell im fernen Osten Russlands auf der Halbinsel Sachalin und in Kowykta sahen sich plötzlich durch russische Forderungen nach Vertragsänderungen infrage gestellt, während der Arbeit des *British Council* in Russland parallel die rechtliche Basis entzogen wurde.

Russische Energielieferungen nach Westeuropa galten über Jahrzehnte hinweg als stabil und zuverlässig und sie überlebten unbeschadet nicht nur die Konflikte des Kalten Krieges, sondern auch die großen politischen Brüche der Perestrojka und der Auflösung der Sowjetunion. Aber als sich Moskau zu den Jahresanfängen 2005 und dann erneut 2006 erst mit Kiew und dann mit Minsk über die Preise von Energielieferungen nicht einig werden konnte, wurde einfach der Durchlauf durch die Pipelines reduziert, mit negativen Folgen auch für die westeuropäischen Kunden. Sofort begann in der EU eine öffentliche Diskussion über die Zuverlässigkeit der russischen Lieferungen, über das Problem einer zu hohen Abhängigkeit von Russland im Energiesektor und über die Frage von Diversifizierungsstrategien. Am Ende mussten die beiden EU-Russland-Gipfel des Jahres 2007 in Samara und im portugiesischen Mafra dieses Thema auf die Tagesordnung setzen und eine Art Frühwarnsystem ausarbeiten, damit sich die westlichen Klienten im Ernstfall wenigstens rechtzeitig um Ersatzlieferungen bemühen konnten. Das Prestige von Russland als Energiepartner für die EU erlitt schon bei dieser Gelegenheit erheblichen Schaden.

Eine weit dramatischere Störung haben wir zu Beginn des Jahres 2009 erlebt. Wieder bildeten gescheiterte Preisverhandlungen den Ausgangspunkt, und am Neujahrstag reduzierte der russische Konzern Gazprom seine Einleitungen in das Netz um die für den ukrainischen Verbrauch bestimmte Menge. Danach kam aber bei den europäischen Abnehmern zu wenig Gas an, wofür sich die beiden Konzerne Gazprom und Naftogas (Ukraine) gegenseitig die Schuld zuschoben. Am 7. Januar war die Gaszufuhr vollends unterbrochen, und das mitten in tiefwinterlichen Wetterverhältnissen. Das hatte ernste Folgen vor allem für einige Abnehmer in Ost- und Südosteuropa. In der Slowakei, Bulgarien, Serbien, Bosnien-Herzegowina und Makedonien, alles Länder, die ihr Gas zu 100 Prozent aus Russland beziehen, musste die Industrieproduktion teilweise unterbrochen werden, und in den ungeheizten Wohnungen froren die Menschen. Am 8. Januar 2009 rief mich der serbische Außenminister Vuk Jeremić im Amt an und bat mich im Auftrag von Präsident Tadić dringend um deutsche Hilfe, weil ein völliges Versiegen der Gaszufuhr das Land gleich für mehrere Tage im wahrsten Sinne des Wortes kalt gestellt hätte. In diesem Fall gelang es, mit Hilfe des Konzerns *E.ON Ruhrgas* und über Ungarn tatsächlich Solidarität zu zeigen und mit einer Menge von drei Millionen Kubikmetern Gas pro Tag auszuhelfen. Bei den anderen Ländern war das schon aus technischen Gründen nur zum Teil möglich.

Zwar hatte das bereits am 19. Dezember 2008 aktivierte Frühwarnsystem funktioniert, aber in der europäischen Öffentlichkeit fehlte jedes Verständnis für diesen Streit, der auf dem Rücken der zahlenden Kundschaft ausgetragen wurde. Es war eindeutig, dass beide Länder sich einen politischen Vorteil von harten Bandagen erwarteten: Moskau schien die Gelegenheit günstig, Kiew als Gasdieb anzuprangern und damit für die weitere Integration in die euroatlantischen Strukturen zu diskreditieren. Umgekehrt glaubte Kiew, sich einmal mehr als wehrloses Opfer russischer Willkür darstellen und damit Pluspunkte bei seinen EU- und NATO-Ambitionen sammeln zu können. Beide Rechnungen gingen nicht auf. Zwar konnte sich Putin am 18. Januar 2009 mit seiner ukrainischen Kollegin Timoschenko auf eine Wiederaufnahme der Lieferungen zu neuen Preisen einigen, worauf einen Tag später die beiden

Konzerne Gazprom und Naftogas einen entsprechenden Zehn-Jahres-Vertrag unterzeichneten. Und am 21. Januar kam dann, nach zweiwöchiger Unterbrechung, auch wieder erstes russisches Gas im Westen und Südosten Europas an. Aber zurück blieb der Eindruck eines unzuverlässigen Lieferanten Russland und eines die Regeln verletzenden Transitlandes Ukraine und damit für beide Kontrahenten ein Ansehensverlust mit politischen Folgen: Sofort verstärkte sich innerhalb der EU wieder die Diskussion, wie sich der Energiebezug anders verteilen und von Russland unabhängiger gestalten ließe.

Doch nun zurück zum Jahr 2007, wo leider die Energiekooperation nicht das Einzige war, was sich zum Schlechten wandte. Moskau zog aus der von Putin in München schon angesprochenen Frustration über die Nichtbewegung bei dem wichtigen KSE-Vertrag über die Begrenzung konventioneller Rüstung in Europa die Konsequenzen und setzte dessen Gültigkeit über ein Moratorium zum 12. Dezember 2007 aus, ungeachtet aller Bemühungen gerade auch des deutschen Außenministers Frank-Walter Steinmeier, im Dialog mit der russischen Seite diesen Schritt abzuwenden. Mit harten Bandagen versuchte Putin auch weiterhin, eine amerikanische Raketenabwehr mit Abschussrampen in Polen und einer Radaranlage in Tschechien zu verhindern. In diesem Kontext kündigte der Kreml auch massive Investitionen in neue russische Atomtechnologie an. Und auch in einer ganz anderen Frage steuerte das europäisch-russische Verhältnis auf eine ernsthafte Bruchstelle zu: Nach einer Vorgeschichte vieler gemeinsamer Bemühungen, die aber letztlich nicht zu einem konsensfähigen Verhandlungsergebnis geführt hatten, näherte sich mit dem 17. Februar 2008 das Datum, an dem das Kosovo einseitig seine Unabhängigkeit erklärte. Die meisten westlichen Staaten sahen nach den gescheiterten Gesprächen mit Belgrad dazu keine Alternative mehr und erkannten nach und nach diesen Schritt an, während die russische Regierung, die sich am Ende völlig auf die serbische Seite gestellt hatte, diese Entwicklung bis zur letzten Minute zu verhindern versuchte und sich anschließend in einem Zustand ernsthafter Brüskierung und ziemlich vollständiger politischer Isolierung wiederfand.

Eine Entwicklung – zwei Wahrnehmungen

Das alles hatte also schon stattgefunden, bevor die Spannungen im Kaukasus im Sommer 2008 eskalierten. Aber wie lässt sich dieser plötzliche Wandel erklären, der Russland für den Westen im Laufe des Jahres 2007, ziemlich spurgenau entlang der politischen „Ansage" von Präsident Putin bei seinem Münchner Auftritt im Februar, zu einem immer schwierigeren und offensichtlich konfliktbereiteren Partner hatte werden lassen? Ich will den Versuch einer Erklärung machen, der sich auf Widersprüche bezieht, die bei der Betrachtung von zwei Begriffspaaren sichtbar werden: Selbstwahrnehmung versus Außenwahrnehmung sowie gefühlte Schwäche versus gefühlte Stärke.

Als im Dezember des Jahres 1991 die Sowjetunion aufhörte zu existieren und sich in 15 selbstständige Länder auflöste, wurde dies sehr unterschiedlich wahrgenommen. Der Westen zeigte sich erleichtert über das Ende des Kalten Krieges und der Blockkonfrontation, und er feierte den neuen russischen Präsidenten Boris Jelzin, der sich aufmachte, auf den Trümmern des Sowjetimperiums ein neues Russland entstehen zu lassen, gegründet auf westliche Werte wie Demokratie und Marktwirtschaft, Rechtsstaat und Privatisierung, der kämpferisch und siegreich gegen die alten Kräfte der kommunistischen Partei anging, offen für Zusammenarbeit und Partnerschaft mit den westlichen Nachbarn.

Die Menschen in Russland erlebten dieselben Veränderungen auf ganz andere Weise: unmittelbar im Alltagsleben zunächst als wirtschaftlichen Abstieg und den Verlust sozialer Sicherheit, eine Entwicklung, die bei der katastrophalen Wirtschafts- und Währungskatastrophe im Sommer 1998 noch eine existenzbedrohende Steigerung erfuhr. Von der Privatisierung profitierten sichtbar erst einmal nur wenige, nämlich die alles andere als populären Oligarchen, die sich beim unkontrollierten Ausverkauf von Gütern märchenhafte Reichtümer zusammenrafften. Zu dem Eindruck des Chaos trug die Schwäche des Zentrums in Moskau bei, das sich von den aufmüpfigen Regionen ungestraft herausfordern ließ und sich als weitgehend handlungsunfähig erwies, was spätestens mit dem Beginn des ersten Tschetschenienkrieges für alle sichtbar wurde. Das Heldentum des Demokraten Jelzin verblasste aus russischer Sicht rasch, sein Wahlsieg von 1996 über die Kommunisten schien von außen gesteuert, und seine Schwäche hinterließ am Ende nur die Sehnsucht nach der starken Hand.

Diese krasse Auseinanderentwicklung von Außenwahrnehmung und Selbsteinschätzung setzte sich in der Zeit nach dem Millenniums-Wechsel fort. Aus westlicher Sicht verspielte der von Jelzin auf den Präsidentenstuhl gebrachte Wladimir Putin das Erbe seines Vorgängers. Er stellte die Privatisierung infrage und jagte die Oligarchen entweder aus dem Land oder entmachtete und verfolgte sie ostentativ wie den im Westen populären Jukos-Chef Chodorkowskij, er ließ ein autoritäres System wiederentstehen, schränkte Bürgerrechte ein, ließ der Opposition und der Zivilgesellschaft kaum Luft zum Atmen und mähte die bunten Blüten des aufblühenden Regionalismus mit einer rigorosen Wiedererrichtung der Moskauer Zentralmacht nieder.[37]

Aus der Sicht der russischen Bevölkerung sah das völlig anders aus. Der junge, drahtige, im Judosport trainierte Putin löste den am Ende hilfsbedürftig wirkenden Jelzin nicht nur als Präsident ab, sondern beendete das Chaos der 90er Jahre. Moskau wies die Ansprüche der Regionen in die Schranken. Die Einheit und Integrität der Russischen Föderation konnte niemand mehr ohne das Risiko der Bestrafung infrage stellen. Die russischen Sicherheitskräfte ersticken den tschetschenischen Widerstand. Vor allem aber verbinden sich wirtschaftliche Verbesserungen mit dem neuen Herrn im Kreml: In den acht Jahren beschert der Aufschwung der russischen Volkswirtschaft ein durchschnittliches jährliches Wachstum von etwa sechs Prozent. Erstmals wieder kann man sich auf pünktliche Zahlung von Löhnen, Renten und Pensionen verlassen, während noch im vergangenen Jahrzehnt ihr Ausbleiben immer wieder zu teilweise gewaltsamen Unruhen geführt hatte. Reallohnerhöhungen von zehn Prozent jährlich steigern die gute Stimmung, und zumindest in Moskau verschwinden die Bilder von den langen Reihen alter Mütterchen, die am Straßenrand oder an den Metro-Eingängen ihre armselige Habe zum Kauf anbieten oder sogar zum Betteln gezwungen sind – Bilder, die in der Jelzin-Zeit keinem Russland-Besucher erspart blieben.

Nur so erklärt sich die konstante Popularität von Präsident Putin, der bei Umfragen selten unter 70 Prozent Zustimmung abrutschte. Sie führte bei den Dumawahlen vom 2. Dezember 2007 die kremltreuen Parteien zum Triumph: Die „Hauptpartei" *Einheitliches Russland* stellte mit über 64 Prozent der Stimmen alleine 315 der 450 Sitze in der Staatsduma, verfügte also über eine klare Zweidrittel-Mehrheit. Die ebenfalls für den Präsidenten arbeitende „Nebenpartei" *Gerechtes Russland* erhielt mit 7,7 Prozent noch einmal 38 Abgeordnetensitze dazu, was in der Summe eine Mehrheit von 72 Prozent für die Putin-Anhänger ausmachte – trotz aller Fragwürdigkeiten bei dem Wahlvorgang selbst und vor allem bei der Chancenverteilung im Wahlkampf zuvor ein ziemlich getreues Spiegelbild der in Umfragen gemessenen Putin-Zustimmung.

Die einzige echte Opposition in der eher nostalgisch rückwärtsgewandten *Kommunistischen Partei* musste sich mit 57 Mandaten (11,6 Prozent) begnügen, während der ewige Krawallmacher Schirinowskij mit seiner im Zweifelsfall für jeden politisch-materiellen Handel offenen *Liberal-demokratischen Partei Russlands* gerade noch auf 8,1 Prozent (40 Sitze) kam. Den Putin-Leuten war es gelungen, die Duma-Wahl als eine

Art Referendum über den Präsidenten zu gestalten, was sich als erfolgreiches Rezept erwies.

Die Wahl des Präsidenten am 2. März 2008 folgte dann auch demselben Muster. Erst musste die russische Öffentlichkeit feststellen, dass Präsident Putin nach zwei Amtszeiten tatsächlich getreu der russischen Verfassung den Kreml verlassen wollte. Ihr Schreck darüber war aus den genannten Gründen ernsthaft, zumal sich niemand als überzeugender Nachfolger präsentieren konnte. Man hatte sich in den vergangenen acht Jahren an den wachsenden Wohlstand gewöhnt, die neue Ordnung und Stabilität des Landes schätzen gelernt und mit Wohlwollen festgestellt, dass Moskaus Stimme auch international wieder mehr galt. Das alles wurde mit der Person des Präsidenten verbunden. Am liebsten, auch das zeigen Umfragen, hätte die Mehrheit eine irgendwie zustande gekommene dritte Amtszeit Putins gesehen. Diesen erkennbaren Wünschen kam der Präsident entgegen, indem er mit Dmitrij Medwedjew einen jungen, aber doch schon regierungserfahrenen Kandidaten präsentierte, dessen Nähe und Vertrautheit mit Putin keinem Zweifel unterliegen konnte, verbunden mit dem Angebot, den neuen Präsidenten aus der Position des Regierungschefs künftig zu unterstützen.

Bei der Präsidentenwahl lag die Zustimmung dann bei über 70 Prozent für den 42jährigen Juristen Medwedjew, den Putin in seiner Petersburger Zeit kennengelernt und dann nachhaltig gefördert hatte. Ihm verdankte Medwedjew seine Führungsposition beim größten russischen Konzern *Gazprom* mit mehr als 430 000 Beschäftigten seit Mitte des Jahres 2000 und seine öffentlichkeitswirksame Aufgabe als *Erster Stellvertretender Ministerpräsident* ab November 2005 mit der Zuständigkeit für die großen sozialen Reformen des Landes. Im Wahlergebnis drückt sich der Wunsch der Wählermehrheit nach Kontinuität aus und die Zufriedenheit damit, dass ja der bewährte Bisher-Präsident weiter eine bedeutende Rolle spielen würde.

Das Wechselspiel von Binnen- und Außenwahrnehmung setzt sich bei dieser Gelegenheit fort. Durch die westlichen Medien schwappte eine äußerst phantasiereiche Spekulationswelle in Sachen Präsidentenwahl: Putin werde mit seiner satten Zweidrittelmehrheit in der Staatsduma über eine Verfassungsänderung seine dritte Amtszeit ermöglichen, er werde einen Trick finden, um über eine rasche Nachwahl sofort wieder Nachfolger von Medwedjew zu werden, andersherum könne er auch notfalls hinterher alle wesentlichen Machtbefugnisse auf sein Premierministeramt übertragen – oder, wenn alle Stricke reißen, einfach faktisch alle Fäden in der Hand behalten, einschließlich derer, mit denen er die Marionette Medwedjew bewege. Keine dieser Prognosen hat sich bewahrheitet. Die Wahl fand statt, der neue Präsident trat am 7. Mai 2008 sein Amt an, es gab keine Verfassungsänderung und keine herbeigetrickste zweite Wahl. Putin wechselte auf die Position des Regierungschefs und füllt diese seitdem entsprechend seiner vorgesehenen Aufgaben ebenso aus, wie es Medwedjew mit seinen vor allem außenpolitischen Zuständigkeiten tut. Was wir bisher beobachten können, und das ist auch der Eindruck in der deswegen eher erleichterten russischen Öffentlichkeit, ist ein funktionierendes Tandem, sicher kein Machtwechsel, sondern eine stark auf Kontinuität bedachte Umbesetzung zentraler Positionen, bei der wir erkennen können, dass der amtserfahrene Wladimir Putin eine stärkere Rolle spielt als seine Amtsvorgänger als Regierungschefs, aber dabei den von der Verfassung gesetzten Rahmen für die Aufgabenverteilung nicht antastet. Man könnte sogar demokratietheoretisch der Tatsache positive Seiten abgewinnen, dass jetzt nicht mehr alle, auch die innenpolitischen Entscheidungen, allein in der Hand des Präsidenten liegen.

Die westlichen Medien haben nie ihre Fehleinschätzungen eingestanden oder sie korrigiert. Im Gegenteil, das Thema „der wirkliche Präsident heißt Putin" und der werde auch bald in den Kreml zurückkehren, wird bei jeder Gelegenheit wieder aufgekocht. So war es etwa im Herbst 2008, als Putin und Medwedjew eine Verlängerung der Amtszeiten des Präsidenten und des Parlaments vorschlugen und recht rasch von ihrer Dumamehrheit beschließen ließen. Sofort wurde unterstellt, das solle jetzt Putin umgehend wieder in die Präsidentschaft bringen – eine Behauptung, die allein schon jeder Logik entbehrt. Das Bedauerliche an diesen Endlos-Spekulationen ist aber, dass sie den Blick auf die durchaus eigenständigen Positionen von Präsident Medwedjew verstellen – nach dem Motto, es lohne ja nicht, sich mit dem zu beschäftigen, was diese Präsidial-Erfindung Putins denkt oder spricht. Wir müssen also feststellen, dass die beobachteten Diskrepanzen zwischen Außenwahrnehmung und Selbstverständnis nicht nur die russische Politik der 90er Jahre und der acht Präsidentenjahre Putins zwischen 2000 und 2008 begleitet haben, sondern dass diese sich auch danach fortsetzen und dabei durchaus politische Relevanz entwickeln.

Zwischen Schwäche und Stärke

Das gilt ebenso für das Wechselspiel und die politische Dynamik von Stärke- und Schwächediagnosen in der russischen Politik. Zwar erlebte die Öffentlichkeit die beiden Präsidentschaften Putins als eine Rückkehr zu starker zentraler Macht, wirtschaftlicher Prosperität und wachsender internationaler Geltung. Aber das schloss Situationen gefühlter Ohnmacht und Unsicherheit nicht aus. Zu erinnern ist an den Untergang des Atom-U-Boots *Kursk* im August 2000, an den Terrorakt im Moskauer Musiktheater an der Dubrowka am 23. Oktober 2002 mit 129 Opfern oder an die Tragödie im nordossetischen Beslan, wo am 1. September 2004 eine ganze Schule in die Hand von Terroristen gerät und am Ende 330 Tote, darunter 176 Kinder, zu beklagen sind. Auch das sich allmählich wieder stärker fühlende Russland erlebte also Beweise von Verwundbarkeit, wenn sie auch nicht die Dimensionen des amerikanischen

11. September erreichten. Das „System Putin" hat sein Gesicht und seine Prägung sehr stark über die politischen Reaktionen auf diese Prüfungen erhalten – und das waren in der Regel Reflexe, die noch mehr Kontrollmacht in die Hand des Präsidenten legten.[38]

Zu dieser inneren Front kommen dann bestimmte Erfahrungen von draußen hinzu, die zunächst ebenfalls Ohnmachtsgefühle auslösen. Direkt in der Nachbarschaft im postsowjetischen Raum fegen „farbige Revolutionen" bisherige Regierungen hinweg – Ende 2003 bringt die *Rosenrevolution* mit Michail Saakaschwili in Georgien einen klar proamerikanischen Präsidenten an die Macht, im Herbst 2004 reicht der Moskauer Widerstand nicht aus, um die *Orangene Revolution* zu verhindern, die den prowestlichen Präsidenten Juschtschenko in Kiew zum Sieg trägt, und im März 2005 scheint sich das im zentralasiatischen Kirgistan unter der Überschrift *Tulpenrevolution* zulasten des bisherigen Präsidenten Akajew fortzusetzen, der danach in Moskau Asyl findet. In allen drei Fällen erzwingen dabei Bürgerproteste und Bürgerbewegungen den *Regime Change*, und in Moskau bleibt nicht verborgen, dass eine ganze Reihe von Akteuren und Gruppen vorher über amerikanische Partner Schulung und Geld erhielten. Je deutlicher die neuen Regierungen in Tiflis und Kiew ihre Bestrebungen nach Integration in die euroatlantischen Strukturen, vor allem in die NATO, bekundeten, desto vernehmbarer meldeten sich die russischen Eliten mit ihren Fragen: Wie könne man verhindern, dass ein solch farbiges Schicksal auch Russland ereilt? Und wann würde die russische Führung dem Westen endlich einmal klar machen, dass sich die Zeiten geändert haben, dass Russland wieder imstande sei, eigene Interessen in definierten Einflusszonen durchzusetzen und dass es das Heranrücken vor allem der NATO bis an die russischen Grenzen nicht bereit sei hinzunehmen? Es müsse jetzt Schluss sein mit der westlichen Ausnutzung der vermeintlichen russischen Schwäche, und Moskau sollte seine neugewonnene Stärke so wirksam demonstrieren, dass es mit all diesen provokativen Akten im direkten Umfeld Russlands ab sofort ein Ende habe. Wer diesen internen Prozess beobachtete, konnte von der demonstrativen Zunahme russischer Konfliktbereitschaft gegenüber dem Westen, wie sie sich im Jahr 2007 offenbarte, kaum überrascht sein.

Vor diesem Hintergrund stellte sich die Frage, wie sich der neue Präsident nach seinem Amtsantritt am 7. Mai 2008 verhalten würde. Dmitrij Medwedjew gehört zu den „Petersburger Liberalen", er war aus seiner Regierungsfunktion heraus mit den Problemen der russischen Gesellschaft recht gut vertraut und hat vor seiner Kandidatur mehrfach klar Stellung bezogen. Er geißelte den „Rechtsnihilismus" in seinem Land, das vor allem einen höheren Standard der Rechtskultur (*Rule of Law*) brauche, das die Korruption beherzt bekämpfen müsse, und er kritisierte Versuche, für Russland einen Sonderweg zur Demokratie („souveräne Demokratie" als Alternative zum westlichen Muster) auszurufen. Ihm waren die Lücken im russischen Sozial- und Gesundheitssystem ebenso gewärtig wie die drohende demographische Katastrophe. Er kannte die erschreckend niedrige Lebenserwartung russischer Bürgerinnen und Bürger und die Prognosen, dass bei einem Fortschreiten der aktuellen jährlichen Abnahme von 800 000 Einwohnern die Bevölkerungszahl in der Russischen Föderation von 140 Millionen im Jahr 2008 auf unter 100 Millionen im Jahr 2050 abzusinken drohte. Medwedjew ließ sich auch nicht blenden von einem Wirtschaftswachstum und Wohlstandszuwachs, beides in starker Abhängigkeit von hohen Öl- und Gaspreisen auf dem Weltmarkt, und er nannte die Rückständigkeit in der Wirtschaftsstruktur und in der staatlichen Verwaltung beim Namen. Mehrfach unterstrich er, dass Russland eine starke Zivilgesellschaft brauche, um nach vorne zu kommen. Und er sah, noch viel entschiedener als sein Mentor Putin, Europa als den geeigneten Partner an für die großen Transformationsaufgaben Russlands auf dem Weg in eine moderne Industriegesellschaft.

Die „Modernisierungspartnerschaft"

Die deutsche Politik schaute voller Interesse auf eine solche Perspektive, den europäisch-russischen Beziehungen eine neue, konkrete und strategische Mitte zu geben. Bundesaußenminister Frank-Walter Steinmeier nutzte seine erste Russlandreise nach den Wahlen zu einer Grundsatzrede und wählte dafür am 13. Mai 2008 ein studentisches Auditorium am Institut für internationale Beziehungen der Ural-Universität in Jekaterinenburg. Er bezeichnete dort Deutschland und die EU als die „natürlichen Modernisierungspartner" Russlands und versicherte: „Deutschland ist bereit, das Projekt einer Modernisierungspartnerschaft weiter voranzutreiben."[39] Wenige Wochen später besuchte Medwedjew Berlin und traf am Nachmittag mit Bundespräsident Horst Köhler im Schloss Bellevue zusammen. Ich nahm an diesem Gespräch teil und wurde schon nach wenigen Minuten Zeuge einer klaren Botschaft: Er, der russische Präsident, habe nicht zufällig nach seinen ersten beiden Staatsbesuchen in den Nachbarländern Kasachstan und China jetzt als drittes Deutschland angesteuert. Die EU und vor allem Deutschland seien aus seiner Sicht die wichtigsten Partner bei den großen Modernisierungsaufgaben in seinem Land. Dafür brauche man eine Intensivierung der bilateralen Zusammenarbeit auf zahlreichen Gebieten, und auch die große Erfahrung des deutschen Bundespräsidenten mit den internationalen Finanzinstitutionen sei dabei äußerst willkommen. Wenige Stunden später präsentierte sich dann der neue Kremlchef einem riesigen Auditorium der deutschen Politik und Gesellschaft mit einer Rede, die vieles zusammenband: Die Beschwörung der „deutsch-russischen Versöhnung" als Ausgangspunkt einer neuen Etappe in den beiderseitigen Beziehungen mit der Warnung vor der Ausdehnungspolitik der NATO, die in die schlechtere Vergangenheit zurückführt, das erstmalige Werben für eine gesamteuropäische Sicherheitsarchitektur auf der Grundlage eines verbindlichen Vertrages mit dem Angebot, bei globalen Fragen wie Energiesicherheit, Nahrungsmittelverteilung und Klimapolitik noch mehr Verantwortung zu übernehmen, sein persönliches Bekenntnis zu einem rechtsstaatlichen und demokratisch gefestigten Russland einschließlich eines Mehrparteiensystems und einer starken Zivilgesellschaft mit sehr konkreten Vorstellungen, wie Deutschland bei diesem Innovationsprogramm helfen könnte. Ausdrücklich machte sich Medwedjew für gegenseitige Ausbildungsprogramme für Juristen, Richter und Führungskräfte stark. Auch wenn der Gast den die Phantasie beflügelnden Topos „Modernisierungspartnerschaft" nicht namentlich erwähnte – jeder konnte verstehen, die Türen zu einer „Strategischen Partnerschaft" neuer Qualität zwischen der EU und besonders zwischen Deutschland und Russland waren weit aufgestoßen.

Der Kaukasus-Krieg

Nur zwei Monate später beginnt in der Nacht vom 7. auf den 8. August eine blutige Auseinandersetzung, die nicht nur für viele Menschen im Kaukasus zur persönlichen Tragödie wird, sondern auch das gesamte politische Koordinatensystem zwischen Russland und dem Westen durcheinanderbringt.[40] Wer den Kaukasus-Krieg, wegen seiner Dauer vom 7. bis zum 12. August auch „Fünf-Tage-Krieg" genannt, begreifen will, muss sich auf zwei verschiedene Vorgeschichten einlassen. Die erste betrifft den Schauplatz Südossetien. Was der Hauptkamm des Kaukasus physisch trennt, nämlich das zur Russischen Föderation gehörende Nordossetien und das zu Georgien gehörende Südossetien, fand sich durch die Auflösung der Sowjetunion und die Bildung der Republik Georgien im Jahr 1991 durch eine Staatsgrenze voneinander abgeschnitten vor. Versuche der indo-europäischen und christlich-orthodoxen Osseten, die Zerfallswirren der UdSSR für eine vereinigte Autonomie zu nutzen, scheitern am Widerstand des georgischen Nationalismus, der unter Präsident Swiat Gamsachurdia die Parole „Georgien den Georgiern" ausgibt und sowohl den Abchasen wie Osseten ihren aus Sowjetzeiten stammenden Autonomie-Status aberkennt. Den nachfolgenden Waffengang verlieren die Georgier in beiden Fällen. So kommt es für Südossetien am 24. Juni 1992 zum Waffenstillstandsabkommen von Sotschi, überwacht von einer OSZE-Mission und Friedenstruppen, von denen die Nord- und Südosseten, die Georgier und die GUS-Staaten, faktisch aber Russland, je 500 Mann stellen. In Abchasien enden die Kämpfe erst 1994, ebenfalls mit einem Waffenstillstand, den eine UN-Mission (UNOMIG) im Auge behält. Später bürgert sich für diese Situationen nichtanerkannter separatistischer De-facto-Selbstständigkeit der Begriff *frozen conflict* ein, den man auch auf die Fälle Transnistrien (Moldowa) und Nagorno-Karabach zwischen Armenien und Azerbajdschan anwendet.

Die zweite Spur führt zu der schon erwähnten Rosenrevolution von 2003, als Michail Saakaschwili im Ringen um die Präsidentschaft Eduard Schewardnadse besiegte und im Wahlkampf die Wiederherstellung der georgischen Integrität versprach, womit die Beseitigung der Quasi-Autonomie von Abchasien und Südossetien sowie des besonderen Status von Adscharien gemeint war. Was Adscharien angeht, gelang das 2005 in einem Coups ohne große Aufregung und Blutvergießen, aber bei den beiden „eingefrorenen Konflikten" bewegte sich lange Zeit wenig. Das wurde für den Präsidenten ein richtiges Problem, als er nach der gewaltsamen Niederschlagung von Bürgerprotesten im November 2007 vorzeitige Präsidentenwahlen für Mai 2008 ausschreiben musste, die er dann nicht zuletzt mit erneuten Versprechungen in Sachen Abchasien und Südossetien gewann. Dazu kam, dass die beiden abtrünnigen Entitäten nach der vom Westen akzeptierten Unabhängigkeitserklärung des Kosovo vom 17. Februar 2008 den Druck auf Moskau erhöhten, ihren eigenen Unabhängigkeitsbestrebungen doch jetzt weiter entgegenzukommen. Die russische Führung, verärgert über das Verhalten des Westens im Konflikt Serbien-Kosovo, intensivierte tatsächlich die Beziehungen und wertete die beiden De-facto-Regierungen in Zchinwali und Suchumi auf. Das radikalisierte das georgische Verhalten, und im Endergebnis häuften sich seit dem Frühsommer 2008 an den Waffenstillstandslinien von Abchasien und Südossetien sicherheitsrelevante Zwischenfälle. International wuchsen die Sorgen darüber. Von Deutschland aus initiierte Bundesaußenminister Steinmeier einen dreiseitigen Verhandlungsprozess zwischen Abchasien, Georgien und Russland, der vorsichtige Hoffnungen auf eine politische Lösung weckte, bis der Kaukasus-Krieg auch diesem Versuch ein abruptes Ende bereitete.

Über das, was in der Nacht vom 7. auf den 8. August 2008 passierte, gab es von Anfang an unterschiedliche Versionen. Ich persönlich vertraue am ehesten den Berichten der OSZE-Beobachter, die direkt vor Ort waren. Demnach hat sich der georgische Präsident nach sorgfältigen Vorbereitungen und einem Aufmarsch von über 10 000 bewaffneten Kräften im Grenzgebiet zu Südossetien in dieser Nacht zu einer militärischen Lösung des Problems entschieden und gegen Mitternacht den Befehl zum Artillerieangriff auf das schlafende Zchinwali gegeben, das wenige Stunden später eingenommen wurde. Neben zahlreichen zivilen Opfern erlitten dabei auch die dort stationierten russischen Friedenstruppen Verluste. Am Morgen des 8. August antwortet Russland mit einer massiven militärischen Intervention und schickt gepanzerte Verbände durch den Roki-Tunnel von Nord- nach Südossetien, wo diese nach zweitägigen Gefechten Zchinwali zurückerobern. In der Folge dehnen die überlegenen russischen Kräfte ihre Operationen auch über Südossetien hinaus in die umliegenden Gebiete Georgiens aus und zerstören wichtige militärische Einrichtungen des Landes, das am 11. August den Westen um militärische Unterstützung bittet. Dieser Wunsch wird nicht erhört. Aber dem EU-Ratspräsidenten Nicolas Sarkozy gelingt es am 12. August, einen Waffenstillstand auf der Basis eines

6-Punkte-Plans auszuhandeln, der neben dem Rückzug der beteiligten Truppen eine EU-Beobachtermission und einen diplomatischen Verhandlungsprozess vorsieht.

Die militärische Niederlage Georgiens war vorhersehbar. Allerdings gelingt es der professionellen PR-Arbeit in Tiflis, die Verantwortung für den unmittelbaren Beginn der Kampfhandlungen der russischen Seite zuzuschieben und das Vorrücken der georgischen Kräfte auf Zchinwali als Reaktion auf einen bereits begonnenen russischen Einmarsch in Südossetien darzustellen. In der Folge empört sich die ganze Welt über den Überfall des übermächtigen Goliaths Russland auf den kleinen David Georgien. Staats- und Regierungschefs aus Polen, der Ukraine und den baltischen Staaten starten zu Solidaritätsbesuchen in die georgische Hauptstadt, um den „Vorposten im Kampf gegen Russland" an der „Grenze zwischen Gut und Böse" (Präsident Saakaschwili) zu ermutigen. Signale einer klaren einseitigen Parteinahme kommen auch aus der NATO und vor allem von ihrem Generalsekretär, bevor die Abläufe überhaupt im Einzelnen genau geprüft waren. Die russische Führung ist völlig fassungslos und sieht sich als Opfer einer die Tatsachen verdrehenden Propagandakampagne. Bundesaußenminister Steinmeier schlägt in dieser Situation eine unabhängige internationale Untersuchung der Ereignisse vor, weil der Streit um die Versionen der Abläufe immer mehr zu einem Politikum mit destabilisierender Wirkung zu werden droht. Der Vorschlag stößt auf breite Zustimmung, es wird dann aber noch bis in den Dezember 2008 dauern, bis eine entsprechende Expertengruppe unter Leitung der erfahrenen Schweizer Diplomatin und Kaukasuskennerin Heidi Tagliavini die Arbeit aufnehmen kann.

Die georgische Version des geplanten russischen Überfalls konnte von Beginn an wenig Plausibilität beanspruchen. Am 8. August 2008 begannen in Peking die Olympischen Sommerspiele im Beisein zahlreicher internationaler Gäste, darunter der russische Premierminister Wladimir Putin. Zur selben Zeit verbrachte der russische Präsident Medwedjew gerade einige Tage Urlaub an der Schwarzmeerküste. Das sieht nicht unbedingt nach einer Konstellation für einen militärischen Angriff auf einen Nachbarstaat aus. Ich bekam zufällig die Gelegenheit, einen prominenten Gast bei der Pekinger Eröffnungsfeier danach zu fragen, wie dort die Kaukasuskrise aufgenommen wurde. Anfang September 2008 begleitete ich Bundespräsident Köhler auf einen Staatsbesuch nach Kasachstan und in die Mongolei. Am Abend des 2. September hatte uns der kasachische Präsident Nasarbajew im kleinen Kreis, nur begleitet von seinem Premierminister Massimow, zum Essen eingeladen. Er überhäufte den deutschen Gast mit freundlicher Ehrerbietung und fragte den Bundespräsidenten schließlich, ob der noch irgendeinen Wunsch habe. Horst Köhler gab eine spontane Antwort, deren Tragweite für das Besuchsprogramm er in diesem Moment sicher nicht bedacht hatte. Er sagte: „Ich wollte immer schon mal die Steppe sehen!" Sofort kam die Antwort des Gastgebers: „Kein Problem!" Das Programm des folgenden Tages wurde augenblicklich auf den Kopf gestellt, der arme Premierminister musste sein Essen stehen lassen und sich sofort der Vorbereitung widmen und die Protokollmitarbeiter arbeiteten bis in die späte Nacht an der Umstellung des Besuchsprogramms. Am folgenden Nachmittag flogen wir dann mit dem Präsidentenhubschrauber in die Staatsresidenz Karasu im Nationalpark Burabaj, mitten in der Steppe – und hatten dort Gelegenheit für eine ungezwungene Fortsetzung unserer Gespräche. Ich konnte Nasarbajew fragen, wie das in Peking abgelaufen sei, und der Präsident gab gerne Auskunft: „Plötzlich wurde Putin ein Zettel zugeschoben, er las ihn und erbleichte. Dann stürzte er sich auf George W. Bush, packte den quasi am Kragen und sagte ,Dein Saakaschwili hat unsere Friedenstruppen in Zchinwali angegriffen. Du musst ihn sofort zurückpfeifen!'. Bush war völlig konsterniert, und sie haben dann beide versucht, den georgischen Präsidenten ans Telefon zu kriegen. Das gelang aber nicht. Saakaschwili wollte offenbar nicht mit ihnen reden."

Die politische Isolierung

Soweit die Beobachtungen des kasachischen Staatspräsidenten. In der Verantwortungsfrage blieb Russland als der wahrgenommene Aggressor auf der Anklagebank. Wie im Alltagsleben gilt auch in der Politik, dass der erste Eindruck entscheidend ist und die Wahrnehmung, ungeachtet der späteren Korrekturen, prägt. Es dauerte sehr lange, bis die vor Ort gesammelten Informationen ihren Weg auch bis in die veröffentlichte Meinung fanden. Erst am 7. November 2008 konnte man zum Beispiel in der *New York Times* einen Artikel lesen, der auf der Basis der OSZE-Feldberichte nahelegt, die bisherige georgische Ablaufdarstellung in Frage zu stellen.[41] Einen Einfluss auf die öffentliche Meinung nahmen solche späten Korrekturen nicht mehr. Dazu hatte allerdings auch die russische Führung beigetragen, die sich in drei Punkten mit einer praktisch einhelligen Kritik auseinandersetzen musste: Das galt für die allgemein als überzogen angesehene militärische Reaktion auf das georgische Vorgehen, was eben dem genannten David-Goliath-Eindruck Nahrung gab. Das ging ferner zurück auf Erklärungen des russischen Präsidenten, in Südossetien habe man russische Friedenssoldaten und die Interessen „russischer Bürger" verteidigen müssen – eine Anspielung auf die Tatsache, dass die Mehrzahl der Südosseten über russische Passdokumente verfügte. Und diese Kritik richtete sich in besonderer Weise auf die Entscheidung des Kreml vom 26. August 2008, die beiden abtrünnigen Provinzen Abchasien und Südossetien als unabhängige Staaten anzuerkennen und im Weiteren auch so zu behandeln – eine Entscheidung, der außer Nicaragua kein einziges anderes Land folgte und die Russland in die Situation einer kompletten internationalen politischen Isolierung brachte. Unbestreitbar dagegen ist die breite Zustimmung in der russischen Bevölkerung für das Vorgehen von Präsident und Regierung im Kaukasus. Das mag ein Trost sein angesichts der Fülle von

Problemen, mit denen sich das Land nach dem August 2008 in der internationalen Politik konfrontiert sieht. Aber dieser heimische Beifall für Vorgehensweisen, die letztlich russischen Interessen geschadet haben, belegt auch, dass sich im Verlauf der Jahre 2007 und 2008 diese Auseinanderentwicklung von Selbstverständnis und Außenwahrnehmung nicht nur fortgesetzt, sondern bis zu bestimmten Formen des Realitätsverlustes zugespitzt hat. An einer nüchternen politischen Zwischenbilanz erkennt man die ganze Problematik dieser Entwicklung:

■ Das Verhältnis Russland-Westen nimmt erheblichen Schaden. Die Arbeit im NATO-Russland-Rat wird unterbrochen. Die EU verschiebt den Beginn der Gespräche über das neue Partnerschafts- und Kooperationsabkommen, eigentlich für Mitte September 2008 geplant, um etwa drei Monate. In NATO und EU erheben immer wieder Polen, Tschechien, alle drei baltischen Republiken, aber auch Schweden und Finnland, also die unmittelbaren Russland-Nachbarn die Stimme mit harter Kritik an Moskau. Die Begründung des militärischen Vorgehens in Georgien (Schutz russischer Bürger) weckt negative historische Reminiszenzen und zerstört Vertrauen. Die US-Regierung nutzt gewissermaßen die Gunst der Stunde und bringt die Stationierungsverträge für die Raketenabwehr mit Polen und Tschechien zum Abschluss. Ausgerechnet zum Wahltag in den Vereinigten Staaten mit dem Sieg Barack Obamas kündigt Präsident Medwedjew als Reaktion darauf die Verlegung von Iskander-Kurzstreckenraketen in die Exklave Kaliningrad an, was allgemein als völlig entgleister „Glückwunsch" an den amerikanischen Wahlsieger aufgenommen wird.

■ Russlands Beschluss, Abchasien und Südossetien als unabhängige Staaten anzuerkennen, stößt selbst bei den engsten Partnern auf Ablehnung und Unverständnis – diese Entscheidung passt weder zur vorher vehement vorgetragenen Kritik an der westlichen Kosovopolitik, noch entspricht sie

Russlands Interessen im unruhigen Nordkaukasus mit seinem gewalttätigen Extremismus und Separatismus. Nach dem einseitigen Vorgehen Russlands erhält Georgien weltweit verstärkte Unterstützung für seine Forderung nach territorialer Integrität, auch von denen, die das Vorgehen Saakaschwilis für einen Fehler halten und kritisieren. Es bleibt offen, wie auf dieser Basis eine Normalisierung der Beziehungen zwischen Moskau und Tiflis sowie eine Stabilisierung der politischen Lage im gesamten Kaukasus erreicht werden kann – beides durchaus auch im Interesse Russlands.

■ Auch für Georgien bleibt das Fazit negativ. Zwar hilft die Weltgemeinschaft, die Kriegsschäden zu beseitigen und unterstützt die in Not geratenen Menschen, vor allem die Flüchtlinge, was an den Ergebnissen der Brüsseler Geberkonferenz vom 22. Oktober 2008 mit der Ankündigung von Hilfszahlungen in Höhe von etwa 2,8 Milliarden Euro ablesbar ist. Aber die Rückgewinnung der beiden abtrünnigen Provinzen ist in weite Ferne gerückt, manche sagen sogar, für immer unrealistisch geworden. Präsident Saakaschwili steht innenpolitisch unter Druck und dürfte den Ergebnissen der internationalen Untersuchung zu den Augustereignissen mit gemischten Gefühlen entgegen sehen. Von diesen dürfte auch abhängen, wie sich seine bisherigen Förderer, insbesondere in den Vereinigten Staaten, weiter verhalten werden. Das NATO-Außenministertreffen am 2. und 3. Dezember 2008 hat für Georgien auch nicht die ersehnte nächste Stufe der Integration in das westliche Bündnis, den *Membership Action Plan* (MAP), näher gebracht.

■ Die EU kann für sich in Anspruch nehmen, das Feuer im Kaukasus nach wenigen Tagen gelöscht zu haben. Sarkozys Sechs-Punkte-Plan hat sich bewährt, wenn man einmal von der Diskussion absieht, ob der russische Rückzug bis in die beiden abtrünnigen Provinzen, wo weiterhin je 3800 bewaffnete russische Kräfte stationiert bleiben sollen, der Forderung nach Rückkehr in die Ausgangsstellungen vor dem 7. August 2008 entspricht. Allerdings birgt der europäische Befriedungsbeitrag auch Risiken: Die EU-Beobachtermission (EUMM) unter Leitung von Botschafter Haber aus Deutschland soll im Rahmen eines sehr begrenzten Auftrags mit bescheidenen Kräften (etwa 230 Mann) für Stabilität in der unübersichtlichen Grenzregion zwischen Südossetien und Georgien sorgen – bei einiger Ungewissheit über die Stabilitätsinteressen auf beiden Seiten und mit der Gewissheit, bei allen Zwischenfällen als Erstes an die übernommene Verantwortung erinnert zu werden. Insofern hat die EU ein Interesse an dem Erfolg von Punkt 6, also der am 15. November 2008 begonnenen Genfer Gespräche über eine politische Lösung des Kaukasuskonflikts, und an einer Übereinkunft über die Fortführung der OSZE-Mission in Georgien über den Jahreswechsel 2008/2009 hinaus.

Der Dialog über umfassende Sicherheit: ein Ausweg?

Die Bundesregierung hat sich in den Augusttagen selbst um Deeskalation bemüht, hat die Vermittlungsbemühungen der Ratspräsidentschaft unterstützt und Außenminister Frank-Walter Steinmeier bekam für seinen erwähnten Vorschlag einer unabhängigen Untersuchung der Ereignisse Unterstützung von verschiedenen Seiten. Der Kaukasuskonflikt gefährdet politische Konzepte, für die sich Deutschland stark engagiert hat. Während der deutschen EU-Ratspräsidentschaft hat Berlin die Europäische Nachbarschaftspolitik (ENP) aufgewertet, und im April 2007 wurde das Programm *Black Sea Synergy* für eine bessere Kooperation der Staaten in der Schwarzmeerregion beschlossen – Georgien gilt für beide Strategien, in Gemeinschaft mit den anderen südkaukasischen Republiken, als unverzichtbarer Teilnehmer. Das erklärt auch, warum sich Deutschland für einen breiteren regionalen Ansatz stark macht, wenn möglich auch bei dem Genfer Gesprächsprozess. Die Regionalstrategien der EU zielen auf Partnerschaft und Stabilität in einem riesigen Ländergürtel, der vom östlichen Mitteleuropa über die Schwarzmeerregion und den Kaukasus bis nach Zentralasien reicht. Die verschiedenen politischen Bausteine der ENP mit der neuen „Östlichen Partnerschaft" als ihrem jüngsten Kind, der Schwarzmeerkooperation und der Zentralasien-Strategie fügen sich organisch aneinander, auch wenn sie zu unterschiedlichen Zeiten auf den Weg gebracht wurden. Und das Desaster des Kaukasus-Krieges sollte aus unserer Sicht zum Anlass genommen werden, einen Dialog zwischen Europa und Russland über die Zukunft dieser Großregion zu führen, deren friedliche und prosperierende Entwicklung auch für Moskau von unschätzbarem Wert ist. Ein solcher Ansatz erscheint aussichtsreicher, als sich allein auf die Lösung der „Eingefrorenen Konflikte" Georgiens zu konzentrieren.

An einer Isolierung oder Selbstisolierung Russlands haben wir keinerlei Interesse. Die Suche nach Wegen aus der Gefahr, die der Kaukasuskonflikt uns vor Augen geführt hat, hat begonnen. Präsident Medwedjew nahm den im Juni 2008 in Berlin angedeuteten Gedanken einer gesamteuropäischen Sicherheitsarchitektur auf und schlägt jetzt einen Dialog über einen europäisch-transatlantischen Sicherheitsvertrag vor. Teilnehmen sollen nicht nur alle europäischen Länder, die Vereinigten Staaten und Kanada, sondern auch NATO, EU, OSZE, die Gemeinschaft unabhängiger Staaten (GUS) und die Vertragsorganisation für Kollektive Sicherheit (CSTO). Der Vertrag soll jede Gewaltanwendung untersagen, gleiche Sicherheit für alle Vertragsstaaten garantieren und dabei Sonderrechte für bestimmte Staaten und Staatengruppen ausschließen, er soll Ziele für Abrüstung, Rüstungskontrolle und Vertrauensbildung definieren, die Zusammenarbeit im Kampf gegen die Proliferation von Massenvernichtungswaffen, gegen Terrorismus, Drogenhandel und das internationale Organisierte Verbrechen vertiefen sowie gemeinsame Prinzipien und Mechanismen bei Frühwarnung und Konfliktlösung entwickeln.[42]

Natürlich trifft ein solcher Vorschlag nach den Augustereignissen von 2008 auf vielfältige Skepsis, besonders bei den Staaten, die durch die Begleitumstände und die Begleittöne des Kaukasus-Krieges zusätzlich beunruhigt wurden. Es gibt Stimmen, die Moskau den Versuch unterstellen, mit diesem Ansatz die NATO und ihre Osterweiterung aushebeln zu wollen. Aber wir brauchen die Rückkehr zu einer „positiven Agenda", zu Neuansätzen in der europäisch-russischen Partnerschaft und zu einem umfassenden Dialog über gemeinsame Sicherheit. Das vorgeschlagene Format und die ersten inhaltlichen Elemente in den russischen Vorschlägen erinnern an den 1975 zum Erfolg geführten KSZE-Prozess (Konferenz für Sicherheit und Zusammenarbeit in Europa), der maßgeblich zur heutigen politischen Ordnung in Europa beigetragen hat. Es macht Sinn herauszufinden, ob man sich auf einen gemeinsamen Ausgangspunkt für einen solchen Prozess verständigen kann. Deshalb hat die Bundesregierung, vielleicht am deutlichsten von allen europäischen Staaten, positiv auf die ersten Vorschläge aus Moskau reagiert und zunächst um Präzisierungen des Konzepts gebeten. Auf der Arbeitsebene haben wir unseren russischen Kollegen empfohlen, gerade gegenüber den unmittelbaren Nachbarstaaten vertrauenschaffende Signale zu setzen – um die negativen Folgen des Kaukasuskonflikts einzudämmen und um die Rahmenbedingungen für eine positive Resonanz des Medwedjew-Vorschlags zu verbessern. Der deutsche Außenminister veröffentlichte am 4. Dezember 2008 in der *Frankfurter Allgemeinen Zeitung* unter der Überschrift „Partnerschaft wagen, Vertrauen schaffen" einen Grundsatzartikel, der von der russischen Seite umgehend als eine erste, das ganze Spektrum der europäischen Sicherheitspolitik und ihre Institutionen einbeziehende Antwort aus Deutschland aufgenommen wurde. Frank-Walter Steinmeier fasst hier die Konditionalität von Vertrauensbildung und einem umfassenden Sicherheitsdialog in einem Satz zusammen: „Aktivere Nachbarschaftspolitik im Osten, Abrüstung und die kooperative Lösung regionaler Konflikte – ich bin überzeugt: Nur wenn es durch solche Initiativen gelingt, neues Vertrauen zu schaffen, können wir uns in einem zweiten Schritt an den großen Wurf einer Sicherheitspartnerschaft für das 21. Jahrhundert machen."

Bindung durch Anziehungskraft: eine Vision

Ausgangspunkt dieses Abschnitts war die Frage, als was für ein Partner in Sachen Weltfrieden sich Russland für uns erweist. Wir konnten eine ungeheure Dynamik nachzeichnen in der Entwicklung der Beziehungen zwischen Russland und dem Westen, besonders für die Jahre 2007 und 2008, bei der destruktive Potentiale und konstruktive einander ablösen und sich vermischen. Der Kaukasus-Krieg hat das gesamte Koordinatensystem dieser Beziehungen aus den Angeln gehoben, aber die Chancen auf eine „positive Agenda" nicht definitiv verschüttet. Der Weg zu einer europäisch-transatlantischen Sicherheitspartnerschaft führt über viele denkbare Stationen – bestimmt über Vertrauensbildung, sinnvoller Weise auch über konkrete Abrüstungs- und Rüstungsbegrenzungsvereinbarungen im konventionellen und nuklearen Bereich, und er wird gemeinsame Anstrengungen bei der Konfliktprävention und Krisenreaktion an Schauplätzen verschiedener Kontinente kaum aussparen können. Aber auch die Idee der „Modernisierungspartnerschaft" könnte neue Freunde finden, vielleicht gerade in einem Russland, das erkennen muss, als wie wenig realistisch sich die eigenen Hoffnungen auf Immunität gegen eine Ansteckung durch die Weltfinanzkrise erweisen.

So komisch es klingt, aber letztlich wird sich die Frage der künftigen Rolle Russlands als internationaler Partner daran entscheiden, wie das Land seine eigene Stärke definiert. Der erfolgreiche Krimi-Autor Boris Akunin hat im November 2008 in einem SPIEGEL-Interview dazu eine interessante Bemerkung gemacht: „Russland ist das natürliche Zentrum im Raum der Ex-Sowjetunion. Es hat immer die größten Talente von der Peripherie angezogen, die russische Sprache verband all diese Länder. Wir müssen daran arbeiten, dass man uns nicht fürchtet, sondern liebt."[43] Soll die geforderte Achtung vor Russlands wieder gewonnener Stärke heißen, russische Ansprüche auf eine geographische „Sphäre privilegierter Interessen" im eigenen Umfeld anzuerkennen und Einmischungen auch in die inneren Angelegenheiten der Länder dieser Einflusszone hinzunehmen? Soll sich diese Stärke in einer Nutzung der Energieressourcen zur Bildung von Abhängigkeiten erweisen, gelegentlich untermauert durch jenen Druck bis zur Erpressung, den man durch ein Hahnabdrehen erwirken kann? Braucht diese Stärke gelegentlich den Beweis militärischer Interventionsfähigkeit zur Wahrung nationaler Interessen, und sei es zur Bestrafung einer Provokation?

Eine solche auf die Furcht der anderen gegründete Stärke kann sich Respekt erzwingen, aber kaum für lange. Nachhaltige Achtung wird sie nie erreichen. Die entsteht nur, wo Stärke auf Attraktivität setzt, auf eine Ausstrahlung der eigenen Kultur und der eigenen Leistungen, die Nachbarn und Partner auf der Grundlage beiderseitigen Vorteils und Gewinns anzieht und das Interesse an langfristigen und stabilen Bindungen weckt. Keine Frage, Russland ist im Sinne Akunins das „natürliche Zentrum" im postsowjetischen Raum, Russland hat das Potential zur Stärke durch Attraktivität, Russland könnte zum entscheidenden Akteur einer regionalen Reorganisation auf der Basis gemeinsamer Interessen, Werte und Prinzipien werden. Als „Modernisierungspartner" könnten die EU und Deutschland ihre eigenen Erfahrungen einbringen, wie man auf einem Territorium, von dem zwei Weltkriege ausgingen, eine attraktive Staatengemeinschaft schaffen kann, bei der Gewaltanwendung zur Interessenswahrung für alle Zeiten ausgeschlossen scheint. „Modernisierungspartnerschaft" zielt auch im russischen Verständnis auf die gemeinsame Arbeit an einer modernen, attraktiven Bürgergesellschaft, also auf die Voraussetzung dafür, dass von innen her eine solche russische Lebenskultur positiv auf Nachbarn und Partner wirkt, dass man also, um nochmals mit Akunin zu sprechen, gute Argumente bekommt, Russland nicht zu fürchten, sondern zu lieben. An dieser Stelle stoßen wir auf die Wechselbeziehung von Modernisierungspartnerschaft und gemeinsamer Arbeit an einer Sicherheitspartnerschaft für das 21. Jahrhundert: Das eine kann ohne das andere nur schwerlich funktionieren.

China

Staatskunst am Frühstückstisch

Am frühen Morgen des 12. Juli 2007 fuhr ich durch den dichten und lauten Verkehr Pekings, der schon wieder einen die Sonne verdunkelnden Abgas-Smog produzierte, zu einem Parkkomplex mitten in Chinas Hauptstadt, wo der Besucher sich plötzlich in einer Oase der Ruhe, der Natur und der Schönheit befindet. Mein Ziel war das Gästehaus Diaoyutai, jahrhundertelang die Ferienresidenz der chinesischen Kaiser, in das mich – überraschend und vom verabredeten Besuchsprogramm abweichend – der chinesische Außenminister Yang Jiechi kurzfristig eingeladen hatte. Der Tisch war mit Spezialitäten der berühmten Diaoyutai-Küche üppig gedeckt und mein Gastgeber würdigte voller Anerkennung die exzellenten deutsch-chinesischen Beziehungen auf allen Ebenen. Der im August bevorstehende Besuch der Bundeskanzlerin sollte hier einen neuen Höhepunkt setzen. Nach vielen blumigen Höflichkeiten kam der Außenminister fast beiläufig auf kritische Artikel in der deutschen Presse zu China zu sprechen und stellte fest: „Die Beziehungen gehen nicht mehr so zügig voran." Auf weitere Einzelheiten wartete ich bei diesem Gespräch, das ebenso freundlich abgeschlossen wurde, wie es begonnen hatte, vergeblich, aber nur bis zum nachfolgenden Termin mit dem Assistierenden Außenminister Kong Quan.

Auch er begann mit einer Würdigung der sich stürmisch entwickelnden bilateralen Beziehungen, sichtbar in mittlerweile 18 verschiedenen „Dialogen". Der chinesische Kollege hatte ausgerechnet, dass an einem Tag im Jahr 2007 das Handelsvolumen zwischen China und Deutschland dem Warenaustausch des gesamten Jahres 1972 entspreche. Er vergaß auch nicht, die 300 Hochschulpartnerschaften zu erwähnen, die etwa 30 000 chinesischen Studierenden an deutschen Universitäten und die 52 Städte- und Provinzpartnerschaften. Dann aber lenkte er meine Aufmerksamkeit auf einige Probleme. Deutschland setze sich zu wenig für die Verleihung des Marktwirtschaftsstatus an China und für die Aufhebung des Waffenembargos der EU ein, es erteile Transitvisa an hochrangige Taiwan-Amtsträger und verhindere nicht, dass der taiwanesische Präsident Chen Shuibian mit deutschen Politikern und Wissenschaftlern per Videokonferenz in Kontakt trete, und er warnte davor, der Vertreterin einer „ostturkestanischen Terrororganisation" (womit eine Uighuren-Vereinigung gemeint war) die Einreise nach Deutschland zu gestatten.

Jetzt wusste ich, was der Außenminister mit den nicht mehr zügig voranschreitenden Beziehungen gemeint hatte. Und ich war Zeuge und Adressat der hohen chinesischen Staatskunst geworden, deren Tradition das von einer Kommunistischen Partei gelenkte China fortführt und zu deren Begreifen man einige Erfahrung braucht. Die ungeplante Frühstückseinladung und die rühmenden Worte des Außenministers zu den beiderseitigen Beziehungen wollten sagen: Wir wollen Deutschland als wichtigen Partner und sind an weiteren Verbesserungen der Beziehungen interessiert. Die erst von seinem Stellvertreter näher erläuterte Andeutung von bestimmten Problemen enthielt die verklausulierte Botschaft: Es liegt an euch, ob es zu dieser weiteren Verbesserung kommt – und der Besuch der Kanzlerin wäre doch eine passende Gelegenheit, diese Probleme aus der Welt zu schaffen. Selbstverständlich wussten meine Gesprächspartner, dass ich mit Sachargumenten auf die

Vorhaltungen reagieren würde – aber auch, dass ich natürlich über jedes gehörte Wort das mit der Vorbereitung des China-besuchs beschäftigte Kanzleramt unterrichten würde.

Eine Frage der Einschätzung

Wie man mit China umgehen soll, diesem Land mit 9,5 Millionen Quadratkilometer Fläche, auf der 1,3 Milliarden Menschen leben und inzwischen mehr als 100 Millionenstädte heran-gewachsen sind, darüber wird in Deutschland – und nicht nur da – diskutiert und gestritten. Die einen lassen sich faszinieren von der dynamischen Entwicklung dieses einstigen Entwick-lungslandes, dessen Reformprozess vor über 30 Jahren mit ei-ner Rede von Deng Xiaoping am 18. Dezember 1978 in der Halle des Volkes begann, mit der zugleich die wirren Zeiten der Kulturrevolution abgeschlossen wurden. In diesen drei Jahrzehnten wuchs die chinesische Volkswirtschaft jährlich im Schnitt um 9,8 Prozent, eine ökonomische Dynamik, die nicht ohne Rückschläge blieb, aber das Land zur derzeit viertgrößten Wirtschaftsmacht der Erde machte. Fachleute rechnen damit, dass China spätestens 2035 die größte Volkswirtschaft auf un-serem Globus darstellen wird. Eine Verdreifachung des Volks-einkommens beendete die Massenarmut und ließ eine breite Mittelschicht entstehen. Das war nur möglich durch eine ra-sante Steigerung des Exports preiswerter Massengüter, wobei die Devisenreserven im Reich der Mitte zwischenzeitlich auf die schwer vorstellbare Summe von 1,9 Billionen US-Dollar an-schwollen.

Die Bewunderer des Modernisierungsprozesses verweisen auf die Tatsache, dass heute Privatunternehmen zwei Drittel des chinesischen Sozialprodukts generieren, dass ein Verrecht-lichungsprozess den *point of no return* längst überschritten hat und bestimmte, wenn auch langsame Fortschritte bei den Frei-heits- und Menschenrechten erreicht worden sind. Die Füh-rungsleistung besteht demnach vor allem darin, das riesige

Land mit seinen 55 Minoritätengruppen zusammenzuhalten und trotz der eklatanten regionalen Gegensätze zwischen den reichen, für den Export produzierenden Küstenprovinzen und den noch in Subsistenzwirtschaft verharrenden armen Binnenlandsregionen den sozialen Frieden weitgehend sicherzustellen sowie trotz der gewaltigen sozialen Umwälzungen, die sich bei der Bildung von Megacitys und mit der Landflucht von inzwischen mehr als 250 Millionen Wanderarbeitern vollziehen, ein verhältnismäßig hohes Maß an Stabilität und Zukunftsvertrauen der Bevölkerung zu erreichen.

Andere verweisen auf die fortdauernde Einparteienherrschaft der KP, die im Falle von Protest oder Widerstand mit aller Härte zuschlägt. Die Ereignisse im Frühjahr 2008 in Tibet sehen sie als Beleg dafür. Sie legen die Messlatte des westlichen Verständnisses von Demokratie und Freiheit an und brandmarken die dann sichtbaren Defizite, ganz besonders bei den Menschenrechten. Die fortgesetzte Unterdrückung und Verfolgung der politischen Opposition, das rabiate Vorgehen gegen eine religiöse Sekte wie die Falun Gong und die Verweigerung erweiterter Autonomierechte für die Tibeter sowie die Diskriminierung des Dalai Lama, ihres politischen und religiösen Oberhauptes, all das sollte im Vordergrund aller Kontakte mit der chinesischen Führung stehen, auch auf die Gefahr hin, dass diese Kontakte dabei Schaden nehmen oder unterbrochen werden. Häufig verbindet sich diese Befürwortung eines rigiden Umgangs mit den Repräsentanten dieser Großmacht mit Warnungen vor dem gefährlichen Wettbewerber China im Welthandel, der sich mit allen erdenklichen Mitteln Zugang zu neuen Märkten verschafft und zur Absicherung seines wachsenden Energiebedarfs Pakte schließt, auch mit den meistkritisierten Regimen innerhalb der Weltgemeinschaft.

Beide Sichtweisen, zwischen denen natürlich Kombinationen möglich sind, stützen sich auf Fakten, setzen aber unterschiedliche Akzente und laufen letztlich auf zwei verschiedene politische Umgangsformen mit der Volksrepublik hinaus –

eine eher kooperative und eine eher konfrontative. Stellt man sich der Wahl zwischen diesen Alternativen, muss man sich zuvor mit den deutschen Interessen bei den Beziehungen zu China beschäftigen. Aus meiner Sicht lassen sich diese an den Stichworten Stabilität, Wirtschaftsbeziehungen, globale Partnerschaft und Systementwicklung definieren. Ein Auseinanderfallen dieses Riesenstaates über soziale Unruhen oder ethnische Auseinandersetzungen hätte katastrophale Auswirkungen auf den gesamten asiatischen Kontinent. Chinas Interesse an einem sicheren Umfeld, um sich auf die gigantischen Modernisierungsaufgaben im eigenen Land konzentrieren zu können, entfaltet *per se* einen friedenspolitischen Impuls für die gesamtasiatische Großregion. Die innere Stabilität verleiht Peking die Fähigkeit und das Interesse an einer ruhigen Nachbarschaft das Motiv, in konstruktiver Absicht auf die Konflikte in der Region einzuwirken. Das gilt für Chinas Rolle auf der koreanischen Halbinsel, für seinen Umgang mit den beiden Atommächten Indien und Pakistan, für das chinesisch-russische Verhältnis und für seine Politik vor allem über die *Schanghaier Organisation für Zusammenarbeit* (SCO) in Zentralasien. Ohne Zusammenhalt und stabile Verhältnisse im Inneren der Volksrepublik wäre diese Welt voller zusätzlicher Gefährdungen, und das gänzlich gegen unsere Interessen.

Über den Dialog zur Kooperation

Deutschland ist mit einem Volumen von 84,5 Milliarden Euro (2007) Chinas wichtigster Handelspartner in Europa, wie China wichtigster Handelspartner für Deutschland in Asien ist. Es gibt zwar noch nicht vollständig gelöste Probleme, etwa mit dem mangelnden Schutz des geistigen Eigentums (IPR), wegen des zuweilen von Peking erzwungenen Technologietransfers oder bei zu wenig transparenten Vorgehensweisen im öffentlichen Beschaffungswesen. Aber die deutschen Unternehmer setzen bis weit in den Mittelstand hinein immer stärker auf das Chinageschäft mit seinen bisher verlässlich ansteigenden Wachstumsraten und plädieren deshalb für einen kooperativen Umgang mit der Volksrepublik, um Störungen dieser für beide Seiten vorteilhaften Entwicklungen zu vermeiden.

Nicht nur Deutschland, sondern die ganze Weltgemeinschaft muss ein Interesse daran haben, die längst zum „Global Player" gewordene Großmacht in eine globale Partnerschaft einzubinden. China kann als Vetomacht jede Entscheidung des Weltsicherheitsrats der Vereinten Nationen blockieren, kann mit seinem ökonomischen Potential den Wettlauf um den Zugang zu den knapper werdenden Energieressourcen unter rabiatem Einsatz der eigenen Ellenbogen gegen fast jeden Mitbewerber gewinnen, kann den Weggefährten beim globalen Bedeutungsaufstieg wie Brasilien, Russland und Indien (mit China jetzt häufiger als BRIC-Gruppe zusammen gesehen) ein positives oder negatives Beispiel geben und kann sein Wachstum und seinen Energie- und Ressourcenverbrauch so gestalten, dass damit jede Anstrengung zur Abwendung von Klimakatastrophen scheitern muss. Gerade das letztgenannte Thema enthält Sprengstoff: Wenn Peking darauf besteht, das amerikanisch geprägte Wohlstandsmodell des Westens mit seiner Korrelation von Wohlstandsniveau und Energieverbrauch nachzuahmen, wäre das der *worst case* für jede globale Klimapolitik. Auf der anderen Seite provozieren westliche Mahnungen an die chinesische Seite Trotzreaktionen nach dem Motto „Mit welchem Recht könnt ihr von uns den Verzicht auf das Modell einer Gesellschaft verlangen, das ihr jahrhundertelang auf eure eigenen Fahnen geschrieben habt?" Vorhaltungen werden hier nicht weiterhelfen. Das Einzige, was helfen könnte, wäre eine behutsame Einbindung in eine globale Verantwortungspolitik, bei der einseitige Privilegien aufgegeben werden und bei der alle Seiten Opfer bringen und gemeinsam an politischen Modellen arbeiten, bei denen die breite Anhebung des menschlichen Lebensniveaus nicht mit den Überlebensperspektiven des Planeten kollidiert.

Natürlich darf unser Eintreten für Demokratie, Rechtsstaatlichkeit, bürgerliche Freiheiten und die Beachtung der Menschenrechte an den Grenzen Chinas nicht Halt machen. Die Frage ist nur, *wie* man dieses Anliegen verfolgt und welcher Ansatz die besten Erfolgschancen bietet. Das Massaker auf dem Tiananmen-Platz im Juni 1989 hatte in der westlichen Öffentlichkeit schärfste Proteste ausgelöst. Die EU verhängte ein Waffenembargo gegen China, und bei den bilateralen Beziehungen mit den westlichen Staaten wiederholten sich in der Folge regelmäßig Kritik und Mahnungen zur chinesischen Menschenrechtspolitik, allerdings ohne spürbare Wirkung. Es war die rot-grüne Bundesregierung unter Bundeskanzler Gerhard Schröder, die im November 1999 Peking einen umfassenden Dialog über Fragen des Rechtsstaats vorschlug. Es kann gut sein, dass die chinesische Seite auch deshalb auf diesen Vorschlag einging, weil ihr einleuchtete, dass die höchst erwünschten ausländischen Direktinvestitionen nur bei einem akzeptablen Niveau von Rechtssicherheit eintreffen würden. Im Juni 2000 kam es zur Unterzeichnung einer „Deutsch-Chinesischen Vereinbarung zum Austausch und zur Zusammenarbeit im Rechtsbereich", die als Ziel festlegte, dass künftig „das Volk umfangreiche Rechte und Freiheiten nach dem Gesetz genießt, dass die Menschenrechte respektiert und garantiert und alles staatliche Handeln gesetzmäßig durchgeführt werden."

Auf der Grundlage dieser Vereinbarung einigten sich beide Seiten auf ein *Zweijahresprogramm* zur Umsetzung des Vorhabens, dem weitere Zweijahresprogramme folgten. In einer Reihe von hochrangigen Symposien, an denen neben Ministern und Regierungsmitgliedern auch Vertreter der Parlamente, der Justiz, der Wissenschaft und der Zivilgesellschaft teilnahmen, kam die ganze Palette der Rechtsstaatsthemen auf den Tisch. Die beiden deutschen Justizministerinnen in den rot-grünen Kabinetten dieser Zeit, Herta Däubler-Gmelin und Brigitte Zypries, engagierten sich persönlich bei der Umsetzung der Programme. Das Vertrauen, das hier wechselseitig entstand, begünstigte die Eigenentwicklung eines Menschenrechtsdialogs und die Übertragung dieser Zusammenarbeit auch auf andere Themen, so dass sich bis Anfang des Jahres 2009 insgesamt 30 verschiedene Dialogprojekte entwickelt haben, die alle relevanten politischen Themen umfassen. Bei jedem Treffen im Rahmen des Menschenrechtsdialogs wie auch bei bilateralen Begegnungen von Regierungsmitgliedern legte die deutsche Seite jeweils eine Liste mit 20 bis 30 Namen von Personen vor, deren Schicksal besondere Befürchtungen wachrief, und demonstrierte damit der chinesischen Seite, wie negativ ihre Praxis der Administrativhaft und der ausufernden Verhängung von Todesstrafen sowie ihr Umgang mit Protesten in Tibet und Xinjiang, mit Vertretern der Falun Gong, anderer Religionsgemeinschaften und der kritischen Presse bei der deutschen Seite ankam. Immer wieder wurde auch die Freilassung der bei der Tiananmen-Tragödie Festgenommenen gefordert, von denen auch 20 Jahre danach noch nicht alle wieder aus der Haft entlassen sind.

Der Streit um die „werteorientierte Außenpolitik"

Bei der Bildung der Großen Koalition im November 2005 bestand Einigkeit darüber, diese Politik der Kooperation und des kritischen Dialogs fortzusetzen. In Peking registrierte man zwar, dass die neue Bundeskanzlerin nicht wie ihr Vorgänger jedes Jahr mit einer großen Wirtschaftsdelegation im Schlepptau anreiste, und stellte eben, wie oben beschrieben, fest, dass es „nicht mehr so zügig" vorangehe. Aber es fehlte nicht an Interessensbekundungen, die deutsch-chinesischen Beziehungen weiter auszubauen. Doch dann kam der 23. September 2007, ein Sonntag, an dem Angela Merkel als Bundeskanzlerin den Dalai Lama im Bundeskanzleramt zu einem Gespräch empfing. Die chinesische Seite war empört, vor allem über die Umstände dieses Besuches. Das sonntägliche Treffen im Amtssitz der Regierungschefin wurde als bewusste und demonstrative Provokation aufgefasst. Später werden mir chinesische Gesprächspartner erklären, dass die Pekinger Führung vor allem nicht nachvollziehen konnte, warum die Kanzlerin bei ihrem dreitägigen Besuch in China in den letzten Augusttagen auch bei den vertraulichen Gesprächen nichts von ihrer Kontaktabsicht mit dem Dalai Lama hatte erkennen lassen. Das sei der chinesischen Tradition entsprechend auch in der Öffentlichkeit nicht anders als ein „Gesichtsverlust" ihrer Gesprächspartner zu werten gewesen.

Dieses Ereignis löste eine Krise in den deutsch-chinesischen Beziehungen aus. Das erste Opfer war der Rechtsstaatsdialog. Er sollte sich vom 23. bis 26. September in München mit dem Thema „Schutz des geistigen Eigentums" befassen – und wurde postwendend von der chinesischen Seite abgesagt. Peking sagte auch den für Dezember 2007 geplanten bilateralen Menschenrechtsdialog ab, der dann erst am 4. November 2008 in Peking nachgeholt wurde. Die deutsche Wirtschaft zeigte Sorgen über die weitere Entwicklung der Wirtschaftsbeziehungen. In der Öffentlichkeit wurde registriert, dass die Begegnungen des Dalai Lama mit anderen Repräsentanten in Europa keine vergleichbaren Negativfolgen auslösten – eine Bestätigung für die Beobachtung, dass wohl die Umstände entscheidend waren. Während der deutsche Außenminister Frank-Walter Steinmeier sofort mit Bemühungen zur Schadensbegrenzung begann, ging das Bundeskanzleramt in die Offensive und erklärte unter dem öffentlichkeitswirksamen Beifall bestimmter Medien das Vorgehen der Bundeskanzlerin zum Beleg einer „werteorientierten Außenpolitik".

In meiner Wahrnehmung war dies der bisher einzige ernsthafte Konflikt über die Außenpolitik in der Großen Koalition. Dieser Eindruck verfestigte sich bei mir nach der Vorlage des Asien-Strategiepapiers der CDU/CSU vom 23. Oktober 2007, in dem das westliche Verhältnis zu China in den Kontext der „Systemfrage" gerückt wird, als sei der Kalte Krieg wieder-

erstanden, und in dem das „chinesische politische Ordnungs-
modell" als Herausforderung für die wirtschaftlichen und politischen Interessen Deutschlands bezeichnet wird, gegen die
eine neue Eindämmungspolitik angesagt sei.[44] Die Inszenie-
rung des Dalai-Lama-Besuchs als demonstrativer Akt entspricht dieser Politikempfehlung. Das Ganze als populistisches
Manöver abzutun wird der Bedeutung der Aktion nicht gerecht. Tatsächlich geht es um die Ablösung des kooperativen
Umgangs mit China durch eine Politik der Konfrontation. Ein
Dialogprozess hat ja gerade den Sinn, sich wechselseitig zu
sensibilisieren: zum Beispiel der chinesischen Seite zu verdeut-
lichen, wie groß unsere Abscheu vor den Praktiken der Administrativhaft und Umerziehung ist – aber zugleich auch zu lernen, wo die „roten Linien" beim Umgang mit den chinesischen
Partnern liegen. Jeder wusste, dass ein Gespräch mit dem Dalai
Lama als religiösem Oberhaupt der Tibeter in einem eher pri-
vaten Rahmen zwar auch die bekannten Missfallensformeln in
Peking ausgelöst, aber keine ernsthafte Krise mit Infragestellung der gesamten bisher aufgebauten Dialogkultur vom
Zaun gebrochen hätte. Ein Reflex nach dem Motto, „die sollen
sich nicht so haben", mag im ersten Augenblick nachvollzieh-
bar erscheinen, erweist sich aber angesichts seiner Umkehrbar-
keit als gefährlich. So könnte es ja auch zurückschallen, wenn
der Westen die unkonditionierte Kooperation Pekings mit solchen problematischen Partnern wie Präsident Bashir (Sudan)
oder Präsident Mugabe (Zimbabwe) ins Visier nimmt oder
eine Wachstumspolitik unter Beachtung der Klimaziele von
Kyoto anmahnt! Unbedachtsamkeiten dieser Art können in
langen Jahren erarbeitete Vertrauensgrundlagen in einem einzigen kurzen Moment aus den Angeln heben.

Das Etikett „werteorientiert" für eine solche neue Außenpolitik muss sich gleich mehreren kritischen Fragen stellen.
Wovon hebt sich diese Qualifizierung ab? War es nicht wertebe-
zogen, China in einen hochrangigen Rechtsstaats- und Menschenrechtsdialog einzubinden, der nachweislich zu einer stu-

fenweisen Verrechtlichung des politischen und ökonomischen Handelns im Lande beiträgt? Welche Relation soll zwischen einem politischen Akt und seinen Folgen bestehen? Hat das Treffen am 23. September 2007, das zweifellos den Dalai Lama erfreute und der Kanzlerin Pluspunkte beim heimischen Publikum einbrachte, die Lage der Tibeter in China verbessert und die Pekinger Führung nachdenklicher gemacht? Für was konkret musste der Preis einer fast 14 Monate dauernden Aussetzung des Menschenrechtsdialogs bezahlt werden?

Die deutsche Außenpolitik gewinnt ihre Werteorientierung über ihre konzeptionelle Festlegung auf politische Verhandlungslösungen bei Konflikten, auf das regionale und globale Präventionsprinzip und auf eine vorausschauende Friedenspolitik der Einbindung und partnerschaftlichen Kooperation. Sie spricht Menschenrechtsverletzungen grundsätzlich bei jedem Partner und in jedem Einzelfall an – aber nicht ohne auf die Erfolgschancen zu achten und um konkret zu helfen, nicht aber um in folgenlosen Protesten lediglich anzuzeigen, wer auf der richtigen Seite steht. Es hat insofern unserer politischen Kultur nicht geschadet, dass diese „Werte-Diskussion" nach wenigen Wochen aus Mangel an Substanz wieder in der Versenkung verschwand. Und glücklicherweise haben sich nach einiger Zeit und erheblichen Anstrengungen vor allem des deutschen Außenministers dann doch die beiderseitigen Interessen an einer Normalisierung und Fortsetzung der intensiven Zusammenarbeit zwischen Deutschland und China durchgesetzt. Im Jahr 2008 wurde das Verhältnis des Westens zu China dann allerdings durch dramatische Ereignisse auf die Probe gestellt – und erneut ging es um Tibet.

Der Fall Tibet

Am 14. März 2008 brachen in Tibets Hauptstadt Lhasa Unruhen aus, bei denen es auch zu gewaltsamen Übergriffen von Tibetern auf Han-Chinesen und die muslimische Hui-Minderheit kam. Nach anfänglichem Zögern reagierten die chinesischen Ordnungskräfte hart – in Lhasa selbst, aber auch in den Provinzen Gansu und Sichuan, in denen ebenfalls antichinesische Proteste stattgefunden hatten. Nach offiziellen Angaben kosteten diese Auseinandersetzungen 19 Menschen das Leben und es gab 623 Verletzte zu beklagen. Peking gab 1080 Verhaftungen bei der Niederschlagung der Unruhen und bei den zahlreichen nachfolgenden Razzien bekannt. Die tibetische Exilregierung im indischen Dharamsala zählte weit mehr Opfer und Gefangene.

Damit war ein Konflikt aufgebrochen, der auf eine sehr lange Vorgeschichte zurückgeht. Schon im 13. Jahrhundert geriet Tibet unter Fremdherrschaft, erst mongolische, dann chinesische, die viele Jahrhunderte andauerte. Als die Qing-Dynastie (1644–1911) in revolutionären Wirren unterzugehen begann, proklamierte 1910 der damalige Dalai Lama Tibets Unabhängigkeit. Sie hatte als De-facto-Status einige Jahrzehnte Bestand, bis Maos siegreiche Volksbefreiungsarmee 1950 Tibet besetzte und die chinesische Herrschaft erneuerte. Dabei sicherten sich die Tibeter weitgehende regionale Autonomierechte über den sogenannten *17-Punkte-Vertrag*. Die Radikalisierung der kommunistischen Herrschaft in Peking machte auch die Tibeter zu Opfern, besonders bei der Zwangskollektivierung. Als Reaktion darauf kommt es am 10. März 1959 zu einem Aufstand, den die Chinesen brutal niederschlagen und dabei auch den Dalai Lama in sein indisches Exil vertreiben, in dem er bis heute lebt. In der Erinnerung an diesen Aufstand finden jedes Jahr Demonstrationen und andere Manifestationen statt. So war es auch bei seiner 49. Wiederkehr am 10. März 2008 in Lhasa – und das wurde der Ausgangspunkt für die blutigen Unruhen.

1965 erhält Tibet den Status einer autonomen Region (TAR), der aber keinen Schutz bietet bei den Wirren der Kulturrevolution, in der 1,2 Millionen Tibeter ihr Leben lassen und die zur Zerstörung fast aller tibetischen Klöster führt: Von 2700 Anlagen sollen diese Katastrophe, die auch andere Regionen Chinas hart traf, nur 13 überlebt haben. Als auf die Kulturrevolution unter KP-Chef Hu Yaobang eine Phase der Liberalisierung folgte, begann ein chinesisch-tibetischer Dialog, der zu Reformen im Autonomiegebiet und 1984 zur Öffnung Tibets für Touristen und Exiltibeter führte. Drei Jahre später schwang mit der Absetzung Hus das Pendel wieder zurück: Der bilaterale Dialog wurde eingestellt, die Unzufriedenheit der Tibeter wuchs erneut, und sie macht sich 1989 in neuen Unruhen Luft, die von der chinesischen Führung unter Verhängung des Kriegsrechts gewaltsam beendet werden. Im selben Jahr erhält der Dalai Lama zum Missvergnügen Pekings für seine Bemühungen um eine friedliche Konfliktlösung den Friedensnobelpreis.

Vielleicht war es die Entscheidung des *Internationalen Olympischen Komitees* (IOC) im Jahr 2001, die Ausrichtung der Sommerspiele des Jahres 2008 in die Volksrepublik zu vergeben, die es der Pekinger Führung im Jahr 2002 angezeigt erscheinen ließ, den Dialog mit den Emissären des Dalai Lama wieder aufzunehmen. Bis 2007 zählte man fünf Gesprächsrunden, die aber ohne nennenswerte Ergebnisse blieben. Ganz China war dann geschockt von dem Gewaltausbruch wenige Monate vor Olympia, auf das man sich in Peking intensiv und professionell vorbereitet hatte, mit dem Blick auf die große Chance, sich der Welt als ein aufstrebendes, erfolgreiches und offenes Land voller noch ungenutzter Potentiale zu präsentieren. Die blutigen Begleitumstände der Unruhen schockierten auch den Dalai Lama, der in einer Erklärung vom 18. März sogar seine Amtsniederlegung wegen der Gewaltsamkeit der tibetischen Demonstranten nicht ausschloss. In den internationalen Pressereaktionen tauchten Spekulationen darüber auf, ob hier nicht radikale tibetische Organisationen bewusst auf die Möglichkeit setzten, Olympia als Bühne für die Verbreitung ihrer Forderungen zu nutzen. Solche Töne waren von radikalen Gruppierungen wie dem *Tibetan People's Uprising Movement* und dem *Tibetischen Jugendkongress* durchaus zu hören gewesen.

Nicht weniger radikal fiel die chinesische Antwort auf diese Vorgänge aus. Tibet wurde am 20. März für alle Ausländer geschlossen, die Sicherheitskräfte schlugen die Unruhen nieder, verfolgten die tibetischen Aktivisten und setzten die Mönche und Klöster Tibets unter größtmöglichen Druck, Umerziehungsmaßnahmen eingeschlossen.[45] In der offiziellen Sprache spiegelte sich nicht nur Entschlossenheit bis zur Anwendung von Gewalt, sondern auch so etwas wie Panik. Tibets Parteichef Zhang Qingli kündigte gar einen „Kampf um Leben und Tod" an. In China vertrauen wenige den Bekenntnissen des Dalai Lama zum Gewaltverzicht. Sie sehen in ihm den politischen Führer, hinter dem starke Kräfte für ein unabhängiges Tibet stehen, und verweisen darauf, dass der Dalai Lama nie seine Position eines *Greater Tibet* aufgegeben hat: Das soll neben der autonomen Region auch die Provinzen Gansu, Sichuan und Yunnan umfassen, historische Siedlungsgebiete der Tibeter, wo auch heute noch mehr Tibeter als in Xizang, also dem tibetischen Kerngebiet, leben, aber jetzt als Minderheiten im Umfeld einer völlig von den Han-Chinesen geprägten Kultur. Man nimmt in China zur Kenntnis, dass der Dalai Lama seine Forderungen auf eine sehr weitgehende kulturelle Autonomie beschränkt und sich gegen separatistische Forderungen verwahrt, ist aber über seine Definition von Tibet ebenso beunruhigt wie über sein Autonomieverständnis, das mit den realen Prozessen in der TAR und den tibetischen Siedlungsgebieten, die vom Zuzug von Han-Chinesen, von der Zunahme des Tourismus und typischen Globalisierungstendenzen in der Kultur geprägt sind, kaum in Übereinstimmung zu bringen ist. Und natürlich lernt schon jeder Chinese in der Schule, welche strategische Bedeutung der tibetischen Hochebene zukommt – im Heute und in der Vergangenheit. Dort, in der Grenzregion zu Indien, der fast ebenso bevölkerungsreichen und in einigen Bereichen mit China rivalisierenden benachbarten Atommacht, hat Peking eine halbe Million Soldaten stationiert, dort bündeln sich Militärflughäfen und Stationierungsorte für Mittel-

und Langstreckenraketen und dort befinden sich auch wichtige chinesische Atomforschungsanlagen.

Wenn es das Kalkül tibetischer Aktivisten war, Olympia vor den eigenen Wagen zu spannen, dann ist das teilweise geglückt. Der Boykott der Spiele wurde immerhin diskutiert, zur Eröffnungsfeier erschienen längst nicht alle Vertreter anderer Länder, die man erwartet hatte, und der Fackellauf des olympischen Feuers geriet in einigen Ländern zum Spießrutenlauf. Erst als der Sport und die olympischen Wettkämpfe zwischen dem 8. und 24. August 2008 in Peking das Zepter übernahmen und die internationalen Gäste ihren Respekt und ihre Anerkennung für die Organisationsleistungen der Veranstalter nicht verbergen wollten, trat die dramatische Vorgeschichte etwas in den Hintergrund. Von Anfang an hatte die deutsche Politik gemeinsam mit der großen Mehrheit ihrer Partner die Wiederherstellung des freien Zugangs zu Tibet, die Beendigung jeder Anwendung von Gewalt und die Rückkehr an den Verhandlungstisch gefordert. Tatsächlich gab es ab Mai 2008 wieder mehrere Treffen zwischen Vertretern der chinesischen Regierung und den Entsandten des Dalai Lama, wobei aber bis Anfang 2009 keine erkennbaren Fortschritte sichtbar wurden. Deutschland tritt für eine Normalisierung der Lage in Tibet und eine Öffnung der Region ein, fordert einen beiderseitigen Gewaltverzicht und drückt gegenüber Peking immer wieder die Erwartung aus, dass allein wegen ihrer Meinungsäußerungen inhaftierte Tibeter freigelassen und die Repressionen oder gar Umerziehungsmaßnahmen eingestellt werden. Die Klärung des Konflikts selbst sieht die Bundesregierung in der Fortsetzung des Dialogs mit dem Ziel, eine für beide Seiten akzeptable Regelung beim Erhalt der tibetischen Sprache, Kultur und Religion im Rahmen einer Autonomielösung zu finden.

Das Tibet-Thema bleibt virulent. Zu Beginn des Jahres 2009 schaut die Weltöffentlichkeit aber mit zusätzlichen Fragen und Sorgen auf die Volksrepublik. Welche Auswirkungen wird die globale Finanz- und Wirtschaftskrise auf das so stark vom Export abhängige China und seine Stabilität haben? Unerwartet schnell hat die Absatzkrise auch die asiatischen Länder erreicht, in China mit einem Exportminus von 2,2 Prozent allein im November 2008. Wie gebannt schaut man auf die Wachstumsprognosen für 2009. Nach zwölf Prozent im Jahr 2007 und etwa neun Prozent 2008 rechnen Fachleute mit vielleicht 6,5 Prozent für 2009. Das muss eine Regierung aber alarmieren, die selbst die Notwendigkeit eines mindestens achtprozentigen Wirtschaftswachstums proklamiert hat, um einigermaßen über die Runden zu kommen – mit den 250 Millionen Wanderarbeitern, von denen immer mehr vergeblich nach Erwerbsmöglichkeiten suchen, und mit den sechs Millionen Studienabgängern, die allein für 2009 erwartet werden.

Entsprechend gigantisch fällt das Konjunkturprogramm aus, mit dem die chinesische Führung weiteren Wachstumseinbrüchen gegensteuern will. Die Ankündigung lag Ende 2008 bei einem Volumen von etwa 4000 Milliarden RMB (586 Milliarden US-Dollar) und damit bei acht Prozent des chinesischen Bruttosozialprodukts (die europäischen Länder beraten über Programme in der Größenordnung von 1 bis 1,5 Prozent des Bruttosozialprodukts), auch wenn davon zwei Drittel von den Kommunen und der Wirtschaft getragen werden sollen. Und hier schließt sich der Kreis. Selbst eingefleischte Chinakritiker werden solchen Programmen Erfolg wünschen. Sollte in diesem Riesenland der soziale Grundkonsens zerbrechen oder gar das politische System kollabieren, würde das den Rest der Welt nicht nur in größte Sorgen stürzen, sondern auch ratlos machen. Unruhen zwischen Millionen von Menschen, Flüchtlingsströme in sieben- oder achtstelligen Größenordnungen, ein möglicher Kontrollverlust über Waffen und atomare Arsenale oder eine plötzliche Unvorhersagbarkeit der Zukunft dieses Territoriums mit einem Fünftel der Erdbevölkerung – das wäre eine regional nicht mehr eingrenzbare Katastrophe, sondern eine von globaler Signatur. Wer soll da helfen oder intervenieren? Die Potentiale der Weltgemeinschaft, gebunden in aufwändigen Missionen vom Irak über Afghanistan und den Balkan bis zu den afrikanischen Schauplätzen, würden sich ausmachen wie der berühmte Tropfen auf dem heißen Stein. China als solches präsentiert sich insofern als lebendiges Plädoyer für eine vorausschauende Außenpolitik, die den kooperativen Ansatz stets mit einem Blick auf die Gesamtentwicklung des Landes verbinden muss. Jede auf Konfrontation zielende Alternative birgt unkalkulierbare Risiken und lässt sich schon deshalb mit den deutschen und europäischen Interessen in keiner Weise in Einklang bringen.

Fazit: Eine starke EU auf Partnersuche

Was zeigt uns der Blick auf die wichtigsten Partner für eine globale Friedens- und Stabilitätspolitik auf der Grundlage des *Europäischen Modells*? Ich will das Ergebnis thesenartig zuspitzen und komme dabei zu folgenden Feststellungen:

1. In der Ära Bush zwischen 2000 und 2008 haben sich das politische Denken und die Strategien zur Beantwortung globaler Herausforderungen in Europa und den USA in signifikanter Weise auseinanderentwickelt. Erst die Wahl von Barack Obama zum neuen Präsidenten der Vereinigten Staaten eröffnet die lange ersehnte Perspektive einer Überwindung dieser politischen Entfremdung.

2. Die mit dem Amtsantritt von Präsident Medwedjew verbundene Option einer *Modernisierungspartnerschaft* mit Deutschland und der EU erlitt 2008 einen kräftigen Dämpfer. Der Kaukasus-Krieg im August 2008 und die anschließende Anerkennung Abchasiens und Südossetiens legten zunächst alle ambitionierten Ziele in dieser Richtung auf Eis. Auch der erneute Gasstreit mit der Ukraine zum Jahreswechsel 2008/2009 hat bei vielen die Zweifel an der Verlässlichkeit Russlands als Energiepartner verstärkt. Dennoch werden

wir Präsident Medwedjew beim Wort nehmen, der sowohl vor als auch nach seinem Amtsantritt im Mai 2008 immer wieder auf die Notwendigkeit der Modernisierung der russischen Wirtschaft und Gesellschaft hingewiesen hatte.

3. Ähnlich wie in Russland haben die chinesischen Eliten ein neues Bewusstsein von Chinas Rolle in der Welt entwickelt, aber das Land steckt auch weiterhin mitten in einem anspruchsvollen Modernisierungsprozess, der auf eine Fortgeltung des sozialen Grundkonsens angewiesen ist und eine Absicherung durch hohe wirtschaftliche Wachstumsraten braucht. Die sich ab Ende 2008 ausbreitende globale Finanz- und Wirtschaftskrise stellt diesen benötigten Rahmen in Frage. Chinas Auftreten als Konkurrent auf den Energie- und Rohstoffmärkten, seine Menschenrechtspolitik und seine Behandlung des Falls Tibet spalten die westliche Chinapolitik trotz der gewaltigen Potentiale in den Wirtschaftsbeziehungen.

Wenn es aber stimmt, dass die wachsenden Herausforderungen im Bereich von Frieden, Stabilität und Sicherheit eine weltweite Zusammenarbeit im Rahmen einer globalen Verantwortungsgemeinschaft nötig machen, dann heißt das für die Verantwortlichen in der EU, dass es keine Alternative zu intensiven politischen Anstrengungen gibt, mit diesen drei Partnern zu gemeinsamen politischen Handlungsgrundlagen zu kommen. Und dies unabhängig davon, welche politischen Konstellationen in den Vereinigten Staaten, in der Russischen Föderation und in der Chinesischen Volksrepublik gerade bestehen, welche Interessen oder Probleme die Tagesordnung dort gerade prägen. Ein solches Werben braucht Geduld, benötigt krisenresistente Dialogstrukturen und setzt einen konzentrierten Politikansatz in einer starken Europäischen Union voraus. Schaut man sich die jüngeren europäischen Diskurse zum Umgang mit Russland und China an, dann wird man sich bewusst, dass auch dieser Konsens erst noch oder immer wieder erarbeitet werden muss.

Was die Kraftentfaltung einer gemeinsamen europäischen Außen- und Sicherheitspolitik angeht, musste mit dem vorläufigen Scheitern des Vertrags von Lissabon ein Rückschlag verkraftet werden. Die neue Zieloption lautet, bis November 2009 die vollständige Ratifizierung des Lissabonner Vertrags anzustreben – auch durch Tschechien und Irland, deren Unterschriften zu Beginn des Jahres noch fehlten. Ein Gelingen dieser Planung gäbe den internationalen Wirkungsmöglichkeiten der EU viel Rückenwind. Denn der Lissabonner Vertrag schafft die Voraussetzungen für eine kohärentere EU-Außenpolitik, wertet die Stellung des *Hohen Vertreters für die Außen- und Sicherheitspolitik* in Richtung eines Quasi-Außen- und Verteidigungsministers der EU deutlich auf und sieht seine Unterstützung durch einen eigenen *Europäischen Auswärtigen Dienst* (EAD) als Ergänzung zu den weiter bestehenden nationalen Fähigkeiten vor. Die ständigen Anfragen und Bitten an die EU, bei regionalen Konflikten zu vermitteln, in Notsituationen zu helfen und bei den ausstehenden Antworten auf globale Herausforderungen eine Vorreiterrolle zu übernehmen, zeigen, was wir brauchen: eine starke EU, in der die großen Mitgliedstaaten, Deutschland einbezogen, eine besondere Verantwortung übernehmen, und eine EU, die in der Lage ist, wichtige Partner einzubinden, auch inhaltlich in die innerhalb der Union entwickelten politischen Strategien.

Wir haben gesehen, dass sich Deutschland innerhalb der EU stark in dieser Arbeit mit den entscheidenden Partnern engagiert und dabei konsequent auf den kooperativen Ansatz setzt. Insofern belegt die deutsche Arbeit an diesen Partnerschaften für eine globale Verantwortungsgemeinschaft den Versuch, die notwendige Unterstützung für die eigenen und europäischen Konzepte und Strategien zu gewinnen. Im Folgenden soll nun anhand von drei Beispielen untersucht werden, ob und wie sich unsere vorausschauende Außenpolitik mit ihrer Mission Weltfrieden in der Praxis bewähren konnte. Dies will ich am Beispiel der deutschen Afghanistanpolitik, der Bemühungen um eine Verhandlungslösung für das Problem der iranischen Nuklearprogramme und um eine friedliche Zukunft im Nahen Osten sowie anhand der neuen Stabilisierungspolitik der EU in Zentralasien deutlich machen.

IV. Friedensmissionen und Strategien im Praxistest

Afghanistan

Eine nicht aufgebbare Mission

In keine Friedensmission hat Deutschland mehr investiert als in Afghanistan. Im Herbst 2008 hat der Bundestag die Mandate verlängert. Seitdem kann sich die Bundesregierung mit bis zu 4500 Soldaten an ISAF und mit 800 Mann an OEF beteiligen. Über keine Friedensmission wird so intensiv diskutiert – in der Regierung, im Parlament und in der Öffentlichkeit. Ihr letztes „Afghanistan-Konzept" hat die Bundesregierung am 9. September 2008 vorgelegt, in dem die vier beteiligten Ministerien (Auswärtiges Amt, BMI, BMVg, BMZ) auf 31 Seiten Rechenschaft ablegen über den aktuellen Stand in allen Arbeitsfeldern und wo sie über ihre weiteren Absichten Auskunft geben.[46]

Es hat schon Friedensmissionen gegeben, die scheiterten und die abgebrochen wurden. In Afghanistan kann man sich das nicht vorstellen. Die internationale Intervention geht auf den Herbst 2001 zurück. Als die Täterspuren des 11. September nach Afghanistan zu Osama bin Laden und dem Terrornetzwerk Al Qaida führten, forderte das angegriffene Amerika vergeblich bei der Talibanregierung die Auslieferung der Täter und die Schließung der Ausbildungslager. Die Weigerung begründete die militärische Intervention, die zwar die Taliban aus Kabul vertrieb, aber ihre Macht nicht vollständig brechen konnte. Sie zogen sich, unterstützt von einigen Drogenbaronen und Warlords, in den bergig-zerklüfteten Süden und Osten des Landes zurück und setzten ihren Widerstand von dort aus fort.

In Afghanistan wird seit 1979 fast ununterbrochen gekämpft. Krieg, Bürgerkrieg und das Taliban-Regime haben das

Land nicht nur physisch, sondern auch in seinen Strukturen zerstört. Nach der Vertreibung der Taliban begann ein umfassender Wiederaufbauprozess. Ich habe im ersten Kapitel schon über die deutschen Beiträge dazu berichtet. Inzwischen gibt es eine Verfassung, ein gewähltes Parlament, einen gewählten Präsidenten, eine Verwaltung, deren Durchsetzungskraft allerdings mit jedem Kilometer Abstand von der Hauptstadt geringer wird, und es existieren wiederaufgebaute Wirtschafts- und Bildungseinrichtungen. Diese ganze Entwicklung fand unter dem Schutzversprechen der internationalen Gemeinschaft statt. Ein plötzlicher Entzug dieses Schutzes würde zu einer Rückkehr des blutigen Bürgerkrieges führen, wobei mit großer Wahrscheinlichkeit kaum etwas von dem Wiederaufgebauten erhalten bliebe. Noch erscheinen die Vertreter der neuen Ordnung in Afghanistan zu schwach, um sich erfolgreich verteidigen zu können. Ihre Niederlage gegen die Taliban würden sie einem westlichen Verrat zuschreiben, mit schwer absehbaren Folgen für das Prestige und die Glaubwürdigkeit der gesamten Weltgemeinschaft.

Aber der Hauptgrund, weshalb ein Scheitern ausgeschlossen bleibt, führt auf den Ausgangspunkt der Afghanistan-Mission zurück. Die Rückkehr der Taliban böte dem international agierenden Netzwerkterrorismus einen sicheren Hafen, von dem er ungestört seine Attacken quer über den Globus vorbereiten könnte. Das wäre eine Potenzierung der Bedrohung, wie sie heute kontinuierlich von Al Qaida und seinen Unterstützern ausgeht. Das bedeutet aber nicht, dass wir es mit einer Mission ohne Ende zu tun haben. Das logische Ziel muss sein, die neue afghanische Gesellschaft mit ihrer gewählten Führung in die Lage zu versetzen, sich selbst zu verteidigen – mit bewaffneten Streitkräften, mit einer effizienten Polizei und mit Recht und Gesetz.

Von der Ausbildung zur Selbstverantwortung

Zu Beginn des Jahres 2009 besteht Einigkeit darüber, dass die Sicherheitslage im Land sich verschlechtert hat und deshalb die Anstrengungen der internationalen Gemeinschaft verstärkt werden müssen. Zum Jahresende 2008 kündigte die amtierende US-Regierung an, bis zum Sommer 2009 weitere 30 000 Soldaten nach Afghanistan zu entsenden und damit das amerikanische Kontingent zu verdoppeln. Aber auch wenn dann mehr als 100 000 Mann aus 40 verschiedenen Ländern zur Verfügung stehen, gibt es in der „asymmetrischen" Auseinandersetzung keine Erfolgsgarantie. Längst haben die aufständischen Kämpfer sich der Überlegenheit der Waffen auf der anderen Seite angepasst, greifen nicht mehr in geschlossenen Verbänden an, sondern verüben mit Sprengfallen und Selbstmordattacken Terrorakte gegen Vertreter der Regierung, gegen Regierungsgebäude und Polizeistellen, gegen Schulen, Schülerinnen und Frauen und gegen alle, die für den Schutz der Angegriffenen Verantwortung tragen.

Die Attacken verteilen sich sehr ungleich. 90 Prozent fallen auf den Süden und Osten des Landes, wo sich die Herrschaft der Taliban in der Fläche wieder ausgeweitet hat. Nur zehn Prozent suchen die nördlichen und westlichen Provinzen des Landes heim. Eine entscheidende Rolle spielt der ununterbrochene Nachschub an Kämpfern aus den paschtunischen Grenzgebieten Pakistans. Trotz erheblicher Fortschritte braucht die afghanische Nationalarmee ANA und die Nationalpolizei ANP noch internationale Unterstützung. Bei den bewaffneten Kräften wird für das Jahr 2010 eine Sollstärke von 80 000 Mann angepeilt, die sich bis 2012 auf 122 000 erhöhen soll. Anfang 2009 stehen etwa 60 000 Soldaten zur Verfügung, die aber nur teilweise zu eigenständigen Operationen fähig sind. Auch bei der Polizei scheint die aktuelle Zahl (70 000) nicht so weit von der Sollstärke von 82 000 ausgebildeten Kräften entfernt. Trotzdem steht noch viel Arbeit bevor. Denn es gibt Verluste in den

Kämpfen, wir hören Berichte von Überläufern, und die Taliban werben frisch ausgebildete Soldaten und Polizisten ab. Während die Regierung in Kabul nur einen mageren Sold zahlen kann, stehen den Taliban die Einkünfte aus dem illegalen Drogenanbau zur Verfügung, weshalb sie mehr bieten können.

So findet bei der Ausbildung der Sicherheitskräfte ein richtiger Wettlauf statt. Wenn Deutschland im Herbst 2008 die Obergrenze auf 4500 Soldaten heraufgesetzt hat, dann aus zwei Gründen: Um die Ausbildung des afghanischen Militärs zu beschleunigen und um die Wahlen des Jahres 2009 besser abzusichern. Schrittweise wurde auch die ESVP-Polizeimission „EUPOL Afghanistan" verstärkt. Von den 400 vorgesehenen Ausbildern sollen 120 aus Deutschland kommen. Zusätzlich setzt die Bundesregierung auf bilaterale Ausbildungsmaßnahmen und hat dafür 30 Kurzzeit-Polizeitrainer und 45 Bundeswehr-Feldjäger entsandt. Tempo, Volumen und Qualität der Ausbildung von Sicherheitskräften – das ist die Schlüsselgröße bei der Afghanistan-Mission geworden, wenn es um das Ziel der Selbstverantwortung für die Verteidigung gegen die Aufständischen (*Ownership*) geht.

Der zivile Aufbau und das deutsche Modell

Für die Stabilität des Landes und für das Verhalten der Bevölkerung gegenüber der eigenen Regierung und ihren ausländischen Beschützern ist natürlich entscheidend, wie der zivile Wiederaufbau vorankommt. Hier fand die internationale Gemeinschaft ein äußerst schwieriges Umfeld vor. Afghanistan kennt keine demokratischen Traditionen und hat sich im Laufe der Geschichte, selbst in der Zeit der Monarchie, mit einer schwachen Zentralgewalt eingerichtet. Familien und Clans prägen ein dezentrales, regional gestütztes Herrschaftssystem, bei dem Allergien gegen jede Form von Fremdherrschaft immer wieder instrumentalisiert werden. Diese Tradition mag bei dem drei Jahrzehnte währenden Bürgerkrieg seit 1979 zusammen mit den Palästen und Häusern von Kabul vorübergehend unter Schutt und Asche geraten sein – der Nation-Building-Prozess ab Ende 2001 musste mit ihr rechnen.[47] So hat die Austarierung von einzelnen regionalen Familien-, Stammes- und Clan-Interessen den ganzen Aufbauprozess begleitet und oft gebremst. Alles musste von Null an beginnen: Die Schaffung politischer Institutionen, von Gesetzgebungsverfahren und der vorsichtige Aufbau einer durchsetzungsfähigen Zentralgewalt. Beim Aufbau des Justizsystems musste die Frage beantwortet werden, wie man mit den zahlreichen Verbrechen der Bürgerkriegs-Vergangenheit umgehen sollte. Der Kampf gegen den talibangesteuerten Opiumanbau hatte nur eine Chance, wenn man andere Erwerbsmöglichkeiten anbieten konnte, und das setzte eine Verbesserung der Infrastruktur, vom Straßenbau bis zur Errichtung eines regionalen Märktesystems voraus. Und ohne funktionierende Grenzkontrollen ist kein Kampf gegen die Drogenbarone zu gewinnen, deren Profite in die Bezahlung der illegalen Milizen fließen.

Trotz der komplizierten Rahmenbedingungen ist vieles erreicht worden. Deutschland hat dazu beigetragen, besonders in den Bereichen Schulbau, Wasserversorgung, Gesundheitssystem und Schutz von Frauenrechten. Die Aufwendungen für den zivilen Aufbau summieren sich für die Jahre 2002 bis 2010 auf 1,1 Milliarden Euro, was die Bundesrepublik zum viertstärksten Geber für Afghanistan macht. Die Entscheidungen der letzten Jahre spiegeln auch einen Bewusstseinswandel, hin zur Erkenntnis, dass ein sichtbarer Fortschritt beim zivilen Aufbau die Sicherheitsfrage stark beeinflusst. Standen im Jahr 2006 noch 80 Millionen Euro für diese Zwecke zur Verfügung, wuchs das 2007 auf 100 und im Jahr darauf auf 140 Millionen Euro. Der Bundeshaushalt 2009 sieht mittlerweile eine Summe von 170 Millionen Euro für zivile Maßnahmen in Afghanistan vor. Angesichts der Probleme fällt es schwer zu widersprechen, wenn gesagt wird, das reiche alles noch nicht aus. Man braucht sich nur folgendes zu vergegenwärtigen: Seit dem Jahr 2002 sind 5,5 Millionen Bürgerkriegsflüchtlinge in das neue Afghanistan zurückgekehrt, die meisten von ihnen ohne jede Voraussetzung auch nur für einen bescheidenen Lebensunterhalt. Im Iran aber leben noch 3 Millionen Flüchtlinge, die Mehrzahl davon illegal, und Teheran droht mit Abschiebung. Ähnlich steht es mit Pakistan, das angekündigt hat, bis zum Jahr 2010 nicht weniger als 2,2 Millionen afghanische Flüchtlinge zurückzuschicken. Die Erfahrung lehrt, dass 80 Prozent der Rückkehrer keine Ausbildung haben, 55 Prozent von ihnen sind jünger als 18 Jahre. Solche Belastungen – ob durch Flüchtlinge oder durch Rückkehrer – würden auch sehr reiche Länder an ihre Belastungsgrenze bringen.

Deutschland hat sich nicht nur angestrengt, was die Mittel für den zivilen Aufbau angeht. In der Nordregion, wo Berlin die Gesamtverantwortung für die Sicherheit und den Wiederaufbau trägt, verfolgt die deutsche Politik ein spezielles Modell. Dabei versuchen wir, eine besondere Abstimmung zwischen der Schaffung eines Sicherheitsrahmens und den sichtbaren Wiederaufbauleistungen zu erreichen. Exemplarisch soll das in den beiden deutschen PRTs *(Provincial Reconstruction Teams)* von Kunduz und Faizabad gelingen. Wenn in einer Region 80 Prozent der Bevölkerung Zugang zu einer medizinischen Basisversorgung erhält, wenn sich das Prokopfeinkommen verdreifacht und die Zahl der Schülerinnen und Schüler verfünffacht, wenn eine Wasserversorgung für Vierfünftel der Bevölkerung zur Verfügung steht, wo das alles vorher fehlte – dann gibt es auf einmal etwas zu verteidigen, auch gegen die fremdenfeindlichen Parolen der Taliban.

Es wäre nicht fair, das, was man deutsches Modell nennen könnte, überzustrapazieren. Dass es funktioniert, hängt mit den spezifischen Gunstfaktoren der Nordregion zusammen, wo nur 10 Prozent der „sicherheitsrelevanten Vorkommnisse" stattfinden. Aber dass es überhaupt gelingen kann, eine Identifizierung der Menschen mit dem *Nation-Building* zu erreichen und in einer traditionell ablehnend gegen jede Einmischung von außen reagierenden Kultur Vertrauen bei einem solchen Prozess zu schaffen, das ermutigt. Und man wird darin bestärkt, in Kabul, bei Präsident Karzai und seiner Regierung, im Sinne von *Good Governance* noch mehr afghanische Beiträge zu dieser Vertrauensbildung einzufordern.

Die Reduktion auf das Militärische

Nach diesem kurzen Überblick zum Zwischenstand der Friedensmission in Afghanistan will ich jetzt prüfen, ob hier die oben dargelegten Konzepte und Prinzipien deutscher Außenpolitik zur Anwendung gebracht werden können, wo und warum das nicht möglich ist oder welche Kompromisse man schließen musste. Die erste Frage richtet sich dabei darauf, wie sich der seit November 2001 laufende Einsatz in Afghanistan zu den beschriebenen Einsichten verhält, dass in der Auseinandersetzung mit dem Terrorismus das ausschließliche Setzen auf Repression nicht zum Erfolg führt, sondern durch umfassende Anstrengungen gegen das Scheitern von Staaten, für regionale Stabilität und für eine gerechtere Weltordnung ergänzt und von einem „Dialog der Kulturen" begleitet werden sollte.

Die lange Dauer des Kampfes in Afghanistan, der sich wie kein anderer aus dem 11. September 2001 ableitet und insofern zum sichtbarsten Abbild der westlichen Auseinandersetzung mit dem Netzwerkterrorismus geworden ist, lenkt von seinem Wesen ab und hat ihn immer mehr zu einer Auseinandersetzung nach afghanischen Regeln gemacht. Die Taliban und ihre Unterstützer nutzen diese Umstände. Sie greifen punktuell an und suchen Deckung inmitten unbeteiligter Zivilisten. Wenn die westlichen Soldaten, die wegen ihrer Unterzahl nicht selten in prekäre Situationen geraten, mit Unterstützung aus der Luft zurückschlagen, werden häufig auch Unschuldige zu Opfern. Wo dies passiert, erleichtert das den Aufständischen, weitere Kämpfer zu rekrutieren. Diese werden sich kaum als

Beteiligte an einer exemplarischen Auseinandersetzung um die Zukunft der Weltkultur sehen. Der archaische bewaffnete Kampf, an dem sie teilnehmen, war schon vor Al Qaida in Afghanistan, er muss niemandem erklärt werden.

Das Ganze läuft auf eine Orientierung der Auseinandersetzung hinaus, bei der sich diese von einem normalen Krieg oder Bürgerkrieg dann kaum noch unterscheidet. Afghanistan bestätigt insofern im wörtlichen Sinne den ersten Reflex der Bush-Regierung auf den 11. September, der da lautete: Jetzt sind wir ein Land im Krieg, im *war on terrorism,* und werden ihn solange führen, bis wir ihn gewonnen haben! Aber da, wie oben gezeigt, die Afghanistan-Mission tatsächlich zum Erfolg verurteilt ist, wird diese problematische Orientierung in Richtung Reduktion der Antiterrorstrategie auf das rein Militärische vorerst anhalten.

Gefährliche Feindbilder

Die zweite Frage zielt auf ein Thema, das ich das Problem der zusätzlichen Legitimation nennen möchte. Ein Legitimationsproblem für den Afghanistaneinsatz besteht nicht im formalen Sinn: Nach wie vor beruft sich die fast ausschließlich von amerikanischen Kräften getragene *Operation Enduring Freedom* (OEF) auf die Sicherheitsratsresolution vom 12. September 2001, die einen Tag nach den Anschlägen auf Washington und New York die anonymen Terrorakte mit einem Angriffskrieg gleichsetzte und damit das Recht auf Selbstverteidigung auslöste. Und ISAF als die Unterstützungsmission für die Sicherung des Lebensalltags in Afghanistan, auf die der Präsident in Kabul und die afghanische Regierung nach wie vor angewiesen sind, stützt sich auf im Jahresrhythmus verlängerte UN-Mandate und hat deswegen schon gar keine völkerrechtlichen Sorgen. Aber die Dauer und Verselbstständigung der Auseinandersetzungen vor Ort und die Rechtfertigungszwänge, denen sich die Regierungen der Entsendeländer stellen müssen, das alles hat zu einer problematischen Selbstdarstellung des Einsatzes als ein Ringen um politisch-kulturelle Werte geführt.

Es lässt sich gut begründen, dass man Schulen baut, die auch für Mädchen offen stehen, man darf dafür werben, dass – anders als zur Talibanzeit – heute Frauen Berufe ausüben und in der Politik mitbestimmen. Aber wo der Eindruck entsteht, das internationale Engagement gelte der Zurückdrängung der Scharia und wolle, gestützt auf mehr als 70 000 Soldaten, ein westliches Verständnis von Politik und Kultur an die Stelle des Vorgefundenen setzen oder gar unsere Gesellschaftsordnung den Afghanen oktroyieren, da müssen alle roten Lampen aufleuchten. Der Gewinn an Sympathie und Zustimmung beim heimischen Publikum für ein solches Engagement steht gegen das Risiko, sich damit selbst auf den Irrweg des Kampfes der Kulturen zu begeben. Solche Rechtfertigungen liefern Argumente frei Haus für die Befürworter des *Clash of Civilisations,* zu denen sich Osama bin Laden zählt. Und es war richtig, dass die deutsche Politik vom ersten Moment der Diskussion an immer jeden Aufruf zum „Kreuzzug" gegen die Dschihadisten abgelehnt hat und bis heute den Dialog der Kulturen als unverzichtbar ansieht und sich um ihn bemüht. Das bedeutet, Afghanistan muss selber entscheiden, in welcher Kultur und unter welchen Gesetzen seine Menschen leben sollen. *Ownership* als Ziel darf sich nicht nur auf die erwünschte Fähigkeit zur Selbstverteidigung beziehen. Dazu gehört auch die politische Selbstverantwortung. Ich kann verstehen, wenn erste informelle Kontakte von Vertretern der Kabuler Regierung mit sogenannten „gemäßigten Taliban" nicht überall begrüßt werden. Aber wer das Ziel der afghanischen Eigenständigkeit ernst nimmt, wer die Auffassung teilt, dass eine rein militärische Lösung in Afghanistan nicht funktionieren kann und generell bei Konflikten auf politische Lösungen setzt, der muss der afghanischen Politik das Recht auf solche Kontakte und auf Versuche zu Kompromissen zugestehen. Unsere Erfahrungen mit Ausgrenzung und Isolierung sind durchweg negativ. Die Pflege des Feindbilds perpetuiert den Konflikt und verhindert den Wandel durch Annäherung. Dagegen bieten sich bei behutsamen Öffnungs- und Einbindungsansätzen Chancen zum Besseren. Das gilt auch bei sogenannten „Schurkenstaaten", wie der wundersame Wandel in Ghaddafis Libyen belegt. Für mich stellt sich auf Afghanistan bezogen sogar die Frage, ob es nicht besser gewesen wäre, schon bei der Einberufung der ersten Versammlung von Stammeshonoratioren aus ganz Afghanistan (*Loya Jirga*) im Dezember 2001 auf dem Petersberg bei Bonn bestimmte Vertreter der Taliban miteinzubeziehen. Heute sollten vorsichtigen Schritten zu einem afghanischen Versöhnungsprozess keine Steine in den Weg gerollt werden. Aber natürlich gibt es eine „Rote Linie": Nie wieder darf Afghanistan zum sicheren Hafen und Ausbildungscamp für die Netzwerke des Terrorismus werden. Um dieses Ziel zu erreichen, wurde der Afghanistan-Krieg geführt, ein Ausschluss dieser Gefahr wird das Fundament jeder Zukunftsentwicklung des Landes bleiben.

Die verspätete Regionalisierung

Es hat lange gedauert, bis eine andere Erfahrung der europäischen Friedenspolitik auf Afghanistan angewandt wurde, so lange, dass ich von einer verspäteten Regionalisierung der Friedensmission in Afghanistan spreche. Dass in den Koranschulen der pakistanischen Grenzregionen junge Paschtunen im Schnellverfahren auf ihren Einsatz in Afghanistan vorbereitet werden, ist seit vielen Jahren bekannt. Aber erst als die Krise Pakistan selbst erreichte und seitdem dort die Regierung von Terrorakten extremistischer und islamistischer Gruppen unter Druck gesetzt wird, setzte sich die Einsicht in die Schicksalsverbundenheit beider Staaten in konkretes politisches Handeln um. Während der deutschen G8-Präsidentschaft für das Jahr 2007 brachte der deutsche Außenminister das angespannte bi-

laterale Verhältnis von Afghanistan und Pakistan auf die Tagesordnung, eine größere Zahl von Staaten, Deutschland eingeschlossen, fand sich in einer Gruppe *Friends of Democratic Pakistan* zusammen, um eine gemeinsame Stabilisierungspolitik
zu entwickeln, und mittlerweile sind deutsche Programme an-
gelaufen, die in den grenznahen Fatas (*Federally Administered
Tribal Areas*) jungen Pakistanis soziale Unterstützung und Bil-
dungschancen gewähren sollen, damit sie aus der Spurrinne
herausfinden, die bei den Selbstmordkommandos der Taliban
in Afghanistan endet.

Dabei reicht die Sorge um eine Verbesserung des Verhält-
nisses von Kabul und Islamabad nicht aus. Pakistan braucht internationale Unterstützung, auch ohne dass man den Blick
nach Afghanistan wendet. Ein Land, das über ein eigenes
Atomwaffenarsenal verfügt, darf ein bestimmtes Niveau von
Stabilität und Regierbarkeit nicht unterschreiten, will es nicht
zu einem globalen Gefahrenherd werden. Als nach den Terrorakten in Bombay am 26. November 2008 die alten Wunden
zwischen Indien und Pakistan, die weitgehend verheilt schienen, augenblicklich wieder aufbrachen, bis hin zu Kriegs-
gerüchten, unterstrich das nur noch einmal, wie dringend ein
regionaler Friedensprozess für diese ganze Region gebraucht
wird. Was Afghanistan angeht, zeigt sich inzwischen, dass die
EU-Politik in Zentralasien mit ihrem regionalen Ansatz positive Auswirkungen auf die Afghanistanmission mit sich bringt.
Eine sichere und nachhaltige Energie-, Strom- und Wasserversorgung – das ist eine Kernbotschaft der EU-Strategie – lässt
sich nur regional organisieren. Je besser das bei den zentralasiatischen Nachbarn funktioniert, desto vorteilhafter kann Afghanistan daran teilhaben. Und wenn die europäischen Programme zur Verbesserung von Grenzkontroll-Fähigkeiten in
Zentralasien fruchten, wird das auch die Chancen zur Beendigung der afghanischen Opiumproduktion verbessern, da mindestens 20 Prozent des Heroins über die Grenzen Zentralasiens auf die Märkte kommt. Anfang 2009 hat also ein

regionaler Ansatz zur Stabilisierung Afghanistans Konjunktur, und er bezieht neben Pakistan auch den Iran und die Staaten Zentralasiens ein. Ein früherer Blick auf die regionalen Zusammenhänge hätte wahrscheinlich einige Probleme, vor allem mit dem Nachbarn Pakistan, rechtzeitiger aufgreifen lassen. Dafür hat die europäische Zentralasienpolitik schon eineinhalb Jahre nach ihrem Stapellauf angefangen, für Afghanistan Dividenden auszuschütten.

Die Afghanistanmission steht aber in dem besonderen Kontext des „Kriegs gegen den Terrorismus" der Nachseptemberwelt. Präventive Politik bekam hier keine Chance. Umgekehrt muss man festhalten, dass eine fortgesetzte Politik der Verantwortungslosigkeit erst den tragischen Weg Afghanistans bis zur Deckung von Bin Ladens Al Qaida durch die Schutzmacht der Taliban geebnet hat – vom sowjetischen Einmarsch 1979 über die amerikanische Aufrüstung der gegen die Russen kämpfenden Mujaheddin, aus denen die Taliban hervorgingen, bis zum Gewährenlassen des jedes Jahr nach der Schneeschmelze erneut auflodernden Bürgerkriegs, der das ganze Land verwüstete. Die Gefahr ist nicht gebannt, dass der so lang anhaltende Afghanistankonflikt dauerhaft Mittel bindet, die für eine moderne, vorausschauende Friedenspolitik dringend gebraucht werden und anderswo fehlen. Aber eine Beendigung erscheint ausgeschlossen, solange die Mindestziele nicht erreicht sind, also die Selbstverteidigungsfähigkeit der neuen afghanischen Gesellschaft und ihrer gewählten Regierung und der Ausschluss der Rückkehr von Al Qaida. Solange diese als exemplarisch verstandene Auseinandersetzung mit Waffengewalt geführt werden muss, verengt sich der Blick auf die konzeptionell viel breiter angelegte westliche Friedens- und Ausgleichspolitik. Die Entschlossenheit, in keiner Weise einem Kampf der Kulturen Vorschub zu leisten, wird in Afghanistan auf eine harte Probe gestellt. Eine Rückbesinnung auf die Vorteile eines Verzichts auf Feindbilder und Ausgrenzung braucht dringend Unterstützung. Einige der bedrohlichsten Entwicklungen hätten durch eine frühere Mobilisierung regionalpolitischer Ansätze aufgehalten werden können.

Der deutsche Beitrag beschränkt sich nicht darauf, im Rahmen der berechtigten Erwartungen unserer Partner mitzumachen. Er ist engagiert und reflektiert die auf Lernerfahrungen gegründete politische Friedenskultur, die oben beschrieben wurde. In einem eigenen Modell einer zivil-militärischen Balance, bei dem der Konsens mit der Zivilbevölkerung über sichtbare Aufbauleistungen gesucht wird, findet die deutsche Afghanistanpolitik Ansätze, über die notwendige, ebenfalls stark unterstützte Ausbildung von afghanischen Sicherheitskräften hinauszukommen – im vollen Bewusstsein, dass dieses Modell aktuell noch nicht auf ganz Afghanistan übertragbar ist. Die innerafghanische Konsensbildung hängt aber auch von der Wahrnehmung der neuen Autoritäten ab, weshalb ein weiterer Schwerpunkt der deutschen Politik sich auf Programme zur Qualitätsverbesserung der afghanischen Regierungsarbeit (*Good Governance*) richtet. Von Deutschland und insbesondere vom deutschen Außenminister Frank-Walter Steinmeier sind die ersten Initiativen ausgegangen, Pakistan stärker einzubinden und lange vernachlässigte Regionalansätze zu mobilisieren und zu nutzen. Viele Erfahrungen, die Deutschland anderswo gemacht hat, gehören heute zum politischen Instrumentarium in Afghanistan. Auch für den Bundeshaushalt 2009 werden die Mittel nicht nur für einen „Stabilitätspakt Südosteuropa", sondern auch für einen „Stabilitätspakt Afghanistan" fortgeschrieben, wobei sich die Vergleichbarkeit keineswegs nur auf den Programmtitel beschränkt. Im Praxistest der Friedensmission in Afghanistan haben konzeptionelle Elemente der deutschen Friedenspolitik Mühe, sich zu behaupten, aber sie halten sich sichtbar. Unter den gegebenen Bedingungen, die eher einem komplexen Härtetest entsprechen, verdient das Respekt und vor allem Unterstützung. Das Gegenteil davon ist die populistische Parole „Raus aus Afghanistan!". Wer ihr folgen würde, übernähme die volle Verantwortung für eine dauerhafte Fortsetzung der blutigen Tragödie Afghanistans, und selbst am Ende des endlosen Tunnels wäre nicht einmal ein Kerzenlicht des Friedens auszumachen.

Iran und Nahost

Das zweifache Isfahan

Isfahan ist eine der schönsten Städte des Orients. Es ist ein unvergessliches Erlebnis, in den Abendstunden über die „33-Bogen-Brücke" (*Si-o-seh pol*) zu flanieren, mit Blick auf die anderen Brückenwerke, die das schnelle Wasser des Flusses Zayandeh überwölben, oder in der Tagesglut den Schatten der doppelstöckigen Arkaden des Imam-Platzes (*Meidan-e Emam*) zu suchen, dieses Ensembles prachtvoller Moscheen und Paläste, die sich wie eine Perlenkette um den königlichen Stadtmittelpunkt von 500 Metern Länge ranken, um dann die Nacht im Hotel Abbasi zu verbringen, dem man bei aller Luxusausstattung seine historische Vergangenheit als Karawanserei noch anmerkt. Wer dem täglich zusammenbrechenden Autoverkehr Teherans entronnen ist, atmet auf in der Studentenstadt Isfahan, wo man gefahrlos Fahrrad fahren oder als Fußgänger die besondere Atmosphäre bestimmter Stadtteile, wie etwa des Armenierviertels Neu-Julfa, ungestört genießen kann. Man erliegt schnell den Reizen dieses Architektur-Juwels, das an der Südroute der historischen Seidenstraße liegt, das seine Glanzzeit als Hauptstadt des Safawidenreiches (ab 1598) mit damals schon mehr als 600 000 Einwohnern erlebte und das ein persisches Sprichwort mit dem kaum zu überbietenden Attribut „Isfahan ist die Hälfte der Welt" (*Isfahan – nesf-e jahan*) für alle Zeiten bewundernd herausgehoben hat.

Wahrscheinlich gibt es in keiner deutschen Stadt so viele Menschen, die Isfahan schon einmal besucht haben, wie in meiner Heimatstadt Freiburg im Breisgau. Zwischen den Jahren 2001 und 2009 hat der *Freundeskreis Freiburg-Isfahan e.V.* schon 15 „Bürgerreisen" nach Isfahan organisiert, und mit jeder Fahrt wächst die Nachfrage. Der Hintergrund ist die einzige bestehende deutsch-iranische Städtepartnerschaft, die Freiburg und Isfahan im Jahr 2000 begründet haben. Zwischen beiden Städten hat es einen Austausch von Delegationen der Stadtverwaltungen gegeben, der allerdings nach den antiisraelischen Ausfällen von Präsident Achmadinedschad ab Herbst 2005 ins Stocken geraten ist. Im Kontext einer großen Ausstellung „iran.com – Iranische Kunst heute" konnten sich die Bürgerinnen und Bürger der Breisgau-Metropole in mehr als 50 öffentlichen Veranstaltungen zwischen Oktober 2006 und Januar 2007 mit Geschichte, Kultur und Politik des Iran vertraut machen, das Freiburger Theater im Marienbad gastierte erfolgreich in der Partnerstadt und zwischen den Universitäten beider Städte reift eine vertragsgestützte Hochschulkooperation.

Das Besuchsprogramm der Deutschen in Isfahan lässt keine Sehenswürdigkeit aus, wohl aber eine Einrichtung, die nur wenige Kilometer außerhalb der Stadt liegt und das internationale Kürzel ICF als Namen trägt. Die Buchstaben stehen für *Isfahan Conversion Facility* und damit für eine streng abgeschirmte Produktionsstätte, in der Uran in das gasförmige Uranhexafluorid umgewandelt wird, das man wiederum für die Produktion von angereichertem Uran benötigt. So liegen bei Isfahan zwei konträre Welten eng beieinander: Die schönsten Zeugnisse der persischen Hochkultur, die von Goethe bis zur Gegenwart immer wieder deutsche Bewunderer gefunden hat, und die düsteren Anlagen des iranischen Nuklearprogramms, von denen der Westen befürchtet, dass sie zur Herstellung von Atomwaffen dienen.

Der Konflikt um das iranische Atomprogramm

So kommen wir zu einem der gefährlichsten Konflikte der Gegenwart, dem über das iranische Nuklearprogramm, für dessen Verständnis ein Blick in die Geschichte der Nichtverbreitungspolitik sinnvoll erscheint. Der *Vertrag über die Nichtverbreitung von Kernwaffen* (NVV) als wichtigstes Abkommen zur atomaren Abrüstung und Nonproliferation stammt aus dem Jahr 1968 und wurde 1970 in Kraft gesetzt. Ihm traten 188 Staaten bei – das waren damals alle außer Indien, Pakistan und Israel (Nordkorea unternahm 2003 einen nicht akzeptierten Rückzugsversuch aus dem NVV). Der Vertrag unterscheidet zwischen *Kernwaffenstaaten*, und das sind bis heute die offiziellen Atomstaaten USA, Russland, China, Frankreich und Großbritannien, sowie *Nichtkernwaffenstaaten*, zu denen alle übrigen Staaten gerechnet werden, und teilt zwischen diesen beiden Gruppen Rechte und Pflichten auf: Der Artikel IV regelt, dass die Nichtkernwaffenstaaten keine atomaren Waffenprogramme durchführen oder sich A-Waffen besorgen dürfen, dafür aber das verbriefte Recht zur zivilen Nutzung der Atomkraft genießen. Der Artikel VI gewährt den fünf Kernwaffenstaaten das Recht auf Produktion und Besitz der Nuklearwaffen, belegt sie aber mit einem Abgabeverbot und mit der Verpflichtung der vollständigen atomaren Abrüstung, ohne dafür einen konkreten Termin zu nennen. Um dies kontrollieren zu können, wurde der Vertrag um das *Safeguards Agreement* ergänzt und die 1957 gegründete IAEO (*Internationale Atomenergie-Organisation*) in Wien mit seiner Überprüfung beauftragt.

Der Iran trat dem NVV schon im Jahr 1970 bei und unterliegt auch den Safeguards-Kontrollen. Im August 2002 tauchten Meldungen über nichtdeklarierte Aktivitäten und auffällige Beschaffungsmaßnahmen Teherans auf, was die IAEO auf den Plan rief. Deren Überprüfung seit Februar 2003 ergab, dass der Iran über 18 Jahre hinweg Informationspflichten zu seinem Atomprogramm verletzt hatte und dass eine definitive Feststel-

198

lung über den ausschließlich friedlichen Charakter dieser Aktivitäten für die Wiener Behörde nicht möglich sei, auch wenn es an Beweisen für das Gegenteil, also die unerlaubte Vorbereitung einer Waffenproduktion, ebenfalls fehle. Seitdem fordert die IAEO, unterstützt durch die Weltgemeinschaft, eine Unterbrechung des iranischen Atomprogramms (*Suspension*), um durch eine Einsicht in alle Anlagen und Daten zweifelsfrei ermitteln zu können, welchen Charakter diese nicht pflichtgemäß deklarierten Aktivitäten tatsächlich hatten. In den Jahren seither ist die iranische Führung dieser Aufforderung nicht nachgekommen und hat dadurch den Verdacht auf unerlaubte Programme eher erhärtet. Stattdessen verschleiert sie den Ausgangspunkt des Problems, also die fast 20 Jahre währenden verdeckten Aktivitäten, und präsentiert sich als Opfer einer westlichen Politik, die dem Iran seine vertraglich zustehenden Rechte zur friedlichen Nutzung der Atomenergie, wie dies der Artikel IV des NVV vorsieht, verwehren will – und hat damit zumindest bei der eigenen Bevölkerung bisher auch Erfolg gehabt.

Im August 2003 starteten die drei europäischen Staaten Deutschland, Frankreich und Großbritannien (genannt „E3") eine diplomatische Initiative, um Teheran zum Einlenken zu bewegen. Das war die Zeit unmittelbar nach dem Irak-Krieg, in der die Vereinigten Staaten noch ihren militärischen Sieg über Saddam Hussein feierten und Präsident Bush Ratschläge erhielt, seiner eigenen Deutung von der „Achse des Bösen" folgend doch gleich im Iran weiterzumachen. Die Europäer sahen ihren Vorstoß als bewussten Versuch, eine Alternative zu einer preemptiven militärischen Beseitigung der mutmaßlichen iranischen Gefahr zu finden, also einen weiteren Krieg im Großraum des Nahen Ostens zu verhindern. An dieser Konstellation sollte sich in den folgenden Jahren nichts ändern.

Das Win-Win-Angebot

Im Zuge dieser Bemühungen, die phasenweise durchaus erfolgreich waren („Teheraner Erklärung" Oktober 2003, „Pariser Vereinbarung" November 2004) entwickelten die drei EU-Staaten ein umfassendes Kooperationsangebot, das sie am 5. August 2005 an Teheran übermittelten. Die Angebotsseite umfasste eine Aufhebung der gültigen Sanktionen, eine enge Zusammenarbeit bei der zivilen Nutzung der Kernenergie bis hin zur Lieferung von Kernbrennstäben, eine enge Kooperation auf anderen Gebieten der Hochtechnologie, Öffnung der westlichen Märkte besonders für iranische Energieexporte sowie einen Sicherheitsdialog, der sogar die Idee einer Atomwaffenfreien Zone im Nahen Osten einbeziehen sollte. Das alles wurde geboten für eine Suspension der Konversion in Isfahan, der Anreicherungsaktivitäten in Natanz und des Wiederaufarbeitungsprogramms – solange, bis die IAEO alle notwendigen Klärungen zu den vergangenen Programmen abgeschlossen habe. Die Reaktion bestand darin, dass schon drei Tage später die Konversionsanlage von Isfahan wieder angefahren wurde und die iranische Führung alle Vorschläge, ohne sie überhaupt im Detail zu prüfen, brüsk zurückwies – also nichts anderes als eine Provokation.

Die Zeit danach ist von einem enorm aufwendigen Verhandlungsprozess geprägt. Auf westlicher Seite sprechen dabei die E3 schon ab 2005 für die ganze EU, und ihr Hoher Repräsentant Javier Solana steigt in die Verhandlungen ein. Auch die Russische Föderation, die strategische Beziehungen zum Iran unterhält, lukrative Waffengeschäfte mit Teheran tätigt und in Buschehr eine einst von Siemens angefangene große Atomkraftwerksanlage weiterbaut, wird aktiv und bietet ein *Joint Venture* an für eine gemeinsame Urananreicherung auf russischem Boden. Bundesaußenminister Frank-Walter Steinmeier entwickelt später diesen Ansatz mit dem Vorschlag weiter, auf neutralem Boden eine für interessierte Länder offen stehende

Anreicherungs-Fazilität unter Kontrolle der IAEO anzubieten. Ab 2006 beteiligen sich neben Russland auch die Vereinigten Staaten und China an den Gesprächen, was sich fortan in dem Formatskürzel „E3/EU+3" ausdrückt. Zunächst konzentriert sich der Prozess auf die zuständige IAEO in Wien, deren Berichte immer wieder die mangelnde Bereitschaft Teherans zur rückhaltlosen Zusammenarbeit beklagen und die vollständige Zurückweisung der geforderten Suspension konstatieren. Die amerikanische Beteiligung bietet eine neue Chance, und am 6. Juni 2006 unterbreitet die westliche Verhandlungsgruppe ein erweitertes Kooperationsangebot, das stärker auf die iranischen Wünsche zu Gesprächen über regionale Sicherheitsfragen „auf Augenhöhe" eingeht. Aber die iranische Führung weigert sich weiter, die Suspensions-Vorbedingung zu akzeptieren. Damit öffnet sich, was Teheran immer verhindern wollte, der Weg zu den Vereinten Nationen, die mit der Resolution 1696 vom 31. Juli 2006 die Unterbrechung der iranischen Atomprogramme erstmals zu einer völkerrechtlich verbindlichen Forderung erheben. Das Kooperationsangebot bleibt aber weiter auf dem Tisch.

Das Weitere lässt sich so beschreiben: Die iranischen Unterhändler zeigen Gesprächsbereitschaft, kündigen Antworten an, die, wenn überhaupt, nur mit großer Verzögerung kommen, bis dieses Spiel auf Zeit den Geduldsfaden ihrer westlichen Verhandlungspartner reißen lässt, die dann erneut in den Sicherheitsrat der Vereinten Nationen gehen. Dort erfolgt am 23. Dezember 2006 die erste Sanktionsresolution nach Kapitel VII der UN-Charta (Nr. 1737), die für alle Mitgliedstaaten verbindlich auf ein Güterembargo für bestimmte nukleare Ausstattungen sowie auf Finanzsanktionen und Reisebeschränkungen für einen definierten, mit dem iranischen Nuklearsektor verbundenen Personenkreis verpflichtet. Ihr folgt am 24. März 2007 die Resolution 1747 mit zusätzlichen Maßnahmen gegen eine iranische Bank, gegen staatliche Kredite an den Iran und mit einem Verbot iranischer Waffenexporte. Und schließlich verschärft eine dritte Resolution des Sicherheitsrats (Nr. 1803 vom 3. März 2008) die Sanktionen noch einmal mit noch mehr Reisebeschränkungen, Kontensperrungen und Güterembargo-Maßnahmen; auch diesmal verbunden mit einer Fortgeltung der auf dem Tisch liegenden Kooperationsangebote. Ein weiteres Mal unterstreicht der Sicherheitsrat dann am 27. September 2008 die bisherigen Forderungen der Vereinten Nationen und den Ansatz der E3+3-Gruppe (Resolution 1835).

Zwischen diesen Aktivitäten der Weltorganisation, hinter denen ein breiter Konsens der Weltgemeinschaft zur Verhinderung einer atomaren Waffenfähigkeit des Iran steht, liegen mehrfache ostentative Auftritte von Präsident Achmadinedschad, die seine Entschlossenheit zur Fortsetzung der Anreicherungsaktivitäten bekunden und die technischen Fortschritte dabei öffentlich feiern. Die Beunruhigung über den Charakter dieser Programme hat noch zugenommen nach zwei Reden des Präsidenten im Oktober und Dezember 2005, bei denen Achmadinedschad in schwer erträglicher Weise den Holocaust leugnete und das Existenzrecht Israels in Frage stellte. Dazu kommen Hinweise, dass in seiner Amtszeit die militante Politik der Hisbollah im Südlibanon und der Hamas im Gazastreifen von iranischer Seite verstärkt unterstützt wird.

Zwischen Kooperation und Sanktion

Es war keineswegs einfach, als Reaktion auf diese Herausforderungen innerhalb der westlichen Verhandlungsgruppe gemeinsame Positionen zu ermitteln und sich auf den jeweils nächsten politischen Schritt zu verständigen. Washington mahnt immer wieder zur Verschärfung der Sanktionsmaßnahmen und zu ihrer kompromisslosen Umsetzung, während Russland und China aus grundsätzlichen Erwägungen, aber auch wegen ihrer konkreten bilateralen Interessen, eher bremsen. Und die Europäer wollen bei der Aufrechterhaltung des *Double-Track*-Ansatzes (Kooperationsangebote *und* Sanktionen) vor allem das Momentum des Verhandlungsprozesses aufrechterhalten. Die Bush-Administration hat die Alternative einer militärischen Antwort nie vom Tisch genommen, hat sich aber seit 2006 auf den von den Europäern begonnenen Verhandlungsweg eingelassen, ohne das direkte Gespräch „auf gleicher Augenhöhe" mit Teheran in Erwägung zu ziehen. Die bisherigen Ergebnisse dieses jahrelangen Ringens um eine Verhandlungslösung erscheinen nicht gerade ermutigend. „Iran will definitiv die Atomwaffentechnologie" – da ist sich Mohammed al-Baradei, der iranerfahrene Generaldirektor der IAEO sicher. Und er gibt auf die Frage, wie die bisherige Iran-Politik der internationalen Gemeinschaft zu bewerten ist, in einem Zeitungsinterview eine Antwort, die ich in der Sache teile und die wegen ihrer präzisen Analyse hier in voller Länge wiedergegeben werden soll:

„Bisher war sie ein Misserfolg. Eigentlich haben wir uns keinen Zentimeter bewegt, außer dass wir einige Resolutionen des Sicherheitsrates angenommen und Sanktionen verhängt haben, die tatsächlich zu einer Verhärtung der iranischen Position geführt haben, auch bei den Iranern, die das Regime nicht mögen. Aussicht auf Erfolg besteht erst, wenn die Parteien – und damit meine ich die USA und den Iran – sich an den Verhandlungstisch setzen und über Missstände zu sprechen beginnen, die bis 1953 zurückreichen (damals half der CIA den iranischen Premier Mohammed Mossadegh zu stürzen, d. Red.). Für den Iran geht es um Sicherheit und einen Machtkampf mit den USA im Nahen Osten. Der Iran ist von einigen Atomstaaten umgeben. Er ist von 150 000 US-Soldaten umgeben. Es gibt also ein Gefühl der Unsicherheit, genau wie in Nordkorea. Wirklichkeit oder Mythos, so ist es, und man muss damit umgehen. Man muss verstehen, warum der Iran auf die Entwicklung der Atomtechnologie drängt. Möglich, dass sie es nicht gleich auf die Waffe abgesehen haben, wie sogar der amerikanische ‚National Intelligent Estimate' schließt, aber sie wollen definitiv die Technologie, weil sie glauben, die Technologie verschaffte ihnen die Macht, das Prestige und den Einfluss und würde sie am Ende in die Lage versetzen, ein großes Geschäft mit den USA, mit dem Rest der Welt zu machen – ein großes Geschäft, das ihnen, aus ihrer Perspektive, ermöglichte, die Rolle der Regionalmacht zu spielen, auf die sie Anspruch zu haben meinen. Der Iran hat eine tausendjährige Basar-Kultur. Sie warten auf den besten Preis und werden alles dafür tun, ihn zu bekommen. Das wird nicht anders werden, solange die USA sie nicht respektvoll behandeln und das große Ganze sehen."[48]

Aus der Umgebung des neuen amerikanischen Präsidenten hört man Erwägungen, sich auf eine solche neue Gesprächsebene mit Teheran einzulassen, was zweifellos zu begrüßen ist. Hier geht es aber darum, ob sich die deutsche Außenpolitik im Fall Iran an ihre eigenen Prinzipien gehalten und wie sie sich zunächst gemeinsam mit den europäischen, dann auch mit den anderen Partnern bei diesem „Praxistest" für eine friedliche Lösung eingesetzt hat. Als Zwischenbilanz lässt sich festhalten:

- Es war konsequent, nach der Ablehnung des Irak-Krieges bei dem heraufkommenden Konflikt um das iranische Atomprogramm selbst die Initiative zu einem Verhandlungsprozess zu ergreifen, um damit einer Wiederholung des Irak-Szenarios von vornherein einen Riegel vorzuschieben.

- Der Ansatz, dabei dem Iran mit einem Paket aus Angeboten und Bedingungen einen Weg aus der Isolierung aufzuzeigen, folgt dem Prinzip der Einbindung und Nichtisolierung, und es erscheint bemerkenswert, dass diese „Doppelstrategie" auch während der Zuspitzungsphase über die drei UN-Sanktionsresolutionen aufrechterhalten wurde: Das konditionierte Kooperationsangebot bleibt auf dem Tisch und relativiert die Gefahr eines nicht mehr aufhaltbaren Eskalationsmechanismus, wie wir ihn auf der Strecke zum Irak-Krieg kennengelernt haben.

- Die Arbeit in der im Laufe der Zeit breiter gewordenen Verhandlungsgruppe mit der EU, Deutschland, Frankreich,

Großbritannien, den Vereinigten Staaten, Russland und China an der einen Seite des Tisches stellt einen Wert *sui generis* dar. Bei der Vorbereitung gemeinsamer Verhandlungspositionen und konkreter politischer Antworten auf das iranische Verhalten gelang es, sehr unterschiedliche Interessen und Denkweisen unter einen Hut zu bringen und sie schließlich dem einen wichtigen Ziel unterzuordnen, wobei es letztlich um das Ausräumen eines zusätzlichen potentiellen Kriegsgrundes in der an Konflikten ohnehin reichen Nahostregion geht. Im regionalen Maßstab kann das als Einübung jener Verantwortungsgemeinschaft gelten, die wir letztlich in der globalen Dimension erreichen müssen.

Erfolgsdruck und Zukunftschance

Natürlich braucht man am Ende den Verhandlungserfolg, und zwar rechtzeitig, bevor ein Näherrücken der iranischen Nuklearwaffenfähigkeit in die Hände derer spielt, die eine Verhinderung oder Einschränkung dieser Fähigkeit mit einem Militärschlag für möglich halten und für die das eine reale Option ist. Empfehlungen, sich ersatzweise auf einen Iran mit Atomwaffen politisch einzustellen und dabei auf die Wirksamkeit der wechselseitigen atomaren Abschreckung zu setzen – Israel ist ja schließlich faktisch auch eine Atommacht –, leiden bei ihrer Begründung an der Unterstellung der Rationalität, ohne die Abschreckung nicht funktioniert, die aber in den Vorstellungswelten des Dschihad nicht zwingend zuhause ist.[49] Außerdem wäre das Sichabfinden mit einem nuklearwaffenfähigen Iran das Ende der Nichtverbreitungspolitik, und es wären die iranischen Nachbarstaaten, die dann als erstes aus dem Atomwaffenverzicht aussteigen würden. Mit anderen Worten: Es gibt keine vernünftige Alternative für die Politik, die 2003 von Deutschland und seinen europäischen Partnern auf den Weg gebracht wurde, nämlich den Verhandlungsprozess mit Teheran fortzusetzen und zu einem akzeptablen Ergebnis zu bringen.

Zuletzt könnten sich die Chancen für einen Erfolg verbessert haben. Das Scheitern der Wirtschaftspolitik von Präsident Achmadinedschad wird immer offensichtlicher, die Weltfinanzkrise hat die Öl- und Gaspreise abstürzen lassen, von denen der Wohlstand im Lande abhängt, und in dieser Situation wirken auch die bisher ignorierten Sanktionen der Weltgemeinschaft schmerzlicher als erwartet. Gerade die Aufrechterhaltung des umfassenden Kooperationsangebots der E3+3 könnte unter den veränderten Umständen erste Risse in der bislang fast monolithischen Zustimmung der iranischen Öffentlichkeit für die Atompolitik der eigenen Regierung verursachen.

Am Rande der Auseinandersetzung mit der iranischen Führung fand auch ein Lernprozess in Sachen Nonproliferation statt, der uns an den Anfang mit dem NVV von 1970 zurückführt. Es ist unbestreitbar, dass die fünf Atomstaaten ihrer Artikel-VI-Verpflichtung zur vollständigen atomaren Abrüstung bisher nicht nachgekommen sind. Präsident Achmadinedschad wird nicht müde, dieses Versäumnis vor der großen Zahl der Nichtnuklearstaaten bei jeder Gelegenheit anzuprangern, sicher auch mit dem Hintergedanken, dadurch so eine Art Ablass-Reflex für die iranische *Noncompliance* bei den eigenen Vertragsverpflichtungen auszulösen.

Auf jeden Fall schafft er es, die kritischen Fragen zu den atomaren Abrüstungsverpflichtungen der fünf privilegierten Atommächte lauter werden zu lassen. Und diese Fragen kommen zu Recht. Ohne baldige überzeugende Initiativen zu einer vertragsgestützten atomaren Abrüstung und Rüstungsbegrenzung wird die Einigkeit darüber, dass eine Welt mit weniger Atomstaaten und Atomwaffen sicherer ist, gefährdet. Die Zukunft der Nichtverbreitung hängt vom Mut zur atomaren Abrüstung ab. Eine Renaissance der nuklearen Abrüstungspolitik, für die sich der deutsche Außenminister Frank-Walter Steinmeier, auch gemeinsam mit erfahrenen amerikanischen Kollegen, immer nachdrücklicher einsetzt, würde auch einen Erfolg bei der Lösung des Konflikts um das iranische Atomprogramm erleichtern.

Bleigießen über Gaza

Am 27. Dezember 2008 eröffnete Israel die Aktion „Gegossenes Blei" (*Cast Lead*) mit Luftangriffen auf Stellungen und Einrichtungen der Hamas im Gazastreifen, die vom ersten Tag an auch zahlreiche Opfer unter der palästinensischen Zivilbevölkerung kosteten, Frauen und Kinder einbegriffen. Zu dieser Entscheidung führte eine lange und komplizierte Vorgeschichte. 2005 hatte Ministerpräsident Scharon den israelischen Rückzug aus Gaza durchgesetzt und bis zum 12. September vollzogen. Im Januar 2006 siegt die radikalislamische Hamas bei den palästinensischen Parlamentswahlen, Versuche einer gemeinsamen Regierung mit der Fatah von Präsident Abbas scheitern und nach einem monatelangen blutigen Bürgerkrieg übernimmt im Juni 2007 die Hamas die alleinige Kontrolle im Gazastreifen. Israel und Ägypten riegeln in der Folge die Grenzen zu Gaza ab, mit katastrophalen Folgen für die dortige Versorgungslage. Die Anspannung dieser Blockade macht sich am 23. Januar 2008 gewaltsam Luft, als die Hamas die ägyptischen Grenzbefestigungen stellenweise aufsprengt und bis zu 300 000 Palästinenser nach Ägypten strömen, um sich dort mit Gütern des täglichen Bedarfs einzudecken. Die Grenzbefestigung wird wieder hergestellt, doch noch intensiver als zuvor von einem Tunnelnetzwerk untergraben, durch das Versorgungsgüter wie auch Waffen nach Gaza gebracht werden. Immer wieder versucht Israel, mit begrenzten Militärschlägen den fortdauernden Beschuss durch Kassam-Raketen durch die Hamas zu beenden. Das bleibt ohne dauernden Erfolg, und der Beschuss endet auch nicht, als am 19. Juni 2008 eine sechsmonatige Waffenruhe beginnt. Die Hamas weigert sich, sie über den 19. Dezember hinaus zu verlängern. Am Weihnachtstag 2008 schlagen bis zu 70 Kassam- und Gradraketen auf israelischem Boden ein. Drei Tage später beginnt das „Bleigießen".

Diese dramatischen Ereignisse setzen einen entmutigenden Kontrapunkt zu den diplomatischen Bemühungen um einen Nahostfrieden, die unter dem Namen „Annapolis-Prozess" ab Ende 2007 neue Hoffnung aufkommen ließen. Präsident Bush hatte sich für sein letztes Amtsjahr das Ziel gesetzt, über Verhandlungen einen Nahostfrieden auf der Basis des Zwei-Staaten-Konzepts zu erreichen, und hatte dafür am 27. November in Annapolis den Startschuss gegeben. Zuvor war es im Februar 2007 der deutschen EU-Ratspräsidentschaft nach langem Werben gelungen, die Arbeit des *Nahost-Quartetts* aus UN, EU, USA und Russland wieder zu beleben. Der 34-Tage-Krieg im Sommer 2006 zwischen Israel und der Hisbollah hatte gezeigt, dass Israel trotz seiner militärischen Überlegenheit verwundbar ist. Die politischen Ansätze des deutschen Außenministers, alle regionalen Mächte in einen Friedensprozess mit einzubeziehen, gewannen nach anfänglicher Zurückhaltung immer mehr Unterstützung. Die Zeit bis zum Auslaufen der Bush-Administration erschien allerdings knapp, und dann kam hinzu, dass die Unerbittlichkeit der Fehde zwischen Hamas und Fatah die Legitimität und den politischen Radius von Palästinenserpräsident Abbas immer mehr einschränkte und mit dem Rücktritt von Premierminister Olmert am 21. September 2008 und dem Scheitern von Außenministerin Livni bei der Bildung einer neuen Regierung (26. Oktober) auch auf dieser Seite der Verhandlungspartner praktisch abhanden kam.

Friedensbemühungen für Nahost

Die deutsche Nahostpolitik orientiert sich grundsätzlich nach wie vor an dem Stufenplan der *Road Map* vom Frühjahr 2003, dem einzigen detaillierten und schriftlich festgelegten Fahrplan für eine Friedenslösung, der zur Verfügung steht. Auf dieser Grundlage haben sich in den vergangenen Monaten verschiedene Handlungslinien entwickelt, die einen kohärenten Ansatz erkennen lassen:

- Im Libanon-Krieg 2006 gab es deutsche Vermittlungsbemühungen, und anschließend folgte die Bundesregierung den Bitten von Israel und des Libanon, sich an der UN-Mission zur Kontrolle der libanesischen Küstengewässer (UNIFIL-MTF) mit Kräften der Bundesmarine zu beteiligen, vor allem um einen Waffenschmuggel zur Wiederaufrüstung der Hisbollah zu vermeiden.

- Außenminister Steinmeier setzt sich für eine Politik der Einbindung des Iran und Syriens bei der gesamten Politik in der Großregion Nahost ein, sowohl beim Irak-Konflikt wie bei den Bemühungen um eine Nahost-Friedenslösung. Diese Position erhielt im Dezember 2006 Unterstützung durch den *Baker-Hamilton-Report*, der dem amerikanischen Präsidenten empfahl, beide Länder direkt einzubinden, um sie für eine konstruktive Rolle im Irak und bei den anderen regionalen Fragen zu gewinnen. Immer wieder wird an Damaskus die Botschaft erneuert, dass eine Aufgabe der Verklammerung mit der Politik des Iran und der Unterstützung radikalislamischer Gruppierungen Syrien den Weg aus der Isolierung bereiten kann. Tatsächlich hat sich inzwischen die internationale Position Syriens verbessert. Die Beziehungen zum Libanon erleben eine schrittweise Normalisierung, Syrien nahm in Annapolis teil, und mit türkischer Vermittlung haben bereits mehrere Runden syrisch-israelischer Kontakte stattgefunden, bei denen es auf syrischer Seite um die Rückgabe der Golanhöhen und für Israel um Sicherheitsfragen und Wasserrechte geht. Noch ist unklar, welche Rolle die ausstehende Klärung des „Falls Al-Kabir" spielen wird, jener Anlage, die am 6. September 2007 durch einen israelischen Luftangriff zerstört wurde und die möglicherweise zu einem geheimen Nuklearprogramm Syriens gehört. Nur bei einer vollen Kooperation mit der IAEO in Wien, die mit der Aufklärung beauftragt ist, wird Damaskus

Rückschläge bei der Rückkehr des Landes in konstruktive Beziehungen mit der Weltgemeinschaft vermeiden können.

- Deutschland verbindet seine besonderen bilateralen Beziehungen zu Israel, die im März 2008 durch den Besuch von Angela Merkel im Zusammenhang mit dem 60. Jahrestag der israelischen Staatsgründung und mit ihrer Rede vor der Knesset noch einmal besonders hervorgehoben wurden, mit intensiven Bemühungen zur humanitären Hilfe für die palästinensische Bevölkerung. So brachte der deutsche Außenminister im Januar 2008 die Initiative „Zukunft für Palästina" auf den Weg, die mit schnell umsetzbaren Kleinprojekten zur Verbesserung der Lebensbedingungen in den Palästinensergebieten beiträgt, und mit zahlreichen anderen Initiativen unterstützt Deutschland das palästinensische Polizei- und Justizwesen, dessen Funktionieren für jede Friedensperspektive unerlässlich erscheint. Mit der Zeit hat sich auf der Basis dieser ausgewogenen Politik ein doppeltes Vertrauensverhältnis entwickelt – sowohl mit Israel wie mit den Vertretern der palästinensischen Autonomie.

- In dem bewaffneten Konflikt, der am 27. Dezember 2008 ausbrach, hat die Bundesregierung dieses beiderseitige Vertrauensverhältnis zu intensiven Vermittlungsbemühungen genutzt und den ägyptischen Fahrplan zu einer Feuereinstellung unterstützt. Unmittelbar nachdem der Sicherheitsrat der Vereinten Nationen am 8. Januar 2009 die Resolution 1860 verabschiedet hatte, die unmissverständlich und völkerrechtlich verbindlich einen sofortigen Waffenstillstand, einen israelischen Rückzug aus dem Gazastreifen, die Beendigung seiner Abriegelung und die Einstellung aller terroristischer Akte fordert (damit ist der Raketenbeschuss Israels durch die Hamas gemeint), reiste Außenminister Steinmeier zu Gesprächen in die Region, und zwar gleich zweimal in einer Woche. Und als um 1 Uhr morgens am 18. Januar eine einseitige Feuerpause Israels diesen 22-Tage-Krieg mit mehr als 1300 Toten vorerst beendet, befindet sich die Bundeskanzlerin zusammen mit weiteren Staatschefs im ägyptischen Scharm el Scheich bei einem Nahost-Krisengipfel, um bei der Suche nach Wegen zu einer dauerhaften Beendigung der Feindseligkeiten mitzuhelfen.

Wir sehen also auch bei Deutschlands Rolle im Konflikt zwischen Israel und den Palästinensern eine klare Orientierung an den grundlegenden Prinzipen deutscher Friedenspolitik. Aus unserer Sicht gibt es keine Alternative zu einer Friedenslösung mit zwei lebensfähigen Staaten als Ergebnis eines Verhandlungsprozesses, zu dem die *Road Map* von 2003 schon entscheidende Rahmenbedingungen formuliert hat – vom beiderseitigen Gewaltverzicht bis zur Beendigung des widerrechtlichen Siedlungsbaus. Ohne ein aktives Engagement der Vereinigten Staaten, deren Autorität am ehesten auf die israelische Politik Einfluss nehmen kann, läuft gar nichts – das hat sich in den Amtszeiten von Bill Clinton und George W. Bush gezeigt, die leider beide zu lange mit ihren jeweiligen Nahostinitiativen gewartet haben. Umso bedeutsamer erscheint die Nachricht, dass Barack Obama sich gleich zu Beginn seiner Amtszeit dem Nahostthema zuwenden will. Berlin hat konsequent für den regionalen und einbindenden Ansatz geworben, besonders nach dem Libanonkrieg und speziell die Adresse Syriens betreffend – und das hat zu ersten Erfolgen in Richtung konstruktiver Beziehungen zu Damaskus beigetragen.

Ich persönlich plädiere allerdings dafür, das Prinzip der Einbindung auch auf die Hamas anzuwenden und die bisherige Verweigerung aller direkten Gespräche zu überdenken. Zwar gelang es bei der ägyptischen Vermittlung zur Beendigung der jüngsten Kampfhandlungen, eine indirekte Kommunikation zwischen Vertretern Israels und der Hamas zu organisieren. Eine dauerhafte Friedensregelung wird aber ohne eine direkte Verpflichtung der Hamas in die Verantwortung nicht auskommen. Die Hamas-Führer verstehen es, die Kontaktsperre zu instrumentalisieren und als Position einer kompromisslosen Interessenvertretung der palästinensischen Öffentlichkeit zu verkaufen. Gleichzeitig werden gemäßigte arabische Regierungen, die sich um Vermittlung bemühen, wie jüngst die ägyptische oder die Fatah, als schwach oder gar verräterisch gebrandmarkt. Bei direkten Gesprächen, das zeigt die Erfahrung, muss man sich irgendwann auch in der Sache bewegen. Eine Überprüfung des bisherigen westlichen Umgangs mit der Hamas, deren „Härte" regelmäßig und auch jetzt wieder mit dem Blut der eigenen Zivilbevölkerung bezahlt werden muss, könnte nicht nur festgefahrene Fronten aufweichen, sondern auch die teuer erkaufte Heldenposition dieser radikalen Gruppe ins Wanken bringen.

Auf der Grundlage des festen Vertrauensverhältnisses mit Israel nutzt Deutschland alle Möglichkeiten, bilateral und gemeinsam mit den europäischen Partnern die schwierige Lebenssituation der Palästinenser zu verbessern und ihre Fähigkeit auszubauen, eine eigene Staatlichkeit auch zu praktizieren. Diese doppelte Vertrauenspolitik erweitert Deutschlands Chancen, in aktuellen Krisen- und Konfliktsituationen Aufgaben des Ausgleichs und der Vermittlung zu übernehmen. Nirgendwo stößt die Mission Weltfrieden auf eine so komplexe Herausforderung wie im *Broader Middle East*, wo alle Konflikte engstens miteinander verkettet sind. Eine Friedenslösung zwischen Israel und den Palästinensern würde dringlich erwartete Entspannungssignale aussenden, die noch in großer Entfernung politische Wirkung erzielen würden – bis in den Irak und nach Afghanistan. Es wären schlechte Signale für radikalislamische Kräfte, aber eine Hoffnungsbotschaft für alle, die unter den bewaffneten Auseinandersetzungen leiden. Wir hätten die Mahnung durch die jüngsten tragischen Ereignisse zum Jahreswechsel 2008/2009 nicht nötig gehabt für unsere Entschlossenheit, einer Friedenslösung im Nahen Osten die erste Priorität einzuräumen.

Zentralasien

Im Februar und März 1992, wenige Monate nach der Auflösung der Sowjetunion, habe ich mit Hans-Jochen Vogel,
dem ehemaligen Partei- und Fraktionsvorsitzenden der SPD,
eine abenteuerliche, über 16 000 Kilometer reichende und unvergessene Reise unternommen. Sie führte uns durch alle neu-
en Republiken auf dem Boden der ehemaligen UdSSR, die drei
baltischen Staaten ausgenommen. In 12 Hauptstädten trafen
wir acht Staatspräsidenten und vier Premiers. Es war eine historische Momentaufnahme, eine ungewöhnliche Chance, Ein-
drücke und Bilder in der prägenden Anfangsphase einer neuen
politischen Epoche aufzunehmen.[50]
   Am meisten hatte uns der Aufenthalt in den fünf zentralasiatischen Republiken beeindruckt, weshalb wir im Jahr darauf zurückkehrten – in die majestätischen Bergregionen Kirgistans und an das Ufer des schon damals dem Tod geweihten
Aralsees, wo wir dem Krankenhaus von Aralsk Hilfsgüter mitbrachten und erschüttert waren von dem Schicksal der dort
lebenden Kasachen, die ihren Verbleib in dieser Katastrophen-
zone der ständigen Giftsalzwinde mit furchtbaren Krankheiten aller Organe bezahlen mussten. Danach hat mich das Interesse für diese Region nicht mehr verlassen. Zentralasien
rückte mit Russland, Osteuropa und Südosteuropa ins Zentrum meiner parlamentarischen Arbeit und für acht Jahre
übernahm ich bis 2005 den Vorsitz der *Deutsch-Kasachischen
Gesellschaft*, erst in Bonn, später in Berlin. Die meisten unserer
prominenten Gesprächspartner von 1992 verschwanden mehr
oder weniger schnell in der politischen Versenkung – mit Ausnahme der Präsidenten der jungen zentralasiatischen Staaten.
Zwei von ihnen, Islam Karimow (Usbekistan) und Nursultan
Nasarbajew (Kasachstan), habe ich noch 15 Jahre später im
Amt angetroffen – bei der Vorbereitung einer neuen europäischen Zentralasienpolitik unter deutscher Federführung.
   Am 21./22. Juni 2007 verabschiedete der Europäische Rat in

Brüssel zum Abschluss der deutschen Ratspräsidentschaft ein Programm unter dem Titel „Die EU und Zentralasien. Strategie für eine neue Partnerschaft." Auf der einen Seite war das ungewöhnlich. Denn dieses Programm, das in der Folge abgekürzt als „EU-Zentralasienstrategie" bezeichnet wurde, reiht sich in die Unions-Strategien zur regionalen Kooperation ein – zusammen mit der „Nordischen Dimension" für die Ostseeanrainer, dem „Stabilitätspakt für Südosteuropa", dem inzwischen zur Mittelmeer-Union fortentwickelten „Barcelona-Prozess" und der „Europäischen Nachbarschaftspolitik", aus der zuletzt die „Östliche Partnerschaft" als neues Programm herausgewachsen ist. Alle diese Kooperationsstrategien richten sich bislang auf unmittelbar an die EU angrenzende Regionen. Zentralasien umfasst nach der europäischen Definition aber die fünf ehemaligen Sowjetrepubliken Kasachstan, Kirgistan, Tadschikistan, Turkmenistan und Usbekistan, also Länder ohne direkte Grenzen mit der EU. Auf der anderen Seite kann man die EU, was ihre Zuwendung zu dieser strategisch wichtigen Ländergruppe angeht, auch als „Nachzügler" bezeichnen, da spätestens ab Ende der 90er Jahre des 20. Jahrhunderts schon bei anderen Mächten wie den Vereinigten Staaten, Russland und China das Interesse an dieser Region wiedererwachte. Um zu verstehen, mit wem die EU eine neue Partnerschaft aufbauen wollte, muss man den Blick in die Geschichte Zentralasiens zurückschweifen lassen.

Das russisch-sowjetische Erbe

Auf die Hochkulturen der Skythen, Hunnen, Saken und Mongolen sowie auf die faszinierende Zeit der *Seidenstraße* richtet sich heute mit Recht der Stolz der Zentralasiaten. Weniger attraktiv erscheint das Schicksal der Region in der neueren Geschichte, wo es eng mit der Expansion des Russischen Imperiums verbunden ist. Die Zaren greifen nach dem Auslaufen der Mongolenherrschaft ab Mitte des 16. Jahrhunderts in drei

Phasen nach Osten aus. Nach der Einnahme von Kasan, Astrachan und der Wolgaregion unter Ivan IV. („Der Schreckliche") gelingt dem Kosakenführer Jermak der Vorstoß durch das Uralgebirge bis nach Sibirien. Die russischen Abenteurer, Pelztierjäger, Pioniere und Soldaten machen auch in Tjumen (1581) nicht Halt, sondern stoßen weiter nach Osten vor, bis sie schließlich auf chinesisch besiedelte Gebiete hinter dem Amur stoßen. Die Eroberung Sibiriens wurde russischerseits gerne dargestellt als die Einnahme staatenloser Gebiete ohne Ordnungsmacht auf der Suche nach der „verlässlichen Grenze" im Osten. Bei der Unterwerfung des Kaukasus brauchten die Russen nicht so lange, stießen aber auf erheblichen Widerstand, symbolisiert durch den legendären Imam Schamil, der nach jahrzehntelangem Widerstand erst 1859 in Ehren kapitulierte. Noch 135 Jahre später werden sich die tschetschenischen Separatisten in ihrem Aufstand gegen das Russland Jelzins auf ihn berufen. Und die Zaren mussten noch 1871 im Kaukasus 200 000 Mann stationiert halten, um ihre Herrschaft abzusichern.

Dagegen wirkte die Inbesitznahme Turkestans, wie Zentralasien damals genannt wurde, wie ein Spaziergang. Die russischen Truppen eilten zwischen 1864 und 1884 durch die Kirgisensteppe über Taschkent und Chodschent bis nach Samarkand, Buchara und Chiwa, und wandten sich dann auf ihrer Suche nach der verlässlichen Grenze mit Persien, Afghanistan und China bis nach Kokand, Gök-Tepe und Merw. Das Schicksal der Eroberten fand weder in Russland noch in der übrigen Welt ein besonderes Interesse. Viel aufregender war die neue Rivalität zwischen dem Zarenreich und Großbritannien, das seine indischen Kolonien mit jedem Schritt Moskaus in Richtung Afghanistan und Persien mehr in Gefahr sah, bis sogar Kriegsgerüchte die Runde machten. Für die Art und Weise, wie die beiden Mächte ihr Ringen um Einfluss in dieser strategisch wichtigen Region Asiens austrugen, wurde der Begriff *Great Game* geprägt. Und dieses „Große Spiel" stand schließlich auch Pate für die Anfänge des geopolitischen Denkens, verbunden mit den Namen Karl Haushofer und Halford Mackinder, einem Deutschen und einem Briten, die in der Kontrolle Turkestans den Schlüssel zur Beherrschung Eurasiens sahen (*Heartland-Theorie*) und damit einen, wie wir noch sehen werden, langlebigen Mythos schufen.

Die Menschen in Zentralasien mussten sich bei diesen historischen Prozessen mit einer undankbaren Objektrolle abfinden. Ein deutscher Historiker fasste die Erweiterung des russischen Imperiums im 19. Jahrhundert so zusammen: „Die Eroberung Sibiriens hatte drei Jahrhunderte in Anspruch genommen, um den Kaukasus war ein halbes Jahrhundert gekämpft worden, die Position in Zentralasien war in zwei Jahrzehnten gewonnen."[51] Die russischen Verluste in Turkestan sollen nicht mehr als 800 bis 1000 Mann betragen haben – die der eroberten Völker wurden erst gar nicht gezählt. Man kann sich gut vorstellen, mit welchem Mangel an Selbstbewusstsein Letztere in das neue 20. Jahrhundert gingen. Daran änderte auch die Tatsache nichts, dass die russische Herrschaft in Turkestan nicht im typischen Kolonialgewand daherkam, sondern in mancher Hinsicht mehr einbrachte als herausholte: Dafür spricht der intensive Besiedlungsprozess, der Bau von Bewässerungsanlagen, um riesige Baumwollkulturen anzulegen, und die Einführung eines zweisprachigen Schulsystems.

Hoffnungen auf Eigenständigkeit keimten auf, als die Oktoberrevolution das alte Imperium hinwegfegte und im November 1917 feierlich die „Rechte der Völker Russlands" proklamierte. Aber zwischen 1917 und 1924 obsiegte die Sowjetmacht im parallelen Kampf gegen die antibolschewistischen Weißen und gegen die nationalistischen Selbstständigkeitsbewegungen. Schon ab 1920 wird Turkestan in den Sowjetstaat integriert. Zwar hält sich der „Wirtschaftsrat Zentralasien" formal noch bis 1934, der eine gemeinsame Politik bei Fragen der Bewässerung, des Handels und der Wirtschaftsplanung versucht. Aber die bolschewistische Herrschaftspolitik setzt schließlich auf die Strategie der

Nationalitätentrennung. Bis 1936 ist die Bildung der zentralasiatischen Sowjetrepubliken abgeschlossen und Turkestan damit Geschichte geworden. In den Säuberungen Stalins verschwinden große Teile der nationalen Eliten, und islamische Traditionen geraten unter Druck. Ein letzter Identitätswahrungsversuch scheitert bei der gemeinsamen Schrift. 1926 müssen die arabischen Alphabete dem Lateinischen weichen, das aber der Furcht vor einem zu starken türkischen Einfluss zum Opfer fällt und zwischen 1938 und 1942 der Kyrillisierung aller fünf zentralasiatischen Sprachen Platz macht – auch beim Turkmenischen und Kirgisischen, beide erst in der Sowjetzeit zu Schriftsprachen geworden. Die Zwangskollektivierung, die erzwungene Sesshaftmachung und die massive Ausweitung des Baumwollanbaus, all das führt zu Tragödien und riesigen Verlusten. Der Widerstand dagegen hatte keine Chance, auch wenn er etwa in Tadschikistan bis Mitte der 30er Jahre andauert. Auf der Wegstrecke bis zum Ende der Sowjetunion bleiben die zentralasiatischen Republiken die ärmsten und rückständigsten Gesellschaften der Völkerfamilie der UdSSR.

Entsprechend schwer lastete das Erbe aus der sowjetischen Vergangenheit auf den fünf zentralasiatischen Republiken bei ihren ersten selbstständigen Gehversuchen nach 1991. Der Rückgang des Bruttosozialprodukts war hier noch höher als in den anderen ehemaligen Sowjetrepubliken, und nun gab es keine Budgethilfen mehr aus Moskau. Der größte potentielle Reichtum, die Energieressourcen, lag im Schlummer. Moskau hatte es vorgezogen, die sibirischen Vorkommen zu nutzen, hatte weder in die Exploration noch in die Entwicklung der zentralasiatischen Öl- und Gasfelder ausreichend Mittel investiert. Das mussten jetzt die jungen Staaten nachholen, die sich aber mit noch ganz anderen Problemen konfrontiert sahen. Die Sowjetunion war zentralistisch aufgebaut, mit der Hauptstadt Moskau als Drehscheibe für alles, auch für den Außenhandel der 15 Sowjetrepubliken. Über eine eigene Anbindung an die Weltmärkte hatten diese nie verfügt. Auch bei der Infrastruktur war alles auf Moskau ausgerichtet, zulasten von Verbindungsmöglichkeiten zwischen den Unionsmitgliedern. Das bekamen Reisende in Zentralasien noch anderthalb Jahrzehnte nach Auflösung der Sowjetunion auf skurrile Weise zu spüren, wenn sie nämlich etwa von Almaty nach Taschkent und von dort nach Bischkek fliegen wollten – zu einem Flugplan, der dabei zweimal über Moskau leitete, gab es da noch kaum eine Alternative. Aber das erschien als behebbares Problem im Vergleich zu einer anderen Erblast aus der Sowjetepoche, nämlich den Legitimitätsdefiziten der Grenzen untereinander. Die innersowjetischen Verwaltungsgrenzen in Zentralasien (und nicht nur dort) waren vielfach willkürlich oder aus Erwägungen der Herrschaftstechnik gezogen und bis in die 30er Jahre immer wieder verändert worden. Jetzt sollten sie plötzlich als Grenzen zwischen unabhängigen Staaten gelten und damit eine völlig andere Bedeutung bekommen. Kein Wunder, dass das Probleme schuf.

Eigenstaatlichkeit und Great Game 2

Unter diesen schwierigen Verhältnissen gelang es den alten Eliten, herangebildet und aufgestiegen im sowjetischen System, die Notwendigkeit der Stabilität an die erste Stelle zu setzen und sich, nun im Gewande der „neuen Eliten", als deren einziger Garant zu präsentieren. Wir beobachten in Zentralasien flächendeckend die Entstehung autokratischer Präsidialsysteme mit einer auffallend dauerhaften Herrschaftszeit der aus den alten KP-Strukturen hervorgegangenen Staatspräsidenten. So befinden sich zu Beginn des Jahres 2009 die Präsidenten Nasarbajew (Kasachstan) und Karimow (Usbekistan) seit 1991 ununterbrochen im Amt, in Turkmenistan löste erst Anfang 2007 der jetzige Präsident Berdymuchamedow seinen verstorbenen Vorgänger Nijasow ab, der ebenfalls seit 1991 regiert hatte, und in Kirgistan konnte der erste Staatspräsident Akajew immerhin bis ins Frühjahr 2005 regieren, bis er im

Zuge der „Tulpenrevolution" seinem Nachfolger Bakijew weichen musste. Allein in Tadschikistan wurde der erste Präsident Nabijew bereits im September 1992 gestürzt, sein Nachfolger Rachmon regiert allerdings seitdem ohne Unterbrechung.

Wie in Russland und anderen GUS-Staaten hat es an Bekenntnissen zu demokratischen Reformen und zur Einführung marktwirtschaftlicher Ordnungen nicht gefehlt. Gerade das russische Vorbild ermutigte dann aber dazu, offensichtliche Defizite bei der Umsetzung dieser Ziele mit der Notwendigkeit eines „eigenen Weges" zu rechtfertigen. Die gravierendsten Transformationsdefizite liegen in ganz Zentralasien bei einer guten Regierungsführung, bei der Durchsetzung von Rechtsstaatlichkeit und bei der Einhaltung von Menschenrechtsstandards. Wir finden noch kein pluralistisches Parteiensystem mit echten Chancen für die Opposition vor, und die Zivilgesellschaft bleibt, von Kirgistan abgesehen, ohne politische Prägewirkung. Das Wirtschaftsleben verharrt im eisernen Griff der Korruption, die sich vor allem – wiederum dem russischen Muster folgend – während der Privatisierungsprozesse ausbreiten konnte, und in den Händen der Herrscherfamilien akkumuliert sich eine verteilungsresistente Fülle von wirtschaftlicher und politischer Macht.

Allerdings bestehen erhebliche Unterschiede zwischen den fünf zentralasiatischen Republiken. Usbekistan stellt mit 26 Millionen Menschen fast die Hälfte der 55 Millionen Einwohner von ganz Zentralasien. Das Land verfügt über erhebliche fossile Energieressourcen und andere Bodenschätze. Die Führung sieht sich herausgefordert durch radikale islamistische Aktivitäten (IMU und *Hisb ut Tahrir al Islamya*) und rechtfertigt damit auch die Fortdauer des autokratischen Führungsstils von Präsident Karimow. Seine Regierung geriet durch die gewaltsame und blutige Niederschlagung von Protesten im Mai 2005 in Andijan unter internationalen Druck und in ein Sanktionsregime der EU, das erst im Herbst 2008 gelockert wurde. Die Führung beansprucht für Usbekistan so etwas wie eine „natürliche" Führungsrolle in der Region, was zu ständigen Rivalitäten mit Kasachstan führt. Ohne Zweifel kann Kasachstan mit seinen 15 Millionen Einwohnern und der größten Landfläche unter den zentralasiatischen Republiken solche Ansprüche infrage stellen und dafür seine erfolgreiche Entwicklung in den vergangenen Jahren geltend machen. Präsident Nasarbajew führt den modernsten Staat der Region und hat den Rückstand bei der Nutzung der kasachischen Energieressourcen vom Jahr 1991 durch Kontrakte mit internationalen Ölkonzernen aufgeholt. Dabei ist es dem Präsidenten gelungen, ausgeglichene Beziehungen mit Russland, den Vereinigten Staaten und China zu etablieren und einseitige Abhängigkeiten zu vermeiden. Das Land ist allerdings mit den größten Umweltkatastrophen der Region konfrontiert, wie der Austrocknung des Aral-Sees und dem Erbe des ehemaligen sowjetischen Atomversuchsgeländes von Semipalatinsk.

Das mit riesigen Gasvorkommen gesegnete Turkmenistan kämpft mit den Folgen der Transformationsverweigerung und der internationalen Isolierung, in die das Land durch die konsequente Abschottung und den bizarren Personenkult des „Turkmenbaschi" Nijasow geraten ist. Der neue Präsident Berdymuchamedow öffnet das Land in kleinen Schritten und bekundet Interesse daran, die Monopolstellung der Russischen Föderation beim Gastransfer aufzubrechen. Von dem Reichtum des Landes kommt noch äußerst wenig bei der Bevölkerung an. Tadschikistans Bewohner sprechen Farsi, also nicht eine Turksprache wie ihre Nachbarn in den vier anderen zentralasiatischen Ländern. Öl, Gas oder Bodenschätze sind Mangelware, aber ebenso wie Kirgistan verfügt Tadschikistan als „Oberlaufland" über wertvolle, hydroelektrisch nutzbare Wasserressourcen. In der Hauptstadt Duschanbe bleiben die Erinnerungen an den blutigen Bürgerkrieg zwischen 1992 und 1997 wach und machen die Frage des Umgangs mit dem Islam und den Islamisten nach wie vor zu einem politischen Kernproblem. Nur wenn es gelänge, die Nutzung der Wasserkraft zu optimieren und im Rahmen eines Wasser- und Energieverbunds für die ganze Region vom Stromexport zu profitieren, hätten die Tadschiken ebenfalls eine Option auf Wohlstand. Unter Präsident Rachmon konnte das Land Fortschritte bei der Transformation erzielen.

In Kirgistan, dem anderen wasserreichen Oberlaufland, liegen die Verhältnisse, was die ökonomischen Chancen angeht, ähnlich. Der kleinste und ärmste Staat Zentralasiens steht zwar unter einer gewissen Fürsorge des starken Nachbarn Kasachstan, hat aber das interne Nord-Süd-Problem bisher nicht lösen können und viele Hoffnungen, die im März 2005 die „Tulpenrevolution" geweckt hat, haben sich in der Regierungszeit von Präsident Bakijew nicht erfüllt. Wer aber die Hauptstadt Bischkek besucht, wird dort auf eine sehr aktive und verschiedene politische und gesellschaftliche Themen aufgreifende Zivilgesellschaft stoßen – bislang noch ein Alleinstellungsmerkmal Kirgistans im Kreise seiner Nachbarn.

Schon diese wenigen Sätze über die fünf so unterschiedlichen zentralasiatischen Republiken zeigen, was politisch fehlt: eine regionale Identität, eine Gemeinsamkeit im Handeln und eine wechselseitige Unterstützung. Alle Staaten würden davon profitieren, wenn es eine gemeinsame, grenzüberschreitende Politik zur Bedrohungsabwehr gäbe – gegen Terrorismus, islamischen Fundamentalismus, das organisierte Verbrechen und den Drogenhandel. Bei der Versorgung mit Öl, Gas, Wasser und Strom hat jeder der Regionalstaaten etwas anzubieten, braucht aber auch die Ressourcen des anderen – eine Situation, in der sich ein regionaler Energie- und Wasserverbund geradezu aufdrängt. Und in jedem Fall würde es der Entwicklung der Region helfen, wenn sich die Anbindung an den Weltmarkt verbesserte und mehr ausländisches Kapital angelockt würde – ein Ziel, das bei einem gemeinsamen zentralasiatischen Markt mit immerhin 55 Millionen Verbrauchern viel größere Umsetzungschancen erhielte. Die Realitäten sprechen bisher eine andere Sprache: Rivalitäten um die regionale Führungsrolle, Spannungen zwischen den öl- und gasreichen Unterlaufländern und den wasserreichen Oberlaufländern, Grenzen, die teilweise gesperrt oder gar vermint sind, andererseits aber auch schlecht kontrolliert werden und damit völlig unzureichende Voraussetzungen für einen gemeinsamen Markt bieten.

Das ist eine Situation, bei der die Anstöße für eine verbesserte Zusammenarbeit aus der Region selbst offenbar Unterstützung von außen brauchen. Was kam aber da tatsächlich nach dem Jahr 1991? Die ersten Jahre ihrer Unabhängigkeit verbrachten die fünf jungen Republiken Zentralasiens in einem Umfeld, das man als globalen politischen Windschatten bezeichnen könnte. Formal gehörten sie zur *Gemeinschaft Unabhängiger Staaten* (GUS) und damit zum Einflussbereich Moskaus, aber Russlands Interesse war zunächst von den eigenen Problemen stark abgelenkt. Die Vereinigten Staaten brauchten ebenfalls Zeit, um sich über ihre eigene Rolle als einzig übrig gebliebene Weltmacht klar zu werden und um ihr Verhältnis zur Russischen Föderation und dem ganzen postsowjetischen Raum zu definieren. Einen wesentlichen Anstoß zu einer intensiven amerikanischen Hinwendung nach Zentralasien gab 1997 Zbigniew Brzezinski, und es ist bemerkenswert, dass er dabei auf die Thesen der erwähnten Stammväter der Geopolitik zurückgriff. In seinem Buch „The Grand Chessboard" (Das große Schachbrett) wies Brzezinski Zentralasien eine entscheidende Rolle für jede Strategie der USA zu, wenn es darum gehe, die unitäre amerikanische Weltmachtrolle durch ein wirksames Containment gegen die Ex-Weltmacht Russland und die aufstrebende Regionalmacht Iran auf Dauer abzusichern. Erneut lautete die These, wer das alte Turkestan kontrolliere, halte den Schlüssel zur Globalherrschaft in Händen.[52] Diese Thesen wurden geradezu begierig aufgegriffen, von der amerikanischen Politik, aber auch von anderen Autoren, die sich die Finger wund schrieben an phantasiereichen Artikeln und Monographien über ein „Neues Großes Spiel" oder *Great Game 2* mit Zentralasien als Mittelpunkt.[53]

Aber das lockte auch andere Player ans Schachbrett. China wandte sich Zentralasien zu und nutzte dabei auch seine Rolle in der *Schanghaier Organisation für Zusammenarbeit* (SCO), an der vier der fünf zentralasiatischen Republiken mitwirken, und die Türkei entdeckte die Chance, die turksprachige Kulturidentität mit Zentralasien zu betonen und für eigene Interessen zu nutzen. Deutlich später reihte sich auch Japan in den Kreis der Interessenten ein, wobei vor allem die Energieressourcen in der eigenen Nachbarschaft den Anstoß gaben. Und schließlich kehrte auch Russland auf das Spielfeld zurück, was man etwa auf das Jahr 2002 datieren kann, nachdem die innere Entwicklung sich in der ersten Regierung von Präsident Putin stabilisiert hatte und sich Moskau stark genug fühlte, der amerikanischen Einflusspolitik in seinem als „Nahes Ausland" definierten Interessenumfeld die Stirn zu bieten.

Insgesamt lassen sich vier verschiedene Phasen bei der Rückkehr Zentralasiens auf die geopolitische Bühne benennen. Zwischen 1991 und 1997 spielt sich die Entwicklung Zentralasiens eher im Hinterhof der russisch dominierten GUS ab, in einem Vakuum, was globale Interessenspolitik angeht, während die großen internationalen Energiekonzerne schon Kontakte in Sachen Öl- und Gasförderung aufnehmen und erste Verträge, besonders in Kasachstan, abschließen. Parallel dazu wird die sicherheitspolitische Herausforderung durch islamistische Bewegungen wahrgenommen, manifestiert im tadschikischen Bürgerkrieg, in den Berichten über fundamentalistische Gruppierungen im Fergana-Tal und natürlich als Höhepunkt in den Anschlägen gegen Washington und New York vom 11. September 2001, auch wenn deren Spuren nicht direkt nach Zentralasien weisen. In einer dritten Phase wird ab 2002 nach dem Krieg in Afghanistan die Bedeutung der benachbarten zentralasiatischen Staaten für die Stabilisierung in Afghanistan mit jedem Jahr deutlicher. Das heißt, es kommt der Aspekt regionaler Stabilität hinzu. In einer vierten Phase dominiert schließlich ein geostrategisches Interesse an den Energierohstoffen der Region die Politik vor allem der Vereinigten Staaten, die nicht nur Moskaus Transitmonopol und seine Kontrollfunktion einschränken wollen, sondern angesichts der unsicherer gewordenen Ressourcen des krisengeschüttelten Nahen Ostens in den zentralasiatischen Vorkommen auch eine zusätzliche Säule in einem angestrebten Diversifizierungskonzept entdeckt haben.

Schaut man sich diese jüngste Entwicklung an, dann fallen zwei Dinge auf. Einmal wiederholt sich die Objektrolle Zentralasiens, wie wir sie schon im 19. und 20. Jahrhundert angetroffen haben: Globale Akteure wenden sich aus verschiedenen Interessen heraus intensiver der Region zu, weil sie sich davon die Lösung eigener Probleme versprechen. Die Eigenentwicklung und das Eigeninteresse Zentralasiens bleiben dabei ohne Stimme und Berücksichtigung. In diesem Punkt scheint der Vergleich zwischen *Great Game 1* und *Great Game 2* berechtigt, was bei der Mehrzahl anderer Kennzeichen nicht der Fall ist. Zum anderen tauchen alle möglichen internationalen Akteure mit eigenen sichtbaren Aktivitäten in Zentralasien auf, nicht aber die EU. Das änderte sich erst 2007. Wir haben es also mit einer erklärungsbedürftigen Nachzügler-Rolle der Europäer zu tun.

Die EU-Zentralasienstrategie: Ideen und Ansätze

Wenn die EU bei der beginnenden Zuwendung zu Zentralasien anderen zunächst den Vortritt ließ, dann hatte das gute Gründe. Zu sehr standen näherliegende arbeitsintensive Aufgaben im Vordergrund, wie etwa die Erweiterungspolitik, die zwischen 2004 und 2007 am Ende aus einer Union von 15 Mitgliedern die „EU 27" machte, wobei die EU den Vorbereitungs- und Beitrittsprozess von 12 Staaten bewältigen musste. In den 90er Jahren des 20. Jahrhunderts, also im ersten Jahrzehnt der neuen unabhängigen Staaten Zentralasiens, beanspruchten die kriegerischen Balkankonflikte sehr die Kräfte der Union. In den Jahren 2003/2004 entwickelte die EU allerdings die *Euro-*

päische *Nachbarschaftspolitik* (ENP) mit Angeboten zu intensiverer Zusammenarbeit auf der Basis von *Partnerschafts- und Kooperationsabkommen* und speziellen *Aktionsplänen* für insgesamt 17 Länder – 10 davon im Mittelmeerraum, sieben aber im Osten der EU einschließlich der drei südkaukasischen Republiken Georgien, Armenien und Aserbaidschan. Immerhin waren mit diesem Nachbarschaftsprogramm bereits die Grenzen Zentralasiens erreicht.

Vor 2007 hat die EU auch eigene Programme mit den fünf zentralasiatischen Republiken entwickelt, allerdings ohne diese Bausteine zu einer sichtbaren Regionalstrategie zusammenzufügen. Mit allen fünf Staaten wurden *Partnerschafts- und Kooperationsabkommen* abgeschlossen und zwei spezielle Initiativen sollten helfen, ihre postsowjetische Isolationslage aufzubrechen: *TRACECA (Transport Corridor Europe-Caucasus-Central Asia)* und *INOGATE (Interstate Oil und Gas Transport to Europe)* zielten auf die Schaffung eines euroasiatischen Verkehrskorridors und Pipeline-Netzes. Diese Programme kamen den politischen Vorstellungen der zentralasiatischen Partner weit entgegen. Dort sprach man nicht etwa nur nüchtern von der Notwendigkeit des Zugangs zu den Weltmärkten, sondern entfloh der Realität mit politischen Träumen von einer Renaissance der *Seidenstraße,* jenem antiken Wegenetz zwischen Orient und Okzident, über das nicht nur alle erdenklichen Waren neben der Seide ausgetauscht wurden, sondern auch Kulturen, Philosophien und Religionen miteinander korrespondierten – und das alles mitten durch Zentralasien. Wie populär dieser Traum ist, zeigt sich daran, dass fast alle Präsidenten der Region mindestens ein Buch zum Thema Seidenstraße auf den Markt brachten. Die EU lieferte insofern die Hardware für diesen Öffnungsprozess. Und sie unterstrich ihr Engagement zusätzlich mit der *Baku-Initiative* für eine Energiezusammenarbeit EU-Zentralasien und durch die Ernennung eines *EU-Sonderbeauftragten für Zentralasien*. Das alles fand wenig Resonanz in der Öffentlichkeit, die eher nach den Gründen fragte, warum die EU sich im Vergleich zu den USA, zu China und Russland so auffallend zurückhalte bei der Wahrnehmung dieser strategisch bedeutsamen Region.[54]

Die Zeit war also reif, in Sachen Zentralasien in die Offensive zu gehen. Diese Einsicht leitete dann auch die Vorbereitungen für die deutsche EU-Ratspräsidentschaft für die erste Hälfte des Jahres 2007. Die Bundesregierung wollte diese auf sechs Monate terminierte europäische Führungsrolle dazu nutzen, auf breiter Front in der Großregion östlich der EU die Zusammenarbeit auf eine neue Grundlage zu stellen. Dazu sollten parallel die Verhandlungen mit der Russischen Föderation über ein neues *Partnerschafts- und Kooperationsabkommen* aufgenommen werden, die Arbeit mit den Ländern zwischen EU und Russland und im Südkaukasus sollten über ein Programm „ENP+" aufgewertet und intensiviert werden und, sozusagen als Hinwendung zu den „Nachbarn der Nachbarn", eine EU-Zentralasienstrategie auf den Weg gebracht werden. Dafür brauchte man natürlich einen europäischen Konsens und konkrete Mandatsbeschlüsse. Was Zentralasien anging, schienen die Voraussetzungen günstig: Deutschland genießt in der Region hohes Ansehen und konnte darauf verweisen, als einziges europäisches Land in allen fünf zentralasiatischen Hauptstädten schon länger vollgültige diplomatische Vertretungen zu unterhalten. Das überzeugte die EU-Partner, die im Dezember 2006 das Mandat für die Zentralasienstrategie erteilten.

Zu diesem Zeitpunkt lagen schon die Ergebnisse einer gründlichen Vorbereitung auf dem Tisch. Ich selber hatte als Staatsminister im Juli 2006 in Taschkent, Astana und Bischkek bei hochrangigen Gesprächen über die deutschen Pläne informiert und erste Reaktionen eingesammelt. Am 9. Oktober 2006 versammelten sich in Astana auf deutsche Einladung alle EU-Botschafter in der Region zu einem Meinungsaustausch und kurz darauf traf der deutsche Außenminister Frank-Walter Steinmeier im November 2006 die Spitzen aller fünf Staaten zu Gesprächen über die EU-Pläne. Diese Vorbereitungsschritte bestätigten die Richtigkeit unserer Ansätze, die auf breite Zustimmung stießen. Ausdrücklich wollte die EU nicht den Versuch machen, als zusätzlicher globaler Spieler auf das Schachbrett des *New Great Game* von der Seite aufzuspringen, um sich in „Machtprojektion" zu üben und eigene Ansprüche geltend zu machen. Zwar war vorgesehen, die Interessen der EU an der Region klar und offen zu definieren, die Strategie sollte aber auf Angebote zur Zusammenarbeit und Unterstützung auf definierten Feldern bauen, vor allem in wichtigen Bereichen der Reform- und Transformationsprozesse und mit entsprechenden Erwartungen, was die Bemühungen der Partnerländer betrifft. Die oben angesprochene Unterschiedlichkeit in den Entwicklungsstadien der fünf Staaten war dabei zu berücksichtigen, was nur über bilaterale Ansätze möglich schien. Zugleich wollte die EU aber ihre große Erfahrung in Sachen regionale Kooperation dort einbringen, wo die Probleme Zentralasiens nur über zwischenstaatliches Vertrauen, über ein eigenes Identitätsbewusstsein und mehr Partnerschaft untereinander gelöst werden konnten.

Diesem Ansatz entsprechend erklärt die EU zu Beginn des Dokuments zur Zentralasienstrategie ihr Interesse an Sicherheit und Stabilität in dieser Region und spricht die Erwartung aus, mit den dort vorhandenen Energieressourcen mehr Energiesicherheit für Europa erreichen zu können. Dann folgen die konkreten und detaillierten Kooperationsangebote in sieben verschiedenen Sachbereichen, von denen ich die wichtigsten Punkte festhalten will:

- Die Zusammenarbeit bei der Sicherheit soll sich auf den Kampf gegen das Organisierte Verbrechen, gegen Drogen-, Menschen- und Waffenhandel, sowie gegen Schmuggel und illegale Migration konzentrieren und außerdem bei einer besseren Grenzkontrolle helfen;
- Eine Rechtsstaatsinitiative soll gute Regierungsführung erleichtern, Experten ausbilden und zu einem auf Dauer angelegten Menschenrechtsdialog führen;

- In der Wirtschaft bietet die EU an, beim Beitritt zur WTO zu helfen, die eigenen Märkte für Zentralasien zu öffnen, die schon angelaufenen Hilfen bei der Infrastruktur zu verstärken und zur Stabilisierung des Banken- und Finanzsystems beizutragen;

- Im Energiesektor zielt die EU auf einen integrierten Energiemarkt mit Zentralasien, will bei der Diversifizierung und Sicherung der Transportnetze mitwirken, aber auch bei der Steigerung der Energieeffizienz und der stärkeren Nutzung von Erneuerbaren Energien Hilfestellung leisten;

- Bei der Entwicklung einer nachhaltigen Umweltpolitik der Region setzt die EU vor allem auf einen regionalen Ansatz bei der Wasserversorgung und bietet hier ihre Expertise wie direkte Hilfen beim Aufbau einer entsprechenden Infrastruktur an;

- Im Rahmen einer Zukunftsinvestition in Jugend und Ausbildung will die Union beim Ausbau des Schul- und Hochschulwesens Unterstützung leisten, ihre Stipendienprogramme ausweiten, ein *Institut für Europäische Studien* ins Leben rufen und über ein Programm namens *e-silk-highway* zu einer besseren Nutzung des Internets beitragen;

- Und schließlich soll der politische Dialog aufgewertet werden, mit Vertretungen der EU-Kommission in allen fünf Ländern, mit mehr Botschaften aus den Mitgliedstaaten und mit regelmäßigen Ministertreffen im sogenannten „Trojka-Format".

Um die Ernsthaftigkeit dieses ambitionierten Programms zu unterstreichen, verdoppelte die EU ihre Mittel für Zentralasien in ihrer mittelfristigen Finanzplanung 2007 bis 2013 auf 750 Millionen Euro. Trotz alledem war es keineswegs selbstverständlich, dass sich die Führungen aller fünf zentralasiatischen Staaten auf dieses Kooperationsangebot einließen. Enthielt es doch auch einige unbequeme Punkte, deren Popularität bei der örtlichen Nomenklatur begrenzt war. Das gilt in erster Li-

nie für den strukturierten und permanenten Menschenrechtsdialog, ohne dessen Akzeptanz die Zentralasienstrategie nicht
zustande gekommen wäre, aber auch für die gesamte *Rule-of-
Law*-Initiative sowie die Maßnahmen im Bildungs- und Ausbil-
dungsbereich, soweit sich daran Befürchtungen knüpften, dass
damit die eigene Definitionsmacht infrage gestellt und ein un-
kontrollierter Öffnungsprozess der eigenen Gesellschaften ein-
geleitet werden könne. Wenn trotzdem im Juni 2007 alle fünf
Präsidenten der EU-Zentralasienstrategie beitraten, dann vielleicht nicht aus purer Begeisterung für die Angebote, sondern
auch aus der Abwägung heraus, welche Isolierungswirkung
eine Verweigerung nach sich ziehen könnte und welche Vorteile man dann den teilweise als Konkurrenz gesehenen Nachbarn überlassen würde. Gerade deshalb war allen europäischen
Beteiligten bewusst, dass die Strategie nach ihrer Annahme
noch lange nicht als Selbstläufer gelten konnte. Ihre Zukunft
hing ganz entscheidend von einer raschen, substanziellen und
sichtbaren Umsetzung ab. Nur auf diese Weise schien es mach-
bar, das positive Momentum aufrechtzuerhalten, das sich bei
der Vorbereitung der Strategie als Chance für eine gemeinsame
Zukunftsbewältigung abgezeichnet hatte.

Work in Progress: Die Umsetzung der Strategie

Die bisherigen Arbeitsweisen der EU machen es einfacher, ein
neues Programm zu beschließen als ein beschlossenes kontinuierlich umzusetzen. Im Halbjahreswechsel legt eine neue
Ratspräsidentschaft auch neue regionale Prioritäten fest. Nach
der deutschen Präsidentschaft im ersten Halbjahr 2007 mit
dem Fokus auf der *Neuen Ostpolitik* folgte Portugal mit dem
Blick nach Afrika, Slowenien mit dem Schwerpunkt Westlicher
Balkan. Dann folgte Frankreich mit Sarkozys Streben nach der
Mittelmeerunion. Trotzdem gelang es uns, die Zentralasienstrategie auf der Tagesordnung zu halten. Geholfen hat dabei,
dass von vornherein ein erster Zwischenbericht über die Imple-

mentierung nach den ersten 12 Monaten vorgesehen war. Tatsächlich hat der Europäische Rat im Juni 2008 diesen Bericht, der „ermutigende Fortschritte" verzeichnet, billigend zur Kenntnis genommen.

Diese positive Zwischenbilanz konnte darauf verweisen, dass inzwischen die fünf zentralasiatischen Republiken eigene Koordinatoren für die Umsetzung der Strategie ernannt hatten, dass mit jedem Staat ein gemeinsames Prioritätenpapier verabredet werden konnte und dass sich der politische Dialog merklich intensiviert hatte. Die EU-Kommission war sich sicher, bis Ende 2009 in allen Hauptstädten eine vollwertige Vertretung eröffnen zu können. Die Skeptiker innerhalb der EU mussten anerkennen, dass der vorgesehene „regelmäßige strukturierte Menschenrechtsdialog" tatsächlich bis Ende 2008 mit allen fünf Partnern in einer ersten Runde stattgefunden hatte – bei dem unter besonderer Aufmerksamkeit stehenden Usbekistan sogar schon mit einem zweiten Treffen und ersten Erfolgen wie Abschaffung der Todesstrafe, Anerkennung des *Habeas-Corpus*-Grundsatzes, Wiederzulassung des IKRK zu Gefängnisbesuchen und der Freilassung einiger politischer Gefangener.

Für die Partnerländer war es natürlich wichtiger, dass die sogenannten „Leuchtturm-Projekte" vorankamen und sich in Richtung konkreter Aktionen bewegten. Hier sprechen wir von vier zentralen Strategieprojekten:

1. Bei der *Rechtsstaatsinitiative* übernahmen Frankreich und Deutschland gemeinsam die Koordinierung und nutzten ein Minister- und Expertentreffen am 28. November 2008 in Brüssel, um das Programm endgültig auf den Weg zu bringen. Es sieht eine Modernisierung des Wirtschafts- und Verwaltungsrechts, der Verfassungs- und Strafgerichtsbarkeit und die Aus- und Fortbildung bei den juristischen Berufen in Zentralasien vor. Deutschland kann dabei an frühere bilaterale Rechtsstaatsprojekte anknüpfen, für die das BMZ zwischen 2005 und 2008 bereits 4,8 Millionen Euro

zur Verfügung gestellt hatte. Konkrete Ausbildung von Fachpersonal steht auch im Mittelpunkt der deutschen Programme zur Unterstützung von Kasachstans OSZE-Präsidentschaft im Jahr 2010.

2. Im Rahmen der *Bildungsinitiative* steht der Ausbau der Hochschulkooperation im Vordergrund – auf der Basis des TEMPUS-Programms mit 20 Millionen Euro zusätzlich für Stipendien in den Jahren 2009/2010 und mit einer Anbindung der Partnerländer an den Bologna-Prozess. Deutschland verfügt dabei mit der *Deutsch-Kasachischen Universität* in Almaty, die zu einer internationalen Hochschule für die ganze Region ausgebaut wird und auf der Basis eines Regierungsabkommens vom September 2008 in Zukunft auch neue Studiengänge im Bereich Wasser- und Gesundheitsmanagement anbieten soll, über ein attraktives Vorzeigeprojekt. Das Gebäude selbst soll außerdem so umgerüstet werden, dass es den deutschen Stand der Technik bei Wärmedämmung und Nutzung erneuerbarer Energien (Plusenergie-Haus) demonstrieren kann.

3. Auch das große Sicherheitsthema *Grenzkontrollen und Drogenbekämpfung* wurde innerhalb weniger Monate vorangebracht: über ein Sicherheitsforum mit den zentralasiatischen Außenministern am 18. September 2008 in Paris und eine von Deutschland angeregte und mitfinanzierte Minister- und Expertenkonferenz zu Grenzmanagement und Drogenbekämpfung, die im Oktober desselben Jahres in der tadschikischen Hauptstadt Duschanbe stattfand. Der nächste Schritt soll dann mit der Ausarbeitung von nationalen Grenzschutz-Strategien erfolgen, deren Umsetzung die EU unterstützen will.

4. Das anspruchsvollste Projekt zielt auf ein regionales *Wassermanagement* in der Region, wobei es eigentlich nicht nur um die Wasserverteilung und Wassernutzung geht, sondern um ein umfassendes Energie- und Wasserverbundsystem für ganz Zentralasien. Das Problem besteht

darin, dass die beiden Oberlaufländer Tadschikistan und Kirgistan das Wasser als ihren fast einzigen Reichtum stauen und zur Stromproduktion nutzen, während die Unterlieger Turkmenistan, Usbekistan und Kasachstan das Wasser vor allem im Sommer für ihre Bewässerungskulturen brauchen. Fehlt im kalten Winter in Duschanbe oder Bischkek die Energie zum Heizen, bleibt den Tadschiken und Kirgisen gar nichts anderes übrig, als das Wasser über die hydroelektrischen Anlagen laufen zu lassen – mit der Folge, dass es zur winterlichen Unzeit in die Nachbarländer fließt und dort sogar Überschwemmungsschäden anrichtet. Im Sommer dagegen, wo das Wasser laufen sollte, sinkt die Nachfrage nach dem Wasserkraft-Strom, mit der Folge, dass zu wenig Wasser in die Baumwoll- und Reiskulturen der Unterlaufländer fließt. Wir haben es hier mit einer komplexen Herausforderung zu tun, bei der es um wirtschaftliche, umweltpolitische, aber auch sicherheitspolitische Fragen geht. So entstanden im Winter 2007/2008 zwischen Tadschikistan und Usbekistan aus den genannten Gründen ernsthafte Spannungen. Um diese künftig zu vermeiden, wurde am 10. Oktober 2008 in Bischkek ein komplexes Regelwerk für den Wasser- und Energiebedarf der Region für die kommende Winter- und Frühjahrsperiode verabredet – quasi als erste Bewährungsprobe für die von der EU angepeilte regionale Zusammenarbeit im Wasser- und Energiesektor in Zentralasien.

Während Italien für dieses „Leuchtturm-Projekt" die Koordinierung übernommen hat, engagiert sich die Bundesrepublik sehr intensiv sowohl im Rahmen der weltweit aktiven EU-Wasserinitiative wie unter Nutzung der erfahrenen deutschen Wassertechnik. Im Jahr 2008 machte am 1. April in Berlin eine internationale Konferenz unter dem Titel „Wasser verbindet – Neue Perspektiven für Zusammenarbeit und Sicherheit" den Auftakt, die am 17./18. November in Almaty (*Water Unites II*) ihre Fortsetzung mit dem Schwerpunkt auf konkreten Projekten fand. Diese Konferenzen sollen den Aufbau eines solchen regionalen Energie- und Wasserverbundsystems voranbringen, wobei Deutschland auch die Schaffung eines regionalen Forschungsnetzwerkes mit dem *Geoforschungszentrum Potsdam* und dem *Zentralasiatischen Institut für Angewandte Geowissenschaften* (ZAIAG) in Bischkek vorbereitet und die Idee zur Gründung einer *Wasserakademie* für die ganze Region unterstützt.

Gerade in Zentralasien bestätigt sich die Erfahrung, dass es nicht nur darauf ankommt, *was* man tut, sondern auch darauf, *wie* man es macht. Ein behutsamer Überzeugungsprozess, der die spezifischen Besonderheiten der fünf Partnerländer beachtete, hat schon eineinhalb Jahre nach Verabschiedung der Strategie zu ersten Erfolgen bei der Rechtsstaats- und Menschenrechtsthematik sowie bei der regionalen Kooperation geführt. Es gelang, vor Ort Vertrauen dafür zu schaffen, dass die EU zwar ihre Interessen offen ausspricht, aber eben auch Prozesse organisiert, von denen die Partnerstaaten profitieren. Dabei war es besonders wichtig, den anderen Akteuren in der Region nicht unangekündigt politisch auf die Füße zu treten. Das wichtigste Mittel, um ungewollte Rivalitätsreflexe zu vermeiden, heißt Transparenz. Es war mein persönlicher Auftrag, zwischen Herbst 2007 und Sommer 2008 in zahlreichen politischen Gesprächen und mit einer ganzen Serie von Vorträgen und Diskussionsveranstaltungen in Washington, Moskau, Peking und Tokyo die neue europäische Politik in Zentralasien vorzustellen und zu erläutern. Transparenz vermeidet unnötiges Misstrauen, wenn auch bestimmte Interessengegensätze bestehen bleiben. So wird Moskau weiter daran arbeiten, seine weitgehende Monopolstellung beim Transfer zentralasiatischer Energieressourcen möglichst zu behalten, und den Europäern kaum helfen, eigene Zugänge (wie etwa die geplante Nabucco-Gaspipeline) aufzubauen. Aber Russland hat anerkannt, dass die europäischen Programme mit Zentralasien zur Stabilität in der eigenen Nachbarschaft beitragen wollen und werden, was zu einer sogenannten Win-Win-Situation führt. Auch in den Vereinigten Staaten, in China und Japan begegnet man inzwischen der europäischen Zentralasienpolitik mit interessierter Aufmerksamkeit, aber ohne jede Verunsicherung.

Eine Politik, die sich jenseits der ausgetretenen Pfade bewegt und sich eben nicht ohne weiteres in die klassischen Ziele von Macht- und Einflussgewinn einordnen lässt, sondern auf ein differenziertes Angebot von gemeinsamer Erfahrungsnutzung, den Wertedialog und der konkreten Projektzusammenarbeit in einem partnerschaftlichen Austausch auf gleicher Augenhöhe setzt – eine solche Politik weckt zunächst Irritationen und kann eine Suche nach der vermuteten *hidden agenda* auslösen. Mit jedem positiven Ergebnis bei der konkreten Umsetzung des Programms entsteht aber ein zusätzlicher Baustein für ein gemeinsames Gebäude des Vertrauens, und die bloße Erfahrung, dass einige Probleme in der Region gemeinsam und in der Partnerschaft mit der EU leichter zu bewältigen sind, entfaltet eine präventive Wirkung im Sinne einer vorausschauenden Friedenspolitik. Mag sein, dass das ein sehr wenig spektakulärer, wenig öffentlichkeitswirksamer Teilauftrag im Rahmen einer globalen Mission Weltfrieden ist. Ich bin aber davon überzeugt, dass unsere Zukunft von der Wirksamkeit solcher Programme wenig sichtbarer aber nachhaltiger Stabilisierungs- und Friedensanstrengungen mehr profitiert als von jenem aufwendigen und medientauglichen Reparaturbetrieb bei der Lösung von Konflikten, hinter dem stets ein vorangegangenes Scheitern von regionaler oder globaler Politik steht.

V. Auf dem Weg in die globale Verantwortungsgemeinschaft

Am 6. November 2008 eröffnete Bundesaußenminister Frank-Walter Steinmeier zusammen mit mir eine vom Auswärtigen Amt mit Unterstützung meiner Heimatstadt Freiburg im Breisgau ausgerichtete zweitägige internationale Konferenz zum Thema „Sicherheitsbedrohung Klimawandel: Handlungsoptionen für Politik, Wissenschaft und Wirtschaft." Die Eröffnungsrede hielt Rajendra Pachauri, der indische Friedensnobelpreisträger und Vorsitzende des Weltklimarates. Zu den vier Panels Sicherheitsrisiko Klimawandel, Klimawandel als Herausforderung für die internationale Politik, Technologische Antworten auf den Klimawandel sowie Kommunen und Klimawandel hatten sich Spezialisten aus acht Ländern angesagt. Wir hatten mit maximal 500 Anmeldungen gerechnet, es wurden aber 1300, und im Saal des Freiburger Konzerthauses blieben die Plätze bis zum Ende der Veranstaltung dicht besetzt.[55] Von den vielen aufmerksamen Diskutanten und Zuhörern hat sich niemand darüber gewundert, dass sich die deutsche Außenpolitik mit einer Herausforderung wie dem Klimawandel beschäftigt. Offenbar ist das schon selbstverständlich geworden.

Klimawandel als Sicherheitsbedrohung

Tatsächlich drängen die Fragestellungen aus der Energie- und Umweltpolitik immer häufiger auf die Agenda der Außenpolitik. 2006 gab es fünf größere Veranstaltungen zu Energiefragen in Verantwortung oder unter maßgeblicher Beteiligung des Auswärtigen Amtes, 2007 waren es bereits acht zum Thema Energie, begleitet von zwei Konferenzen zu Umweltthemen und einer zum Klimawandel. Im Jahr 2008 zählen wir dann 20 einschlägige Events, davon sieben zum Energiethema, sechs zum Klimawandel, fünf zum Komplex Wassermanagement und zwei zu Fragestellungen aus der Umweltpolitik. In gerade drei Jahren hat sich also die deutsche Außenpolitik auf völlig neue Arbeits- und Zuständigkeitsbereiche eingestellt.

Zum Auslöser dieser Entwicklung wurden die alarmierenden Berichte des *Weltklimarates* (IPCC), deren erster 1990 erschien und dann zur Grundlage für die *UN-Klimarahmenkonvention* (UNFCCC) von 1992 wurde. Der zweite Sachstandsbericht von 1996 beeinflusste stark die Arbeiten an dem Kyoto-Abkommen von 1997, während der Folgende aus dem Jahr 2001 sich stärker auf die Folgen des Klimawandels konzentrierte sowie auf notwendige Anpassungen der Politik. Zu einem richtigen Weckruf für die internationale Gemeinschaft wurde der 4. Sachstandsbericht des IPCC von 2007, der keinen Zweifel mehr bei der Frage gelten ließ, was den Klimawandel auslöst: nämlich menschliches Handeln, das zur verstärkten Freisetzung von Treibhausgasen führt. Damit war auch der Weg zu den Antworten gewiesen, worauf sich also Versuche zur Verlangsamung des Klimawandels konzentrieren müssen.[56] In Deutschland nahmen auch die Empfehlungen und Veröffentlichungen des *Wissenschaftlichen Beirats der Bundesregierung Globale Umweltveränderungen* (WBGU) starken Einfluss auf die Arbeit an Strategien zur Eindämmung des Klimawandels.[57]

Die Warnungen besagen, dass ein fortgesetzter Klimawandel ohne entschiedenes politisches Gegensteuern schon in einigen Jahren die Anpassungsfähigkeit zahlreicher betroffener Länder und Regionen überfordern wird. Der Weltklimarat rechnet hoch, dass sieben Jahre nach 2008 eine nicht mehr beherrschbare Multiplizierung von Naturkatastrophen stattfinden könnte. Im Ergebnis kann die Weltgesellschaft dann mit Destabilisierung, gewaltsamen Verteilungskonflikten um Energie, Wasser und Agrarland sowie großen Flüchtlingsbewegungen konfrontiert werden.

Der WBGU erkennt bei fortschreitendem Klimawandel vier verschiedene Konfliktkonstellationen:

1. Durch den „klimabedingten" Rückgang von Süßwasserressourcen kommt es zu Problemen bei der Trinkwasserversorgung. Schon 2007 waren rund 1,1 Milliarden Menschen ohne sicheren Zugang zu Trinkwasser. Wo zum Beispiel die Wasserversorgung über das Schmelzwasser von Gletschern läuft, zwingt deren Verschwinden zu völlig neuen Versorgungsstrategien. Die Gletscher in Tadschikistan schrumpften zwischen 1950 und 2000 um ein Drittel, und Kirgistan hat in den letzten 40 Jahren über 1000 Gletscher verloren. Eine besonders angespannte Situation findet sich in der Region Nah- und Mittelost, wo fünf Prozent der Weltbevölkerung nur über ein Prozent der Weltwasservorkommen verfügen. Hier kann der Klimawandel das pro Kopf verfügbare Trinkwasser bis 2050 um die Hälfte reduzieren – ein Ausgangspunkt für ernsthafte Verteilungskonflikte. Allein in Afrika werden bis 2020 wahrscheinlich 250 Millionen Menschen unter akutem Wassermangel leiden.

2. Nach dem Jahresabschlußbericht der *Welternährungs- und Landwirtschaftsorganisation* (FAO) hatten Ende 2008 mit 963 Millionen Menschen 15 Prozent der Weltbevölkerung zu wenig zu essen. Der Klimawandel behindert aber die Nahrungsmittelproduktion über Prozesse der Bodenversalzung und Wasserverknappung, die Wüsten dehnen sich weiter aus und es bilden sich neue. Das löst zusätzliche regionale Ernährungskrisen aus und verstärkt das Konfliktrisiko.

3. Auch die Zunahme von Sturm- und Flutkatastrophen und das Ansteigen des Meeresspiegels reduzieren nutzbare und besiedelbare Flächen. Wenn in der *Bay of Bengal* der Wasserspiegel zum Beispiel um einen Meter ansteigen würde, wären 12 Prozent der Landfläche von Bangladesh überflutet und 150 Millionen Menschen müssten ausweichen – die Frage wäre nur, wohin? Ähnliche Gefährdungen bestehen für die Ostküste Chinas und Indiens sowie die Karibik und Mittelamerika.

4. Historisch gesehen wären umweltbedingte Wanderungs-
ströme nichts Neues, was wir aus der Entstehung der Völ-
kerwanderung durch zu große Nomadenpopulationen und
die Überweidung der Böden kennen. Allerdings besteht
heute die Migrationsgefahr in ganzen Großregionen, wo
mehrere Faktoren wie Bevölkerungsreichtum, Armut und
klimabedingte Verschlechterung der Lebensbedingungen
zusammenkommen. Brennpunkte sind Nordafrika, die Sa-
helzone, das südliche Afrika, Indien, Pakistan, Bangladesh,
Zentralasien, die Karibik und auch die Andenregion und
das Amazonasgebiet.

Nationale und internationale Antworten

Hinter solchen Warnungen stehen seriöse wissenschaftliche
Erhebungen. Sie lassen sich nicht mehr abtun als effekt-
haschender Alarmismus. Längst ist die persönliche Erfahrung
von klimatischen Extremlagen und zunehmenden Sturm- und
Flutkatastrophen in unseren Alltag eingedrungen. Wenn die
Katastrophenmeldungen eintreffen, starten die Hilfsmaßnahmen in die betroffenen Regionen schon routinemäßig – aber
ihre zunehmende Zahl beunruhigt und erste Überforderungs-
zeichen werden sichtbar. Man trifft sich gleichsam an der
Startlinie von einem Wettlauf, ohne sagen zu können, ob er
überhaupt zu gewinnen ist. So vieles müsste gleichzeitig stattfinden: Eine Reduzierung des Energieverbrauchs, eine Steigerung der Energieeffizienz, ein Ausbau der Nutzung Erneuerbarer Energien, eine Entkopplung von Wohlstand und
Energieverbrauch, vielleicht die Zuwendung zu einer völlig
veränderten Lebensweise. Aber auf der Welt leben Anfang
2009 etwa 1,6 Milliarden Menschen ohne einen regelmäßigen
Zugang zu Energiequellen überhaupt. Welche Botschaft halten wir für diese Benachteiligten bereit? Und es gibt die
Schwellenländer mit ihren hohen Wachstumsraten, darunter
China, wo die Führung eine Verdoppelung des Lebensstan-

dards bis zum Jahr 2020 verspricht. Mit westlichen Standards verglichen wäre das nicht unbescheiden, bei einer Bevölkerungszahl von 1,3 Milliarden Menschen aber ohne eine drastische Zunahme des Ressourcen- und Energieverbrauchs kaum vorstellbar.

Jeder versteht, dass hier das Handeln einzelner nicht mehr weiterhilft. Ein „Massenstart" wird benötigt. Der Kyoto-Prozess machte den Versuch, mit konkreten Zielvorgaben die Industrieländer zur Reduzierung ihrer CO_2-Emissionen bis zum Jahr 2012 im Vergleich zum Basisjahr 1990 zu verpflichten. Bei der EU insgesamt waren das 8 Prozent, Deutschland traute sich 21 Prozent zu, aber der allergrößte Verschmutzer der Atmosphäre, die Vereinigten Staaten, verweigerten die Ratifizierung des Protokolls, so dass ihre Selbstverpflichtung von 7 Prozent unverbindlich blieb. 2012 rückt näher, und damit die Frage, ob es gelingt, einen obligatorischen und noch weit ambitionierteren Anschlussprozess auf die Beine zu stellen. Aus all den Studien und Berichten hat sich herauskristallisiert, dass ein Temperaturanstieg von nicht mehr als zwei Grad Celsius gegenüber dem vorindustriellen Niveau gerade noch verkraftet werden kann. Die Berechnungen zeigen aber, dass dafür die Emissionen bis zum Jahr 2050 auf die Hälfte des Niveaus von 1990 gesenkt werden müssen.

Die EU hat den Ehrgeiz voranzuschreiten.[58] Während der deutschen Ratspräsidentschaft erfolgte im März 2007 der „Dreimal-20-Beschluss": die Selbstverpflichtung, bis zum Jahr 2020 als Zwischenschritt 20 Prozent mehr Energieeffizienz, einen 20 Prozent-Anteil von Erneuerbaren Energien und eine 20-prozentige Reduzierung der Treibhausgase zu erreichen. Wenn andere Industrieländer mitziehen, ist die EU bereit, bei CO_2 die Messlatte sogar auf ein Minus von 30 Prozent zu legen. Und die G-8-Präsidentschaft im Jahr 2007 hat Berlin genutzt, um gleich mehrere Schritte zu gehen. Mit Amerika zusammen gelang eine Verständigung auf das Ziel – wenn auch leider nicht auf die Verpflichtung – der Halbierung der Treibhausgase bis 2050 und auf die Bereitschaft, den konkreten Verhandlungsprozess darüber unter dem Dach der Vereinten Nationen zu führen. Außerdem kam der sogenannte „Heiligendamm-Prozess" auf die Schiene, der eine langfristige Zusammenarbeit in Sachen Energieeffizienz mit den wichtigen Schwellenländern China, Indien, Brasilien, Mexiko und Südafrika vorsieht.

Damit öffneten sich die Türen zu dem unverzichtbaren Post-Kyoto-Prozess, bei dem sich verbindliche Reduktionsziele bis 2050 mit entsprechenden Hilfsstrategien für die Schwellen- und Entwicklungsländer verbinden sollen. Wie weit der Weg dahin noch werden kann, haben die vorbereitenden Treffen in Bali (Ende 2007) und Posen (Ende 2008) gezeigt, aber es besteht ein breiter Konsens, dass es bis zur Weltklimakonferenz in Kopenhagen im Dezember 2009 gelingen muss – denn wenn nicht Ende 2009 der Fahrplan für die Verpflichtungen für die Nach-Kyoto-Zeit ab 2012 steht, kann eine nicht mehr aufholbare Lücke bei den Anstrengungen um die Kontrollierbarkeit des Klimawandels aufreißen.

Neue Chancen mit Barack Obama

Eine entscheidende Rolle bei diesen Fragen spielen die Vereinigten Staaten, schon weil sie, bei den weltweit höchsten Pro-Kopf-Emissionen, 25 Prozent des weltweiten Ausstoßes von Treibhausgasen zu verantworten haben. Bisher fehlt in den USA die Bereitschaft, sich verbindliche Klimaziele aufzuerlegen. Aber es gibt Bewegung, und die wurde auch von der deutschen Außenpolitik angestoßen. Nach Kontakten zwischen dem kalifornischen Gouverneur Schwarzenegger und Außenminister Steinmeier zeichneten sich Möglichkeiten einer Zusammenarbeit „von unten" ab, die Ende 2008 zu ersten Veranstaltungen eines Programms führten, das sich „Transatlantischer Klimabrückenschlag" nennt. Dabei geht es auch darum, in Amerika das Instrument des Emissionshandels populärer zu machen, bei dem Unternehmer nur auf der Basis von erworbenen Zertifikaten das Recht auf CO_2-Ausstoß erhalten. Die deutsche Politik bemüht sich in besonderer Weise, die regional schon partiell existierenden Emissionshandelssysteme miteinander zu verbinden und so einen globalen Kohlenstoffmarkt zu schaffen. Die politische Plattform dafür bietet die *International Carbon Action Partnership* (ICAP), für die sich immer mehr Länder interessieren.

Die amerikanische Politik lässt sich zu Beginn der Präsidentschaft von Barack Obama aber noch mit einem anderen Kontext erreichen. Die Erneuerbaren Energien haben eine Schlüsselrolle in jeder Klimapolitik. Ihre Förderung in Deutschland begann im Jahr 2000 mit dem von der rot-grünen Bundesregierung durchgesetzten *Erneuerbare Energien-Gesetz* (EEG), das innerhalb eines Jahrzehnts die Bundesrepublik technologisch im Bereich der Renewables in Spitzenpositionen brachte und mehr als 250 000 neue qualifizierte Arbeitsplätze schuf. Zu Beginn des Jahres 2009 nutzen mindestens 71 Länder der Welt Erneuerbare Energietechnologien und 52 fördern diese nach dem Muster des deutschen EEG. Und für die Gründungskonferenz der *Internationalen Agentur für Erneuerbare Energien* (IRENA) am 26. Januar 2009 wurde das *World Conference Center* (der ehemalige Deutsche Bundestag) in Bonn ausgesucht, weil es Deutschland war, das 60 Länder zur Vorbereitung dieser Organisation motivieren konnte, die künftig vor allem die internationale Zusammenarbeit im Bereich der Erneuerbaren Energien vorantreiben soll. Der 44. US-Präsident hatte schon im Wahlkampf große Investitionen in diesem Bereich angekündigt und dabei Summen von bis zu 150 Milliarden US-Dollar für 10 Jahre genannt. Nur wenige Tage vor seiner Vereidigung nahm Barack Obama diesen Faden am 16. Januar 2009 bei einer Rede im Bundesstaat Ohio wieder auf, als er auf das von ihm geplante Konjunkturprogramm zur Schaffung von drei bis vier Millionen neuer Arbeitsplätze in den USA zu sprechen kam, und erklärte wörtlich: „Schauen wir uns an, was in Spanien, Deutschland und Japan geschieht, wo man echte Investitionen in erneuerbare Energien tätigt." Das klingt so, als solle ein ökologisch orientiertes Konjunkturprogramm aus der großen Finanz- und Wirtschaftskrise herausführen, die vor Obamas Amtsantritt Amerika ebenso wie die meisten anderen Länder der Welt erfasst hat. Ein *Green New Deal,* für den zuvor auch UN-Generalsekretär Ban Ki-Moon sowie der deutsche Außenminister auf der Klimakonferenz in Freiburg geworben hatte, könnte aber eben nicht nur moderne, gut bezahlte Arbeitsplätze schaffen, sondern auch einer der wichtigsten Strategien im Kampf gegen den Klimawandel zum Durchbruch verhelfen, nämlich dem massiven Ausbau der Renewables.

Ein solcher Impuls kommt zur rechten Zeit. Denn noch scheint die Gefahr keineswegs gebannt, dass die globale Krise atavistische Reflexe auslöst, wo es um den Erhalt von Arbeitsplätzen und Wettbewerbsvorteilen geht, und das zu Lasten der Klimaschutzpolitik. Schon wird die nächste Stufe bei der Strategie des Emissionshandels, nämlich die vollständige Versteigerung der Zertifikate, in Frage gestellt. Die angeschlagene Autoindustrie, in Europa wie in den Vereinigten Staaten, fordert nicht nur finanzielle Subventionen, sondern auch großzügigere Grenzwerte beim CO_2-Ausstoß. Und immer mehr Länder pochen darauf, in der Wirtschaftskrise Ausnahmeregelungen bei den Klimazielen beanspruchen zu dürfen. Da wird sehr schnell die Kurzatmigkeit solcher Reaktionen übersehen, und auf einmal gerät in Vergessenheit, dass die Fachleute vorgerechnet haben, wie ein Nichtstun gegen den Klimawandel uns bald 20 Prozent des globalen BIP kosten kann, während die Anwendung eines global abgestimmten Gegenkonzepts sich auf ein Prozent desselben beschränken ließe.

Wir müssen uns auch gegen eine andere Problemverdrängung wehren. Mit der internationalen Finanzkrise ging ein Einbruch der Energiepreise einher, was dazu beigetragen hat, dass seit Mitte des Jahres 2008 auch die Nahrungsmittelpreise wieder gesunken sind. Als hätte einer den Lautsprecher abgestellt, hört man plötzlich nichts mehr von der kritischen Entwicklung der Welternährungslage, die in der ersten Hälfte desselben Jahres noch in aller Munde war. Diese Abwendung lässt sich aber durch nichts rechtfertigen. Denn 2008 stieg nach FAO-Berechnungen die Zahl der Hungernden weltweit um 40 Millionen und sie wird 2009 die Ein-Milliardenschwelle überschreiten. Dann wird es immer schwieriger, noch bis zum Jahr 2015 das Millenniumsziel der Hungerhalbierung zu erreichen. Diese Negativentwicklung geht nicht nur auf klimatische Einflüsse zurück. Zu nennen sind auch ein weiterhin hoher Bevölkerungszuwachs und ein Wirtschaftswachstum vor allem in den Schwellenländern, das dort eine kaufkräftige Nachfrage und eine Veränderung der Ernährungsgewohnheiten bewirkt. Die hohen Energiepreise verteuern die landwirtschaftliche Produktion und machen den konkurrierenden Anbau von Biokraftstoffen rentabel. Und auch Nahrungsmittel geraten in den Strudel spekulativer Termingeschäfte, ohne dass sich die Weltgemeinschaft mit einer entsprechenden Vorratspolitik gegen deren Folgen absichert. Im Endeffekt stiegen die Lebensmittelpreise in drei Jahren um 83 Prozent, bei Weizen sogar um mehr als 180 Prozent und allein zwischen April 2007 und Juli 2008 um 60 Prozent. Kein Wunder, dass es mehrfach zu regelrechten Hungeraufständen kam, nicht nur auf Haiti, sondern auch in verschiedenen Ländern in Afrika, Asien und Lateinamerika.

Die Bundesregierung hat mit Sofortmaßnahmen reagiert, so zum Beispiel mit einer Verdopplung ihrer jährlichen internationalen Nahrungsmittelhilfe um 23 Millionen Euro und mit einer Umwidmung von insgesamt 500 Millionen Euro zugunsten der Nahrungsmittelsicherheit in Entwicklungsländern. Im EU-Rahmen hat Berlin ein Soforthilfe-Programm von 500 Millionen Euro unterstützt und beteiligt sich an einem auf sechs Jahre angelegten 3,4 Milliarden-Projekt zur Förderung der Landwirtschaft in den Entwicklungsländern. Auf globaler Ebene wirkt Deutschland bei der von der UNO eingerichteten *High Level Task Force on the Global Food Crisis* mit. Wir stellen uns hinter eine entsprechende Weltbank-Initiative mit einem Volumen von 1,2 Milliarden US-Dollar sowie hinter die in dieselbe Richtung gehenden Programme der Regionalen Entwicklungsbanken, die dafür zwei Milliarden Dollar einsetzen.

Mit diesen kurzfristigen Maßnahmen allein wird man eine nachhaltige Reduzierung des Hungers aber nicht erreichen. Ebenso wichtig wie die Soforthilfen sind mittelfristig wirkende Maßnahmen. Das geht von der Bereitstellung landwirtschaftlicher Betriebsmittel und von Zahlungsbilanzhilfen für arme Länder bis hin zur Förderung des Süd-Süd-Handels durch die Aufhebung von Ausfuhrbeschränkungen.[59] Es ist beschämend, dass trotz aller Bemühungen, in besonderer Weise auch aus Deutschland, ein erfolgreicher Abschluss der Doha-Runde immer noch nicht erreicht werden konnte. Denn damit deformiert und belastet das ganze Paket von egoistischen Importzöllen, Exportsubventionen und Handelshemmnissen auf Seiten der Industrieländer weiterhin den Weltagrarhandel zu Lasten der Drittweltstaaten. Dass die EU mit ihrer Initiative *Everything but arms* (EBA) den 49 am wenigsten entwickelten Staaten der Welt einen einseitig zoll- und quotenfreien Marktzugang gewährt, ist zu begrüßen, ersetzt aber nicht die überfällige Doha-Lösung. Anfang 2009 hat der Chef der FAO Jacques Diouf darauf hingewiesen, dass für eine neue Weltordnung der Landwirtschaft jährliche Investitionen von 30 Milliarden Dollar in den Agrarsektor der Entwicklungsländer benötigt würden – das ist weniger als ein Zwölftel der Summe, die alljährlich die Industrieländer in die Subventionen ihrer Agrarproduktion pumpen.

Aus der engagierten Zivilgesellschaft erreichen gerade bei der Nahrungsmittelfrage immer wieder große Erwartungen die Bundesregierung. Als Beispiel führe ich die Schlusssätze eines ebenso faktenreichen wie kritischen Positionspapiers vom Dezember 2008 an:

„Hungerkrisen gehen stets mit sozialen Kämpfen einher, mit den Rufen nach Brot, Land und Freiheit. In diesen sozialen Auseinandersetzungen nehmen die jeweiligen Forderungen erst konkrete Gestalt an. Sie variieren von Land zu Land und orientieren sich meist an den drängendsten lokalen Problemen. Erst in der Auseinandersetzung mit diesen Kämpfen lassen sich die notwendigen Maßnahmen grenzüberschreitender Solidarität ermitteln. Gerade in der beginnenden Wirtschaftskrise, die wieder zur Flucht in nationalstaatliche Krisenbewältigung führt, ist die internationale Solidarität wichtiger denn je: Deutschland hat die Mittel für umfassende ‚Rettungspakete‘, ein Großteil der Länder des Südens aber nicht.“[60]

Das Thema Nahrungsmittelversorgung und Lebensmittelpreise ist nicht zu trennen von dem Komplex Klimawandel und Energieressourcen. Dass die Bundesregierung dies ständig im Auge behält und versucht, den Herausforderungen mit eigenen Initiativen und über gemeinsame Programme mit der EU und mit den Weltorganisationen gerecht zu werden, habe ich dargelegt. Aber natürlich nimmt der Druck zu, angesichts der auch in Deutschland ankommenden globalen Finanz- und Wirtschaftskrise die Priorität auf die „nationalstaatliche Krisenbewältigung“ zu setzen. Die Bewährungsprobe für die globale Verantwortungsgemeinschaft – und nur deren entschlossenes und gemeinschaftliches Handeln kann bei der Dimension der Gefahren überhaupt etwas ausrichten – steht erst noch bevor.

Ein Element, das verbindet: Wasser

1986 machte der damalige ägyptische Außenminister und spätere UN-Generalsekretär Boutros Boutros-Ghali eine viel zitierte Voraussage: „Die Kriege des 21. Jahrhunderts werden nicht um Öl, sondern um Wasser geführt werden." Bisher hat ihm unser Jahrhundert nicht Recht gegeben, aber es ist auch noch ziemlich jung. Auf jeden Fall lohnt es, sich nicht damit abzufinden, dass 1,1 Milliarden Menschen keinen Zugang zu sauberem Trinkwasser haben und 2,4 Milliarden ohne eine sanitäre Grundversorgung leben müssen – ein Mangel, der zahlreiche Massenerkrankungen auslöst, die wiederum ganze Staaten und Gesellschaften destabilisieren. Auch hier droht das Scheitern eines Millenniumziels. Eigentlich sollte der Anteil der Menschen, die ohne Zugang zu sauberem Trinkwasser und sanitärer Grundversorgung leben, bis zum Jahr 2015 halbiert werden. Aber Bevölkerungswachstum und Klimawandel verknappen diese lebenswichtige Ressource immer mehr, so dass die OECD bereits befürchtet, dass sich die Zahl der Unversorgten bis 2030 annähernd verdoppeln könnte.

Möglichkeiten zu handeln, gibt es viele. Wir brauchen ein globales Wasserressourcenmanagement. Hinter diesem bürokratischen Begriff stehen viele sehr praktische Einzelmaßnahmen. So der sparsame Umgang mit Wasser, dessen Verbrauch in der Landwirtschaft durch den Einsatz moderner Technologien um 10 bis 50 Prozent, in der Industrie um 40 bis 90 Prozent und in den Städten um 30 Prozent gesenkt werden könnte. Eine solche Steigerung der Wasserproduktivität lässt sich durch eine Erweiterung verfügbarer Wasserressourcen ergänzen, wenn man Zuleitungsverluste reduziert und zum Beispiel Brauch- und Trinkwassernetze voneinander trennt. Durch eine Vermeidung von Verschmutzung und Schadstoffeintrag sowie durch Abwasserklärung und Wiederaufbereitung kann man sich einer nachhaltigen Wassernutzung annähern.

Das klingt alles nicht wirklich nach Außenpolitik. Aber die Brücke dahin liegt nicht weit. 40 Prozent der Weltbevölkerung leben im Einzugsgebiet von 240 internationalen, also von mehreren Ländern zusammen oder eben gegeneinander genutzten Flusssystemen. Wo die Oberanlieger zuviel Wasser entnehmen, werden die Unteranlieger das nicht ohne weiteres hinnehmen. Solche Konflikte sind auch juristisch kompliziert, weil es hier um eine Definition von Souveränitätsrechten und ihren Grenzen geht – ähnlich wie bei der Frage der Humanitären Intervention. Europa und Nordamerika haben es geschafft und sich mit den *Helsinki Rules* von 1966 auf gewisse Regeln verständigt, aber anderswo führen solche Interessenkollisionen zu ernsthaften Spannungen. Und plötzlich ist in Sachen Wasser doch so etwas wie Außenpolitik angefragt. Fachleute schauen da gerne auf Deutschland und wünschen sich ausdrücklich eine „deutsche Wasser-Außenpolitik" – weil unser Land dafür einige gute Voraussetzungen mitbringt. Über unsere vier großen Flusssysteme, der Donau, Elbe, Oder und des Rheins, müssen wir uns zum Beispiel mit unseren Nachbar verständigen, weil sie auch durch deren Staatsgebiet fließen. Deshalb arbeitet die Bundesrepublik in mehr internationalen Flussgebietskommissionen mit als alle anderen europäischen Staaten. Der Bedarf nach solchen Erfahrungen steigt weltweit.[61]

Die deutsche Politik wendet sich international zunehmend dem Wassersektor zu und hat inzwischen weltweit die Position des drittgrößten Geldgebers erreicht. Bei den mit der Weltbank gemeinsam organisierten Runden Tischen im Rahmen der „Petersberger Gespräche" geht es um das grenzüberschreitende Gewässermanagement. Zwei Millionen Euro hat Berlin allein zu der G8-Initiative „Stärkung der Kapazitäten von Wassermanagement in Afrika durch die Förderung der Kooperation zwischen afrikanischen Flussgebietskommissionen" zwischen 2005 und 2008 beigesteuert. Wasser steht auch im Mittelpunkt bei dem von Deutschland geförderten Programm „Horizont 2020", das die Umweltsanierung im Mittelmeerraum beschleunigen soll. Und das Auswärtige Amt bindet in seine Wasseraktivitäten immer häufiger die sehr erfahrene und international angesehene deutsche Wasserwirtschaft ein, die sich inzwischen in der *German Water Partnership* professionell koordiniert und nach außen mit ihrem breiten Leistungsangebot präsentiert. Das ist auch der Fall bei dem derzeit wichtigsten regionalen Schwerpunkt, der „Wasserinitiative Zentralasien", deren politische Zielsetzung ich bei der Behandlung der EU-Zentralasienstrategie schon dargestellt habe. Das Auswärtige Amt investiert dabei für Projekte der Wasserzusammenarbeit in der Region etwa 20 Millionen Euro. Das größte Vorhaben widmet sich wiederum dem Thema „Grenzüberschreitendes Wassermanagement" und ist auf ein Volumen von 10 Millionen Euro für eine Laufzeit von 2009 bis 2011 angelegt. Die Sorge um einen schonenden und Konflikt vermeidenden Umgang mit der begrenzten aber lebenswichtigen Ressource Wasser ist also bei Deutschlands vorausschauender Friedens- und Außenpolitik angekommen.

Die Globale Null als Abrüstungsziel

„Das Schlüsselwort unseres Jahrhunderts heißt Zusammenarbeit. Kein globales Problem ist durch Konfrontation oder durch den Einsatz militärischer Macht zu lösen: weder die Bewahrung der Umwelt oder der Klimaschutz oder auch der Energiebedarf für eine wachsende Weltbevölkerung noch die Bewältigung der globalen Finanzkrise." Diese Sätze haben Helmut Schmidt, Richard von Weizsäcker, Egon Bahr und Hans-Dietrich Genscher in ihrem Plädoyer „Für eine atomwaffenfreie Welt" formuliert, das am 9. Januar 2009 in einer deutschen Tageszeitung veröffentlicht wurde.[62] Sie stellen dort die Verbindung her zwischen der notwendigen Regelung der Globalisierungsherausforderungen und dem Wahnsinn der Hochrüstung – als Gegensatz, der zum Handeln auffordert. Die vier deutschen Politiker knüpfen ausdrücklich an ihre amerikanischen Kollegen Henry Kissinger, George Schultz, William Perry und Sam Nunn an, die 2007 einen ähnlichen Aufruf publizierten. Sie werfen ihr hohes persönliches Ansehen in die Waagschale, um eine deutliche Botschaft, auch über den Atlantik hinweg, zu senden: 2009 muss es gelingen, den gefährlichen Stillstand bei den internationalen Abrüstungsverhandlungen zu überwinden und die Gunst der Stunde des politischen Aufbruchs zu nutzen.

2008 war dabei kein völlig verlorenes Jahr. Am 3. Dezember konnte Deutschland mit 93 anderen Staaten zusammen ein umfassendes und völkerrechtlich verbindliches Verbot von Streumunition unterzeichnen, dessen Formulierung im Mai des Jahres auf einer internationalen Konferenz in Dublin auf die Initiative Norwegens hin erfolgreich ausgehandelt worden war. Leider ist die Arbeit damit noch nicht getan, da die wichtigsten Produzenten von gefährlicher Streumunition an der Vorbereitung des Oslo-Übereinkommens gar nicht teilgenommen haben, also Staaten wie die USA, China, Russland, Indien, Pakistan, Israel und Brasilien. Bisher gelang es auch nicht, mit diesen Produzenten im Rahmen des *Waffenübereinkommens der Vereinten Nationen* (CCW) zu einer Einigung zu kommen, so dass dort die Bemühungen fortgesetzt werden müssen.

Diesem partiellen Erfolg steht aber ansonsten eine beredte Bewegungslosigkeit gegenüber. Noch immer bleibt die Zukunft des wichtigen *Vertrags über konventionelle Streitkräfte in Europa* (KSE) im Ungewissen. Russland hat die Umsetzung des KSE-Vertrags seit dem 12. Dezember 2007 ausgesetzt und ließ sich bisher auch nicht durch die intensiven deutschen Bemühungen und ein neues Angebot der NATO aus dieser Position herauslocken. Weiterhin belasten die amerikanischen Pläne für ein in Polen und der Tschechischen Republik stationiertes Raketenabwehrsystem die Beziehungen zwischen Washington und Moskau. Im Mai 2010 steht die alle fünf Jahre stattfindende Überprüfungskonferenz zum *Nichtverbreitungsvertrag* (NVV) an, auf dessen Bedeutung ich bei der Beschreibung der Verhandlungen über das iranische Nuklearprogramm hingewiesen habe. Immer deutlicher wird, dass die Aufrechterhaltung eines weltweiten Nonproliferationsregimes dringend auf nukleare Abrüstungsschritte der großen Atommächte angewiesen ist. Tatsächlich bewegt sich hier wenig. Washington hat den *Vertrag zur Raketenabwehr* (ABM) unter Präsident Bush gekündigt, hat den *Vertrag über das umfassende Verbot von Nuklearversuchen* (CTBT) noch immer nicht ratifiziert. Und Ende 2009 läuft der *Start-I-Vertrag* zur Begrenzung der ballistischen Raketenwaffen zwischen den USA und Russland aus, ohne dass bisher ein Nachfolgeabkommen in Sicht ist. Der deutsche Außenminister, der mehrfach in den letzten Jahren auf die Notwendigkeit mutiger Abrüstungsschritte hinwies, setzt auf den neuen Präsidenten im Weißen Haus und hat in einem Grundsatzartikel vom 4. Dezember 2008 Fortschritte bei Abrüstung und Rüstungskontrolle als „unverzichtbar", solche bei der nuklearen Abrüstung sogar als „überlebenswichtig" erklärt.[63]

Die Rufe nach entschlossenen Maßnahmen, um die drohende Weiterverbreitung von Nuklearwaffen durch eine radikale Umsetzung des nuklearen Abrüstungsgebots des NVV-Artikels VI von 1970 doch noch aufzuhalten, werden lauter. In Paris traf sich am 8. und 9. Dezember 2008 die *Global Zero-Initiative* zu ihrer Auftaktkonferenz. Sie setzt sich für die vollständige Vernichtung aller Nuklearwaffen ein und findet dafür die Unterstützung von Persönlichkeiten wie Jimmy Carter, Michail Gorbatschow, Hans-Dietrich Genscher, Carl Bildt und der jordanischen Königin Noor. Die meisten von ihnen haben dabei vielleicht noch Barack Obamas Berliner Rede vom 24. Juli 2008 im Ohr, in der er ankündigte, für eine Welt ohne Atomwaffen eintreten zu wollen.[64] Die „Globale Null" bei den Atomwaffen – das klingt wie eine Illusion. Aber in Wirklichkeit können ihre Vertreter mehr Weitsicht und Realismus für sich beanspruchen als die Verfechter eines ewigen Privilegs von ausgewählten Staaten, über eine Waffe verfügen zu dürfen, die ansonsten allen anderen Mitgliedern der Weltgemeinschaft verwehrt bleiben soll. Dieses Ungleichgewicht, das schon überlange besteht, gehört zu einem politischen Auslaufmodell.

Modell für die Zukunft

Wir konstatieren Handlungsdruck, überall: Bei einer Regelung des Zugangs zu Energieressourcen und ihrer nachhaltigen Verwendung, bei der Ausbremsung eines Klimawandels, der, ungehemmt bleibend, diesen Planeten für menschliches Leben sehr viel unwirtlicher zu machen droht, bei dem vereinbarten Recht aller Menschen auf Zugang zu genießbarem Wasser und auf ein Leben ohne Hunger und mit bezahlbaren Nahrungsmitteln. Wir verfügen über ausreichendes Expertenwissen darüber, wie sehr diese Herausforderungen untereinander verknüpft sind, ja das Potential bergen, sich gegenseitig aufzustacheln. Und wir haben Gewissheit darüber, dass Stabilität und Frieden in Zukunft davon abhängen, ob wir die Kraft aufbringen, die notwendigen Maßnahmen entschlossen, rasch und gemeinsam zu treffen. Friedenspolitik muss Krisen verhindern, Konflikte lösen und regionale Stabilitätssysteme organisieren können. Aber all diese Fähigkeiten, bei denen wir im letzten Jahrzehnt viel dazugelernt haben, werden nicht ausreichen, wenn wir bei den Antworten auf die neuen globalen Gefahren versagen oder zu spät reagieren. Das meint das Postulat einer vorausschauenden Außen- und Friedenspolitik auf der festen Basis einer globalen Verantwortungsgemeinschaft, an der sich alle Länder der Welt beteiligen müssen.

Wir sind in diesem Buch weite Wege gegangen, entlang der Vorgeschichte der neuen deutschen Außenpolitik seit dem Zweiten Weltkrieg, durch die prägende Phase des gemeinsamen europäischen Aufbruchs in Antwort auf die Balkankatastrophen, wir haben uns angeschaut, wie in Deutschland Baustein für Baustein Konzepte und Fähigkeiten einer neuen vorausschauenden Außenpolitik entstanden sind, an den Beispielen USA, Russland und China konnten wir die Chancen für globale Partnerschaften prüfen und anhand der Konflikte und Strategien in Afghanistan, im Nahen Osten und in Zentralasien die neue Politik in wichtigen Bewährungsproben beobachten, bis wir zuletzt der Frage nachgegangen sind, welche Anforderungen die neuen globalen Probleme an eine internationale Verantwortungspolitik stellen: Eine „Weltordnung als Reparaturbetrieb" eignet sich nicht. Überzeugender ist es hingegen, auf regionale und globale Prävention zu setzen, Verhandlungslösungen bei Krisen und Konflikten strikten Vorrang einzuräumen und die eigenen Fähigkeiten, Instrumente und Strategien nicht nur fortzuentwickeln, sondern in den Dienst kollektiver Strukturen im Rahmen der EU zu stellen, um mit ihnen für eine fairere und gerechtere Weltordnung zu arbeiten, in der die Vereinten Nationen als wichtigste Weltorganisation und Autorität unsere volle Unterstützung brauchen.

Das seit Ende der 90er Jahre in der EU und in Deutschland entwickelte Modell vorausschauender Außenpolitik im Dienst einer globalen Verantwortungspartnerschaft ist nicht perfekt, es stößt an Grenzen mit seinen Strukturen und Fähigkeiten und wird sich immer wieder auf neue Herausforderungen einstellen müssen. Aber es verdient neben kritischer Würdigung auch Unterstützung. Mein Anliegen ist es, diese neue Politik bekannter zu machen, um auf diese Weise für ihre konstruktive Begleitung zu werben.

Anmerkungen

[1] Ein gutes Beispiel dafür: Schluss mit der Heuchelei. Deutschland ist eine Großmacht. Ein Standpunkt von Eric Gujer. Hamburg 2007.

[2] Die Dissertation von Sebastian Sedlmayr: Die aktive Außen- und Sicherheitspolitik der rot-grünen Bundesregierung 1998–2005. Wiesbaden 2008, gibt wenigstens einen Überblick über einige dieser neuen politischen Elemente.

[3] Christian Hacke: Die Außenpolitik der Bundesrepublik Deutschland. Von Konrad Adenauer bis Gerhard Schröder. Berlin, 2. Aufl. 2004, S. 302.

[4] Arbeit, Innovation und Gerechtigkeit. SPD-Wahlprogramm für die Bundestagswahl 1998.

[5] Aufbruch und Erneuerung – Deutschlands Weg ins 21. Jahrhundert. Koalitionsvereinbarung zwischen der Sozialdemokratischen Partei Deutschlands und Bündnis 90/Die Grünen. Bonn, 20.Oktober 1998.

[6] Zur Außenpolitik der ersten rot-grünen Bundesregierung vgl. Gernot Erler: Internationale Politik 1998–2002: Das erzwungene Umdenken. In: Gernot Erler, Michael Müller, Andrea Nahles, Ludwig Stiegler: Mehrheiten mit Links. Werkstattberichte aus Berlin für eine Politik zur Gestaltung der Globalisierung. Bonn 2002, S. 31–72.

[7] „Ausgerechnet wir, Sozialdemokraten und Grüne, mussten plötzlich mit einer konkreten Kriegsdrohung umgehen, bevor es uns als Regierung überhaupt gab", schreibt Joschka Fischer in seinen Memoiren: Die rot-grünen Jahre. Deutsche Außenpolitik – vom Kosovo bis zum 11. September. Köln 2007, S. 103.

[8] Dazu Gerhard Schröder: „Mir war völlig klar, dass diese Frage mit darüber entscheiden würde, ob Rot und Grün regierungsfähig seien oder ob wir nur eine kurze Gastrolle auf der Regierungsbank übernähmen." In: Entscheidungen. Mein Leben in der Politik. Hamburg 2006, S. 84.

[9] Der Kosovo-Krieg und seine Lehren. Bericht an den Bundesparteitag der SPD, vorgelegt von der Kommission Internationale Politik beim SPD-Parteivorstand, November 2001.

[10] Zum Entstehungszusammenhang von Balkanlektion und neuen EU-Fähigkeiten siehe Gernot Erler: The Balkans and European Peace Building. In: Johanna Deimel, Wim van Meurs (Hg.): The Balkan Prism. A Retrospective by Policy-Makers and Analysts. München 2007, S. 453–460.

[11] Hierzu Ernst-Otto Czempiel: Die Pax Americana nach dem Irak-

Krieg. In: Erich Reiter (Hg.): Jahrbuch für internationale Sicherheitspolitik 2003. Hamburg 2003, S. 119–134.

[12] Patrick Keller: Neokonservatismus und amerikanische Außenpolitik. Ideen, Krieg und Strategie von Ronald Reagan bis George W. Bush. Paderborn 2008, bes. Kap. V über die Bush-Zeit.

[13] Dazu Georg Löfflmann: Verteidigung am Hindukusch? Die Zivilmacht Deutschland und der Krieg in Afghanistan. Hamburg 2008; Andrea Iro: Staatszerfall und State-Building in Afghanistan. Die USA im Spannungsfeld zwischen Staatsaufbau und Terrorbekämpfung nach dem 11. September 2001. Marburg 2008.

[14] Typisch für die überwiegend kritische Wertung der Politikwissenschaft zur deutschen Irak-Politik ist Hanns W. Maull, Sebastian Harnisch, Constantin Grund (Hg.): Deutschland im Abseits? Rot-grüne Außenpolitik 1998–2003. Baden-Baden 2003.

[15] Umfassend dazu Mathias Jopp, Peter Schlotter: Kollektive Außenpolitik – Die Europäische Union als internationaler Akteur. Baden-Baden 2008.

[16] Text der ESS: http://www.consilium.europa.eu/uedocs/cmsUpload/031208ESSIIDE.pdf; am 11. Dezember 2008 wurde in Brüssel der „Bericht über die Umsetzung der Europäischen Sicherheitsstrategie – Sicherheit schaffen in einer Welt im Wandel –" vorgelegt: http://consilium.europa.eu/ueDocs/cms_Data/docs/pressdata/DE/reports/104634.pdf.

[17] Ein erstes Papier für die Arbeitsweise des ZFD wurde im März 2005 erstellt, die überarbeitete Fassung vom Mai 2008 trägt den Titel: Standards für den Zivilen Friedensdienst. Gemeinsame Grundlage des Konsortiums Ziviler Friedensdienst bei der Entwicklung von Projekten.

[18] Entnommen aus Tilman Evers: Working on Conflict. Der Zivile Friedensdienst nach sechs Jahren. In: Ansgar Klein, Silke Roth (Hg.): NGOs im Spannungsfeld von Krisenprävention und Sicherheitspolitik. Wiesbaden 2007, S. 141–161, hier S. 141.

[19] Aktionsplan „Zivile Krisenprävention, Konfliktlösung und Friedenskonsolidierung". Berlin, 12. Mai 2004: http://www.auswaertiges-amt.de/diplo/de/Aussenpolitik/Themen/Krisenpraevention/neu/Downloads/Aktionsplan-De.pdf; „Sicherheit und Stabilität durch Krisenprävention gemeinsam stärken". 1. Bericht über die Umsetzung des Aktionsplans „Zivile Krisenprävention, Konfliktlösung und Friedenskonsolidierung". Berichtszeitraum: Mai 2004 bis April 2006: http://www.auswaertiges-amt.de/diplo/de/Aussenpolitik/Themen/Krisenpraevention/neu/Downloads/Aktionsplan-Bericht1–de.pdf; Krisenprävention als gemeinsame Aufgabe. 2. Bericht über die Umsetzung des Aktionsplans „Zivile Krisenprävention, Konfliktlösung und Friedenskonsolidierung". Berichtszeitraum: Mai 2006

bis April 2008: http://www.auswaertiges-amt.de/diplo/de/Aussenpolitik/
Themen/Krisenpraevention/neu/Downloads/Aktionsplan-Bericht2–de.pdf

[20] Plattform Zivile Konfliktbearbeitung, Forum Menschenrechte: Stellungnahme zum 2. Bericht der Bundesregierung „Krisenprävention als gemeinsame Aufgabe" für die Umsetzung des Aktionsplans „Zivile Krisenprävention, Konfliktlösung und Friedenskonsolidierung". Berlin, 11. September 2008.

[21] Der Bericht ist zugänglich über http://www.auswaertiges-amt.de/diplo/de/Aussenpolitik/Themen/Menschenrechte/8.MR.Bericht.html

[22] Sehr ausführlich dazu: Bericht der Bundesregierung zur Zusammenarbeit zwischen der Bundesrepublik Deutschland und den Vereinten Nationen und einzelnen, global agierenden, internationalen Organisationen und Institutionen im Rahmen des VN-Systems in den Jahren 2006 und 2007. Verabschiedet im Bundeskabinett am 16. Juli 2008. Broschüre des Auswärtigen Amtes oder Bundestagsdrucksache 16/10036 vom 16. Juli 2008.

[23] Dazu Gernot Erler: Klare Andeutungen. Zum politischen Kontext der Papstrede vor den Vereinten Nationen. In: Benedikt XVI., Eine menschlichere Welt für alle. Die Rede vor der UNO. Freiburg 2008, S. 41–58.

[24] Zwei ebenso informative wie engagierte Papiere zeichnen die Entwicklung des Konzepts der Schutzverantwortung nach, machen Vorschläge für die Zukunft und verweisen auf weitere Literatur: „Responsibility to Protect": Vom Konzept zur angewandten friedens- und sicherheitspolitischen Doktrin? FriEnt Briefing Nr. 6, August 2007 (11 Seiten) und Sabine von Schorlemer: Die Schutzverantwortung als Element des Friedens. Empfehlungen zu ihrer Operationalisierung. Stiftung Entwicklung und Frieden, Policy Paper 28, Dezember 2007 (12 Seiten). Vgl. auch Christian Schaller: Gibt es eine „Responsibility to Protect"? In: Aus Politik und Zeitgeschichte 46/2008, 10.11.2008, S. 9–14, mit zahlreichen Literaturverweisen.

[25] Franz Nuscheler: Entwicklungspolitik. Bonn 2005, 5. Aufl., S. 96f.

[26] Unterrichtung durch die Bundesregierung. Dreizehnter Bericht zur Entwicklungspolitik der Bundesregierung. Bundestagsdrucksache 16/10038 vom 17. Juli 2008.

[27] VENRO: „Damit Armut einpacken kann". Schattenbericht zum deutschen Engagement für die Verwirklichung der Millenniumsentwicklungsziele. Bonn/Berlin 2008, S. 4.

[28] Politische Grundsätze der Bundesregierung für den Export von Kriegswaffen und sonstigen Rüstungsgütern: http://www.auswaertiges-amt.de/diplo/de/Aussenpolitik/Weltwirtschaft/Exportkontrollpol-international.html. Unter dieser Adresse finden sich auch die Rüstungsexportberichte der Bundesregierung.

[29] Bericht der Bundesregierung über ihre Exportpolitik für konventionelle Rüstungsgüter im Jahr 2007 (Rüstungsexportbericht 2007), beschlossen im Dezember 2008: http://www.bmwi.de/BMWi/Navigation/Service/publikationen,did=284478.html und 12. Rüstungsexportbericht der Gemeinsamen Konferenz Kirche und Entwicklung vom 8. Dezember 2008: www3.gkke.org/fileadmin/files/publikationen/2008/REB_2008.pdf.

[30] Zuletzt erschien: Friedensgutachten 2008. Herausgegeben von Andreas Heinemann-Grüder, Jochen Hippler, Markus Weingardt, Reinhard Mutz, Bruno Schoch. Berlin 2008. Die 5 Institute sind: Bonn International Center for Conversion (BICC), Institut für Entwicklung und Frieden (INEF), Forschungsstätte der Evangelischen Studiengemeinschaft (FEST), Institut für Friedensforschung und Sicherheitspolitik an der Universität Hamburg (IFSH) und Hessische Stiftung für Friedens- und Konfliktforschung (HSFK).

[31] Gute Belege dafür bietet die umfangreiche Aufsatzsammlung von Ansgar Klein, Silke Roth (Hg.): NGOs im Spannungsfeld von Krisenprävention und Sicherheitspolitik. Wiesbaden 2007; zur Geschichte der deutschen Friedensbewegung vgl. jetzt das Kapitel Friedensbewegung von Andreas Buro in: Roland Roth u. a. (Hg.): Die sozialen Bewegungen in Deutschland seit 1945: ein Handbuch. Frankfurt a. M. 2008, S.268–291.

[32] Als Beispiele seien genannt Gregor Schöllgen: Der Auftritt. Deutschlands Rückkehr auf die Weltbühne. München 2003; Alan Posener: Imperium der Zukunft. Warum Europa Weltmacht werden muss. München 2007.

[33] Gemeinsam für Deutschland. Mit Mut und Menschlichkeit. Koalitionsvertrag von CDU, CSU und SPD. 11. November 2005, Zitat S. 129: http://www.bundesregierung.de/Content/DE/__Anlagen/koalitionsvertrag, property=publicationFile.pdf.

[34] Zu dem Komplex Veränderung der US-Politik durch den 11. September vgl. Ernst-Otto Czempiel: Weltpolitik im Umbruch. Die Pax Americana, der Terrorismus und die Zukunft der internationalen Beziehungen. München 2002, 4. Aufl. 2003.

[35] Hierzu als Chefdenker der Bush-Zeit Robert Kagan: Die Demokratie und ihre Feinde. Wer gestaltet die Weltordnung? München 2008.

[36] In einem Offenen Brief hat auch Außenminister Steinmeier unter dem Titel „Im engen Schulterschluss" seine Erwartungen und Angebote an Präsident Obama formuliert und im SPIEGEL 3/2009, 12. Januar 2009, S. 28 veröffentlicht.

[37] Die beste Darstellung dazu bietet: Margareta Mommsen, Angelika Nußberger: Das System Putin. Gelenkte Demokratie und politische Justiz in Russland. München 2007.

256

[38] Für die russische Entwicklung unter Präsident Putin bis 2005 Gernot Erler: Russland kommt. Putins Staat – der Kampf um Macht und Modernisierung. Freiburg 2005.

[39] „Für eine deutsch-russische Modernisierungspartnerschaft". Rede des Außenministers Frank-Walter Steinmeier am Institut für internationale Beziehungen der Ural-Universität in Jekaterinburg, 13. Mai 2008, S. 3: http://www.auswaertiges-amt.de/diplo/de/Infoservice/Presse/Reden/2008/080513-BM-Russland.html

[40] Zum Kaukasuskrieg informiert das Heft Osteuropa 11/2008 unter dem Titel „Rückblick auf ein Lehrstück. Der Kaukasuskrieg und die Folgen" mit zehn Beiträgen zu allen Aspekten.

[41] Artikel von C. J. Chivers und Ellen Barry: Georgia Claims on Russia War Called into Question. The New York Times, 7. November 2008.

[42] Eine öffentlich zugängliche Version der russischen Vorschläge findet sich in der Rede von Außenminister Sergej Lawrow vom 4. Dezember 2008 beim OSZE-Ministerrat unter dem Titel (engl. Version) „Russian Initiative Regarding a Treaty on European Security": http://www.osce.org/documents/mcs/2008/12/35468_en.pdf.

[43] DER SPIEGEL 46/2008, S. 183.

[44] Asien als strategische Herausforderung und Chance für Deutschland und Europa. Asienstrategie der CDU/CSU-Bundestagsfraktion. Beschluss vom 23. Oktober 2007: http://www.cducsu.de/Titel__Deutschlands_Blick_auf_Asien_weiten/TabID__1/SubTabID__5/InhaltTypID__4/InhaltI D__7850/inhalte.aspx

[45] Als Bericht eines unvoreingenommenen Augen- und Zeitzeugen liegt vor: China ist kein Reich des Bösen. Trotz Tibet muss Berlin auf Peking setzen. Ein Standpunkt von Georg Blume. Hamburg 2008.

[46] Das Afghanistan-Konzept der Bundesregierung vom 8. September 2008: www.bundesregierung.de/Content/DE/__Anlagen/2008/09/2008-09-08-afghanistan-konzept,property=publicationFile.pdf

[47] Zur Einführung in die Vergangenheit Afghanistans siehe: Wegweiser zur Geschichte Afghanistans. Hg. vom Militärgeschichtlichen Forschungsamt. Paderborn 2007, 2. Aufl.

[48] Interview in DIE WELT, 15. Dezember 2008, S. 4.

[49] Ein solcher Ansatz findet sich in: Partner, nicht Gegner. Für eine andere Iran-Politik. Ein Standpunkt von Christoph Bertram. Hamburg 2008; zum Verständnis des Iran als Verhandlungspartner jetzt Volker Perthes: Iran – Eine politische Herausforderung. Die prekäre Balance von Vertrauen und Sicherheit. Frankfurt 2008.

[50] Ich wollte das festhalten und verfasste nach der Rückkehr kurze Porträts dieser zwölf wichtigsten Gesprächspartner, die am 24. April 1992 von

der „Frankfurter Rundschau" zum größten Teil abgedruckt wurden: Teppiche mit den Köpfen von Marx und Lenin hängen noch. Porträts der neuen (alten) Politiker in den Staaten der ehemaligen Sowjetunion. Reisebeobachtungen von Gernot Erler. In: Frankfurter Rundschau, 24. April 1992, S. 18.

[51] Otto Hoetzsch: Russland in Asien. Geschichte einer Expansion. Stuttgart 1966, S. 124.

[52] So bei Zbigniew Brzezinski: The Grand Chessboard: American Primacy And Its Geostrategic Imperatives. New York 1997; auf Deutsch: Die einzige Weltmacht. Amerikas Strategie der Vorherrschaft. Weinheim 1997.

[53] *New Great Game* siehe Mehdi Parvizi Amineh: Globalisation, Geopolitics and Energy Security in the Eurasian Region. The Hague 2003. Zur US-Politik in der Region Behrooz Abdolvand: Die geoökonomischen Interessen der USA und deren Auswirkungen auf die Neuverteilung der kaspischen Energieressourcen. Berlin, Diss., 2005.

[54] Hierzu Alexander Warkotsch: Die Zentralasienpolitik der Europäischen Union. Interessen, Strukturen und Reformoptionen. Frankfurt/M. 2006, und Gernot Erler: Erfahrung und Interesse. Das EU-Engagement in Zentralasien. In: Machtmosaik Zentralasien. Traditionen, Restriktionen, Aspirationen (Osteuropa Heft 8–9, 2007), S. 369–376.

[55] Die Konferenzergebnisse sind abrufbar unter www.freiburg-konferenz.de

[56] Umfassend zur Arbeit des Weltklimarats: Michael Müller, Ursula Fuentes, Harald Kohl (Hg.): Der UN-Weltklimareport. Berichte über eine aufhaltsame Katastrophe. Köln 2007.

[57] WGBU: Welt im Wandel – Sicherheitsrisiko Klimawandel. Berlin 2007.

[58] Das ist gut belegt durch zwei Dokumente des Rats der Europäischen Union: Klimawandel und internationale Sicherheit. Brüssel, 3. März 2008 und: Klimawandel und Sicherheit: Empfehlungen des Hohen Vertreters zur Umsetzung des Berichts des Hohen Vertreters und der Europäischen Kommission über Klimawandel und internationale Sicherheit, Brüssel, 12. Dezember 2008.

[59] Eine Gesamtübersicht zur Politik der Bundesregierung bietet der unter dem Titel „Globale Ernährungssicherung durch nachhaltige Entwicklung und Agrarwirtschaft" stehende Bericht der Ressortarbeitsgruppe „Welternährungslage" an das Bundeskabinett vom Juni 2008: http://www.bmelv.de/cln_045/nn_752430/SharedDocs/downloads/10–Internationales/BerichtWelternaehrung,templateId=raw,property=publicationFile.pdf/BerichtWelternaehrung.pdf.

[60] Aus Thomas Fritz: Dem Weltmarkt misstrauen. Die Nahrungskrise nach dem Crash. Berlin 2008, S. 27.

[61] Dazu Christiane Ahlborn, Alexandre Callegaro, Susanne Ozegowski: Eine deutsche Wasser-Außenpolitik? Möglichkeiten und Grenzen eines ressortübergreifenden Beitrags zu den Millenniumszielen. In: Alexander Brand, Arne Niemann (Hg.): Interessen und Handlungsspielräume in der deutschen und europäischen Außenpolitik. Dresden 2007, S. 85–110. Zum Gesamtthema bietet ein Konferenzband zahlreiche Anregungen: Wasser – Konfliktstoff des 21. Jahrhunderts. Heidelberg 2008.

[62] FAZ, 9. Januar 2009, S. 10.

[63] Partnerschaft wagen, Vertrauen schaffen. Von Bundesaußenminister Dr. Frank-Walter Steinmeier. FAZ, 4. Dezember 2008, S. 10.

[64] Einer der Bezugspunkte dieser Initiative ist der Beitrag von Ivo Daalder und Jan Lodal: The Logic of Zero. Toward a World Without Nuclear Weapons. In: Foreign Affairs, Nov/Dec 2008, S. 80–95.

Veröffentlichungen des Autors zum Thema

Global Monopoly. Weltpolitik nach dem Ende der Sowjetunion. Berlin 1998.

Internationale Politik 1998–2002: Das erzwungene Umdenken. In: Gernot Erler, Michael Müller, Andrea Nahles, Ludwig Stiegler: Mehrheiten mit Links. Werkstattberichte aus Berlin für eine Politik der Gestaltung der Globalisierung. Bonn 2002, S. 31–72.

Der Fall Chodorkowskij – zur Tomographie eines politischen Konflikts. In: Gabriele Gorzka, Peter W. Schulze (Hg.): Wohin steuert Russland unter Putin? Der autoritäre Weg in die Demokratie. Frankfurt am Main 2004, S. 301–325.

Beslan und die Folgen: Moskaus Kaukasuspolitik und die russische Transformation. In: Erich G. Fritz (Hg.): Russland unter Putin: Weg ohne Demokratie oder russischer Weg zur Demokratie? Oberhausen 2005, S. 81–94.

Russland kommt. Putins Staat – der Kampf um Macht und Modernisierung. Freiburg 2005.

The Balkans and European Peace Building. In: Johanna Deimel, Wim van Meurs (Hg.): The Balkan Prism. A Retrospective by Policy-Makers and Analysts. München 2007, S. 453–460.

Prävention statt Intervention: ein Lernprozess. In: Kurt Beck, Hubertus Heil (Hg.): Sozialdemokratische Außenpolitik für das 21. Jahrhundert. Baden-Baden 2007, S. 111–117.

Erfahrung und Interesse. Das EU-Engagement in Zentralasien. In: Machtmosaik Zentralasien. Traditionen, Restriktionen, Aspirationen (Osteuropa Heft 8–9, 2007), S. 369–376.

Klare Andeutungen. Zum politischen Kontext der Papstrede vor den Vereinten Nationen. In: Benedikt XVI. Eine menschlichere Welt für alle. Die Rede vor der UNO. Freiburg 2008, S. 41–58.

Die neue Friedensdenkschrift des EKD. In: epd-Dokumentation, 19–20, 2008, S. 10–14.